D0533053

Divorce à petit feu

Clare Dowling

Divorce à petit feu

Traduit de l'anglais
par Raphaëlle Eschenbrenner

•MARABOUT•

Pour Maman

1

Jackie avait rendez-vous avec Dan et elle était en retard. Par ailleurs, c'était probablement l'anniversaire de leur rencontre (six mois déjà), et elle regrettait de ne pas avoir pris le temps de le vérifier. Faut dire qu'elle avait été débordée au magasin. Lech, le livreur, s'était encore trompé de commande et avait livré un bouquet de roses rouges agrémenté d'une carte guillerette portant l'inscription : « *Je t'aime !* » au domicile d'une vieille dame décédée la veille. La couronne, elle, avait été présentée à un jeune couple attablé dans un restaurant. Jackie avait rappelé à Lech qu'il était à l'essai et elle n'en était pas fière – mais avait-elle le choix ? Flower Power commençait juste à réaliser un bénéfice ; elle ne pouvait pas se permettre que des erreurs de ce genre se reproduisent.

Perchée sur ses nouvelles bottines rouges, elle continua de trottiner. Elle n'aurait pas dû les acheter : le rouge ne lui allait pas, les talons étaient trop hauts et à l'heure du déjeuner une rafale de vent avait failli la renverser. Mais quand elle les avait vues dans la vitrine, les bottes lui avaient semblé correspondre à ce qu'une femme d'affaires sexy porterait. Ou une prostituée.

Elle scruta ses bottines d'un air sceptique. Après tout, elle débutait, on lui pardonnerait ses fautes de goût. Ses tenues finiraient par s'harmoniser. D'ailleurs, les clients semblaient satisfaits : ils savaient que quand ils achetaient des fleurs ils ne payaient pas seulement pour un bouquet, et elle ne les aurait pas insultés en arborant un tablier bleu et des chaussures laides et pratiques.

Dan l'avait devancée ! Elle l'aperçut qui patientait au *Bistro*, installé à leur table préférée. Il la repéra aussi et son large visage calme s'illumina. Elle était tellement contente que quelqu'un se sente heureux en la voyant qu'elle eut envie de se mettre à chanter. C'était une impulsion ridicule qui la prenait de temps à autre. Elle ne l'avait jamais confié à Dan. Elle savait qu'il ne fallait pas livrer la moindre parcelle de son âme aux hommes : ils vous le rendaient au centuple ! Jackie s'était donc construit sa propre forteresse.

Elle traversa la rue, ouvrit la porte du restaurant.

— Bonsoir ! lança-t-elle à Fabien, le patron. Ça va ?

— Bien, bien, martela-t-il d'un air résigné.

Parfois, il essayait de lui parler en anglais, mais Jackie, déterminée à contribuer à l'entente franco-irlandaise, répondait systématiquement en français. Depuis des années, ils échangeaient donc toujours les deux mêmes répliques.

Dan se leva. Avec tristesse, elle remarqua qu'il était plus élégant qu'à l'accoutumée. Une bosse pointait sous la poche de sa veste : il lui avait probablement apporté un cadeau – ce qui ne manquerait pas d'accroître sa gêne. Il se pencha pour l'embrasser. Il mesurait presque deux mètres. « Mais il n'est pas grand comme une curiosité de foire, s'empressait-elle d'expliquer à ses amies, il est grand comme un héros de rugby. Hélas ! suite à des fractures multiples et à un pancréas éclaté, il ne peut plus jouer. – Tu nous le présentes quand ? l'interrogeait-on. – Bientôt », affirmait toujours Jackie.

Dan se mit à tambouriner des doigts sur la carte.

— Alors ? demanda-t-il.

Autant tout avouer.

— Dan, j'avais oublié. Je suis désolée. J'ai passé une semaine de dingue ; je te revaudrai ça, promis. On ira à Paris le week-end prochain. Qu'en dis-tu ?

Emma, son associée, allait être furieuse. Elle reprochait souvent à Jackie de s'absenter quand bon lui semblait. Bien sûr, Emma n'était pas sortie avec un homme depuis 1998 et estimait pouvoir se passer d'eux. Selon elle, un week-end en amoureux ne constituait pas une excuse valable. Par ailleurs, un de leurs clients se mariait et Emma avait insisté sur le fait qu'elle n'avait pas le flair de Jackie en matière de décoration florale. Non, Jackie ne pourrait pas aller à Paris le week-end prochain.

— Sauf si tu n'es pas libre, ajouta-t-elle, pleine d'espoir.

— Pourquoi Paris ? s'enquit Dan.

— Pour fêter l'anniversaire de notre rencontre.

— Ah.

— Je me suis trompée de date ?

Il réfléchit un instant.

— Eh bien, en fait, c'était mercredi.

— Je vois.

Ils n'étaient pas sortis mercredi. Il avait voulu regarder un documentaire sur les élections à Cuba. Même pas un film porno ou quelque chose d'approchant.

— Désolé, Jackie.

— Ce n'est pas grave.

Elle plongea dans la carte.

— Si, ça l'est, insista Dan, en rapprochant sa main de la sienne d'un air navré. Ça fait déjà six mois que ton pneu a crevé, c'est incroyable.

Ils ne battraient pas le record du début de relation le plus romantique. Au cœur de l'hiver, elle s'était retrouvée coincée dans sa voiture avec cinq douzaines d'œillets menaçant de dépérir. Vêtu d'un short minuscule et démodé, sa crinière blonde au vent, il avait surgi des ténèbres et proposé de l'aider. Ensemble, ils avaient découvert qu'elle ne possédait pas de roue de secours et avaient attendu l'arrivée de la dépanneuse, lui replié sur le siège étroit du passager, elle tripotant nerveusement le levier de vitesses jusqu'à ce qu'elle découvre qu'il s'agissait du genou de Dan. Il avait rougi et fait mine de tousser. Plusieurs fois. Puis ses yeux s'étaient enflés, et, suffoquant, il lui avait demandé :

— Il n'y aurait pas des fleurs dans la voiture, par hasard ? J'y suis allergique.

Aux urgences, dès qu'il avait été capable de respirer normalement, il avait insisté pour la revoir.

— Est-ce bien raisonnable ? avait-elle répondu. Je suis quand même fleuriste.

— Et alors ? Moi, je suis directeur financier d'une agence bancaire. J'assiste à des réunions durant lesquelles je tape du poing sur la table en rappelant à mes clients que leurs intérêts commerciaux ont enregistré une hausse de cent pour cent au cours des six derniers mois. Cela ne doit pas vous sembler très excitant, je suppose ?

— Pourquoi ?

— Je ne sais pas. J'ai le sentiment de ne pas être un type très intéressant.

— Je suis sûre que c'est faux, avait-elle affirmé sans y croire.

— Non, ma vie est tellement passionnante que je

vais pouvoir parler de cet incident pendant des siècles : comment j'ai fini aux urgences à cause d'une allergie aux fleurs !

Elle aurait dû refuser. Mais elle s'était dit qu'accepter de le revoir ne l'engageait à rien. De plus, les bras musclés de Dan étaient très attirants et elle n'allait pas passer son temps à rester sage et raisonnable. Alors, quand l'infirmière s'était approchée de lui avec un plateau-repas, Jackie avait soudain rugi d'un air hostile :

— Je lui ferai à manger !

Depuis, six mois s'étaient écoulés.

— Toi aussi, tu avais oublié la date, déclara-t-il soudain. En fait, tu as commencé à t'en excuser dès ton arrivée.

— Mais...

— Tu as expliqué que tu avais été débordée. Que tu me revaudrais ça, comme si c'était un devoir. Tu as essayé de t'en tirer en me proposant un week-end à Paris.

— Non, tu exagères !

— Même pas Vienne ! Paris.

Jackie sentit ses joues s'enflammer. Il n'y avait jamais eu la moindre tension entre eux. Ils se disputaient rarement. Parfois, elle avait l'impression qu'ils ressemblaient au couple dynamique et joyeux d'une publicité. Mais ce n'était pas ça qui l'attirait, ni le confort de leur relation. En vérité, elle savait exactement à quoi s'en tenir avec Dan. Ce qui éliminait aussitôt les faux espoirs et les déceptions.

Ce soir, cependant, il ne prenait pas de gants. Sans doute avait-il besoin de se secouer un peu. De montrer ce qu'il avait dans le ventre. Elle décida de contre-attaquer :

— Au moins, je t'ai proposé quelque chose ! Toi, tu n'avais fait aucun projet.

— Si, figure-toi.

— Ah oui ?

— J'allais te demander en mariage.

— Quoi ?

— Je m'apprêtais même à m'agenouiller, grogna-t-il.

Il marqua une pause.

— Jackie Ball, veux-tu devenir ma femme ? reprit-il d'un ton plus aimable.

— C'est... c'est une sacrée surprise, bredouilla-t-elle.

C'était même la dernière chose à laquelle elle aurait pu songer. Implanter un deuxième Flower Power sur la Lune lui semblait presque plus réaliste.

— Écoute, je sais ce que tu penses. Que c'est prématuré. Que tu me connais à peine. Je t'emmène à des matchs de rugby sous la pluie, j'oublie de noter la date de notre rencontre, mes pieds empestent jusqu'au paradis : comment puis-je oser espérer un « oui » ?

— Dan...

— En revanche, ce qui est positif, c'est que la période du rugby ne dure que six mois. Par ailleurs, j'ai une voiture, une maison, une retraite, des cheveux, et je promets de te chérir, de t'honorer et de t'obéir jusqu'à la fin de mes jours. De plus, la télécommande de la télévision t'appartiendra. Alors, ça te va ?

— Dan...

— Je n'aime pas ce ton. Tu vas me plaquer, n'est-ce pas ?

— Non.

— Tu ne vas pas me plaquer ? Ou tu ne vas pas m'épouser ? Réponds-moi, je t'en supplie. (Il pointa son menton du doigt.) Lance-toi, je peux encaisser le choc.

— Le mariage est un grand pas.

— Jackie, j'ai trente-six ans. Je veux vivre avec la bonne personne. Je veux acheter une maison jumelée en banlieue et transformer le sous-sol en salle de jeux. Je veux échanger ma BMW contre un véhicule pour famille nombreuse – arrête de ricaner – et avoir une fille et un garçon, ainsi qu'un chien. Je l'appellerai Biff ou Edward.

— Tu penses au prénom de ton chien avant celui de tes enfants ?

— Alors tu es d'accord pour élever des enfants ?

— Pour l'instant, je n'ai pas encore dit « oui » !

Mais l'offre globale semblait tellement attractive, tellement complète, tellement généreuse. Il y avait même un chien en supplément. Quelle femme de son âge aurait pu résister ?

— Dan, poursuivit-elle. Il y a quelque chose que je ne t'ai pas avoué.

— Bien sûr, rétorqua-t-il. Nous avons tous nos petits secrets et un passé qui n'a pas toujours été très glorieux.

— Dan, c'est important.

Fabien s'approcha de leur table avec une bouteille de champagne.

— Monsieur ? Mademoiselle ? Puis-je être le premier à vous présenter mes félicitations ?

— Trop tôt, répondit Dan en le chassant d'un geste.

Fabien dévisagea Jackie comme si elle était en train de laisser passer une opportunité qui ne se présenterait plus. Même lui savait qu'elle ne trouverait pas mieux. Lorsqu'il s'éloigna, un silence tomba.

— Écoute, Jackie, les hommes t'ont fait souffrir et tu te méfies. Tu n'as d'ailleurs pas besoin de me le dire pour que je le sache, ça se voit. À ta façon de croiser les bras, par exemple, comme en ce moment. Ou de te rétracter. Et alors ? Moi aussi, j'ai été meurtri. Je me suis fait larguer pendant des vacances. J'ai mis des mois à m'en remettre. Mais maintenant, nous sommes ensemble, Jackie, et je t'aime. Je n'ai jamais rencontré quelqu'un comme toi. Si tu le voulais, nous pourrions être heureux tous les deux.

— Je le veux.

— C'est un « oui » ?

— Je suppose.

— Tu viens d'accepter ?

— Oui.

— Bon sang, elle a dit « oui » ! Elle a dit « ouiiiii » !

— Mais, Dan...

— Il n'y a pas de « mais » qui tienne. Les « mais » sont supprimés du vocabulaire jusqu'à demain matin.

Il se pencha pour l'embrasser. Mon Dieu ! Elle allait fonder une famille avec un dénommé Dan. Qui plus est, elle s'en réjouissait. Absolument ! Finis les types sur lesquels on ne pouvait pas compter.

— Je t'aime, Dan ! cria-t-elle. Et je me fiche de qui m'entend !

Excepté Fabien, personne ne l'entendit. Les gens étaient bien trop occupés avec leurs assiettes pour les remarquer. Le serveur retourna chercher le champagne.

— J'espère qu'elle te va, déclara Dan en lui tendant une bague.

Jackie retint son souffle. C'était un anneau orné de cinq gros diamants. En comparaison, ses bijoux semblaient sortis d'une pochette-surprise.

— Ne me demande pas combien ça a coûté, ajouta-t-il. Premièrement, rien que d'y penser, ça me fait mal ; deuxièmement, tu vaux tout l'or du monde.

Elle fondit en larmes. Elle avait toujours su pleurer à profusion, mais rarement de joie. Dan la dévisageait d'un air fier. Elle s'occuperait des arrangements floraux de leur mariage, bien sûr. Des roses rouges et blanches partout, même pour composer son bouquet ! Non, trop excessif. Elle voulait suggérer la passion, pas un bain de sang. Néanmoins, elle refusait de se confiner dans des roses blanches ou dans des freesias roses, comme elle le recommandait souvent à ses clientes. « Restez simple, restez sobre, et vous ne pourrez pas commettre d'erreur », leur assurait-elle.

Jackie se sentait incapable de suivre ses propres conseils. Elle songeait à des centaines, des milliers de marguerites, éparpillées sur le sol peut-être...

Sauf que Dan y était allergique. Quel dommage. Elle serait une fleuriste sans fleurs lors de ses noces. Tant pis, elle en confectionnerait en papier crépon.

— Nous devons décider d'une date, déclara Dan.

— Une date ?

— C'est la procédure habituelle, Jackie.

— Oui, je sais. Je pensais qu'on allait d'abord profiter de ce moment.

Elle lui chatouilla le poignet, mais il continua de la scruter d'un air sérieux.

— Je ne veux pas attendre un siècle.

— Non, murmura-t-elle.

— L'une de mes tantes est restée fiancée dix-neuf ans.

— C'est ridicule.

— Alors marions-nous dans trois mois si cela te convient.

Elle réfléchit un instant. Vu son emploi du temps surchargé, c'était totalement impossible.

— D'accord ! répondit-elle.

Le romantisme de la soirée les rendit audacieux. Ils annulèrent le dîner et se précipitèrent au lit où Dan battit tous les records avant de se retourner sur le dos comme un chiot ravi. Jackie se demanda si elle devait l'applaudir.

— Garde tes bottines de catin la prochaine fois, murmura-t-il en s'assoupissant contre son épaule.

Elle attendit qu'il ronfle. Puis elle se dégagea et descendit du lit. En bas, elle ferma la porte du salon derrière elle et se dirigea à pas feutrés vers le bureau situé au coin de la pièce. Là, elle prit conscience qu'elle avait oublié le numéro de téléphone. Pourtant, elle se souvenait parfaitement de l'appareil ultramoderne équipé d'une multitude de touches. Avec une forme virile, proche de celle d'un pénis, il était encastré dans un répondeur, jouxtant une photo très kitsch du Sacré-Cœur. Car elle aussi avait vécu dans cet appartement. Et la moitié des lieux lui appartenait encore. Le numéro lui revint enfin. Comme un flash. Il était composé de trois 6 : le chiffre du Diable. À l'époque, il s'était moqué de sa superstition. Alors qu'elle avait eu raison de se méfier !

À l'idée de lui parler, une montée de stress l'envahit. Henry était un homme dont la température ne dépassait jamais les trente-sept degrés. En toute occasion, il disposait d'un arsenal de plaisanteries et de remarques humiliantes. Comment allait-il réagir en apprenant la nouvelle ? Après avoir arrêté de rire ?

Elle l'entendait déjà. Il lui reprocherait de faire preuve d'impétuosité suprême. Ou d'être impulsive. Il l'énerverait. Il ne faudrait pas qu'elle morde à l'appât, autrement les aigus de sa voix risqueraient d'atteindre des décibels spectaculaires. « Calme-toi, Jackie », déclarerait-il alors, d'une façon qui lui donnerait envie de l'assommer à coups de poêle.

Elle prit un moment pour réfléchir à l'introduction : « Bonsoir, Henry, c'est Jackie. » Non. Trop gentil. Il méritait une entrée en matière plus sinistre : « Nous avons encore une affaire à régler », lui semblait plus approprié. Jackie composa le numéro et attendit. Dans l'appartement qu'ils avaient partagé à Londres, la sonnerie retentit. Au moins, avec ses couvre-théières, ses coussins exotiques et un magnifique tapis acheté au marché, elle avait essayé d'en faire un endroit accueillant, confortable. Henry se plaignait des coloris qu'elle choisissait et de son désordre. Se contentant de peu, il n'avait pas besoin de nouvelles choses, pas comme elle. Et dans sa tête, il était encore libre et célibataire : alors pourquoi essayer de construire un nid douillet qui ressemble à un foyer conjugal ?

— Allô ?

Sa voix, avec le ton de quelqu'un qui s'apprête à

rembarrer un vendeur de double vitrage. Elle sentit sa bouche se dessécher.

— Henry ! C'est Jackie... Ta femme.

— Désolé, je ne peux pas vous répondre, laissez-moi un message et je vous rappellerai.

Même pas « au revoir ». Trop aimable aux yeux d'Henry. À la place, on pouvait entendre un bip strident. Elle se demanda pourquoi elle était surprise qu'il soit absent. Après tout, on était vendredi soir. Il travaillait ou traînait dans un bar avec ses collègues du journal. Ou alors, il était au lit avec une femme et ne voulait pas être dérangé. Et il poursuivait ses activités comme si rien ne s'était passé. Comme si Jackie n'avait été qu'un bip dans sa vie.

Sans dire un mot, elle coupa la communication.

2

Selon Jackie, peu de choses pouvaient être dites sans fleurs. Aux yeux de certains, c'était un cliché, bien sûr, mais elle avait effectué un test en demandant à des gens de réfléchir à un message qu'ils aimeraient délivrer.

— Je ne sais pas, avait répondu une femme. Je voudrais que mon mari fasse les courses. Vous croyez qu'un bouquet le motiverait ?

— Il n'avait pas apprécié celui que vous lui aviez envoyé au bureau ?

— Je ne lui ai jamais envoyé de fleurs !

— Quelle honte ! Imaginez sa tête si cela se produisait. Je parie qu'il laisserait tout en plan pour venir vous rejoindre !

— Peut-être.

Naturellement, la plupart de ses clients faisaient appel à ses services afin de transmettre des félicitations ou des commisérations. Pour les naissances, Jackie proposait une composition florale bleue ou rose accompagnée du message « *Bienvenue au monde, petit bout de chou !* ». Pour les deuils, le bouquet de la compassion – un best-seller ! Celui qui marchait le moins bien était « *Bienvenue, nouveau voisin !* » ; Emma avait même demandé à Jackie de le retirer de la collection. Mais celle-ci, optimiste, espérait qu'il n'allait pas tarder à se vendre.

Certains matins, accueillie par le parfum des fleurs fraîches du magasin, elle pensait que le métier de fleuriste était presque une vocation. Dans quelle autre profession lui proposerait-on de célébrer avec des fleurs des enterrements, des histoires d'amour, des anniversaires, des fêtes des Mères, des mariages ? Quand on y songeait, tout le spectre de l'expérience humaine pénétrait à Flower Power pour faire appel à son expertise. Et elle savait composer des coiffes, des guirlandes, même des mosaïques. Leur plus étrange commande avait été la décoration d'un petit train : un défi difficile à relever. Mais Jackie avait orné chaque wagon de boutons de fleurs de différentes couleurs et le résultat final avait épaté ses clients. Lech, le livreur, avait déclaré que, s'il existait un prix pour la meilleure composition florale, Jackie aurait gagné haut la main.

Aujourd'hui, elle hésitait à lancer une nouvelle collection accompagnée de messages tels que « *Je suis désolé(e)* ». Ou « *Je t'ai menti* ». Peut-être même « *Reviens-moi, je t'en supplie* ». Elle en avait parlé à Dan, ce matin, mais il n'avait émis aucun commentaire. Il avait enfilé son short riquiqui et s'était précipité dehors. Pour se consoler, elle s'était dit qu'il n'y avait rien d'anormal à son silence. Après une réunion de travail épineuse, Dan courait souvent pendant des kilomètres afin de se calmer. Mais deux heures s'étaient écoulées depuis son départ. Finalement, une amie avait appelé pour signaler que Dan l'avait dépassée dans les embouteillages et qu'il se dirigeait vers les montagnes de Dublin. Puis Jackie était partie à Flower Power.

— En haute altitude, il ne pourra pas tenir longtemps avec un short, ironisait maintenant Emma. Surtout la nuit. À mon avis, il reviendra à l'heure du thé.

Occupée à confectionner une couronne, elle parlait sans la regarder. Alors que Jackie excellait dans la création de bouquets de mariée, Emma était davantage inspirée par le chagrin. Elle pouvait produire une couronne magnifique en neuf minutes. Grâce à son entrain, Flower Power avait récupéré la clientèle des deux fleuristes locaux.

— Tu crois ? répondit Jackie.

— Je ne peux rien garantir vu que je ne l'ai jamais rencontré.

— Sincèrement, sa demande en mariage m'a totalement étonnée.

— Comme la dernière fois.

À la surprise de Jackie, Emma n'avait toujours pas digéré leur dispute passée. À l'époque, Flower Power n'était qu'un rêve qu'Emma voulait baptiser « Floraisons merveilleuses ». Puis, quand Jackie avait commencé à démarcher auprès des banques et à se renseigner, Emma la sensible s'était mise à avoir des palpitations et son médecin lui avait expliqué qu'elle était trop fragile pour monter une entreprise. Néanmoins, Jackie avait accepté d'attribuer l'échec de leur association au seul fait que, sur un coup de tête, elle était allée se marier à Londres.

D'accord, ce n'était pas raisonnable. Mais les gens le demeuraient-ils quand ils étaient amoureux ? Saisis par une sorte de folie qui balayait les détails pratiques — lesquels n'avaient jamais été le fort de Jackie, c'est vrai —, ils devenaient imprévisibles, surtout quand leur bien-aimé(e) résidait à l'étranger et que les week-ends ne suffisaient plus. Bien entendu, il n'avait jamais été question de discuter de qui rejoindrait l'autre : Jackie aspirait à devenir fleuriste et Henry... Henry était Henry Hart.

Quand elle y repensait... Quelle naïveté, quel sens du sacrifice de sa part. Elle qui avait cru que leur grande aventure romantique se terminerait dans un appartement douillet de Londres ! Alors que vivre séparément convenait si bien à Henry. Pas de poids du quotidien, que des bons moments. Il pouvait faire l'amour avec elle tout un week-end et, chaque dimanche soir, l'expédier à Dublin, elle et ses exigences.

— Ne commence pas à me critiquer, Emma, supplia Jackie.

Emma la dévisagea de ses yeux bruns et calmes. Pas un cheveu ne dépassait de sa coupe à la Jeanne d'Arc ; ses chaussures étaient plates, pratiques. C'était le genre de personne qu'on appelait en cas d'incendie ou si le service des impôts vous contactait. Dans un roman d'Enid Blyton, elle aurait préparé du jus de gingembre et des sandwichs au pâté à l'heure du thé.

— Tu ne m'as jamais présenté Dan, déclara-t-elle. Mais tu ne me trouves peut-être pas assez intéressante. Tu crois sans doute que je ne peux parler que de pâquerettes et de désherbant, que je ne connais rien au Nasdaq, ou au Dow Jones, ou... au taux de change de l'euro !

Elle agita un sécateur vers Jackie.

— Emma.

— Je ne suis peut-être pas une aventurière, mais je sais me défendre.

— Je ne voulais pas te contraindre à lui mentir, j'attendais de lui annoncer que j'étais déjà mariée.

Emma ricana en soupirant.

— C'est vrai, insista Jackie. Imagine que je t'invite

à dîner à la maison en te demandant de ne pas lui en toucher un mot.

— Hum, concéda-t-elle.

— De plus, tu ne sais pas mentir.

Lorsque Emma avait été sa colocataire, Jackie l'avait priée d'expliquer au jeune homme qui devait passer la chercher qu'elle était absente. Ce qu'Emma avait fait, non sans pointer du doigt la chambre dans laquelle Jackie se cachait.

— Alors tu ne me félicites pas ? suggéra Jackie. Tu ne débouches pas le champagne ?

Emma la scrutait avec inquiétude.

— Dan est comment ? Vraiment ?

— Merveilleux. Je suis sûre qu'il te plaira.

— Un fan de rugby, ce n'est pas ton genre, en principe.

Ça, c'était Emma tout craché ! Bornée, rigide, incapable d'envisager une alternative, telle que celle d'un directeur financier par exemple. Ce qui était tout aussi excitant qu'une star du milieu des médias londoniens.

— Pourquoi aurais-je un genre particulier ? répondit Jackie en riant, espérant que Dan ne porterait pas son short minuscule quand elle le lui présenterait ou que son trousseau de clés ne pendrait pas à sa ceinture.

La clochette située au-dessus de la porte tinta et Lech entra.

— Le siège de la voiture est brûlant ! annonça-t-il joyeusement. J'ai failli rester collé dessus.

Des auréoles de transpiration décoraient son débardeur blanc. Emma reprochait souvent à Jackie de l'avoir engagé parce qu'il était beau, parce qu'il était italien ! En fait, Lech était polonais, petit et musclé. Sa mère, d'origine espagnole, avait rencontré son père lors du Congrès mondial des producteurs de pommes de terre. Ç'avait été le coup de foudre. Ensemble, au bord de l'Ukraine, ils avaient cultivé gaiement des tubercules et élevé des enfants. Mais la vie d'un jeune Polonais qui ressemblait à un Italien n'était pas toujours facile près de la frontière ukrainienne, même s'il se sentait européen. Afin de devenir riche et de rencontrer des femmes, Lech avait donc émigré en Irlande. Par ailleurs, avait-il confié, durant l'entretien, ses copains polonais lui avaient vivement recommandé les Irlandaises.

Emma s'était cramponnée à son fauteuil, et il s'était empressé d'ajouter : « Je plaisante ! Enfin, à propos des femmes, pas concernant l'argent. J'ai deux autres boulots : je livre des pizzas et je distribue des tracts. Mais je peux quand même vous faire une place dans mon emploi du temps. »

Au moins, il avait de l'humour, avait argué Jackie après l'entretien. Emma, quant à elle, l'avait trouvé trop bavard, trop sûr de lui, trop ambitieux, trop tout. Sans parler de son débardeur blanc collant. Pour qui se prenait-il ? Marlon Brando ? Emma le détestait.

— Jackie, poursuivit Lech, j'ai songé à votre mari.

— Henry ?

— Il peut lui arriver un accident si je lui envoie quelqu'un, proposa-t-il. Vous en auriez pour cinq mille euros.

Un silence tendu tomba. Puis il gloussa :

— Je plaisante !

— Je ne pensais pas que...

— Si ! J'ai vu votre tête !

Il jubilait.

— On ne sait jamais, répondit-elle. J'aurais pu vous prendre au mot.

— C'est un salaud, pas vrai ? Vous méritez mieux, Jackie. Vous méritez quelqu'un qui vous donne envie de chanter. Qui vous parle avec son cœur.

Il tambourina sur son torse.

— Ces livraisons sont prêtes, coupa Emma.

Lech la dévisagea un instant et s'empara des fleurs.

— Très bien, je m'en occupe. J'espère que vous avez écrit les adresses clairement, cette fois.

La porte claqua derrière lui.

— Quelle audace ! s'offusqua Emma. Il essaye de me faire porter le chapeau.

— Ton écriture est illisible, lui fit remarquer Jackie.

— Ce n'est pas moi qui me suis trompée.

— Très bien. Mais tu pourrais te montrer plus souple à son égard. Il fait de son mieux.

— Il est à l'essai. À la fin du mois, j'aimerais lui annoncer que nous ne tenons pas à le garder.

Elle marqua une pause, puis ajouta :

— Et Henry ? Vous allez divorcer ?

— Bien sûr, répondit Jackie. Le plus vite possible. Afin que je puisse épouser Dan.

Elle avait voulu l'annoncer à Henry par téléphone, la veille ; mais puisqu'il ne l'avait jamais appelée depuis qu'elle était partie, pourquoi se montrer courtoise ? Il l'apprendrait par son avocate.

— C'est étrange, commenta Emma. Divorcer pour se remarier aussitôt.

— Henry était une erreur, assura Jackie. Je ne vais pas passer ma vie à panser mes plaies. J'ai rencontré l'homme qu'il me faut et je ne vois aucune raison d'attendre. Certainement pas à cause d'Henry, en tout cas.

— Tant que c'est vraiment fini entre vous.

— Je vais épouser quelqu'un d'autre, Emma. Ce n'est pas assez clair comme fin ?

— Ce n'est pas catastrophique, Jackie, rassura Dan.

— Non ? murmura-t-elle en épiant sa réaction.

Assis sur le canapé, il portait toujours son short. Elle ignorait s'il était allé travailler avec ou s'il avait passé la journée dehors.

— Évidemment, j'aurais préféré le savoir dès le départ, mais maintenant que je suis au courant, j'aimerais bien que tu m'en dises un peu plus.

— À propos de quoi ? demanda-t-elle humblement.

— De ton mari.

Il était vraiment formidable ! Pas du tout un Dan le Désespéré, comme l'avait surnommé son équipe de rugby.

— C'est mon ex-mari – le divorce devrait être assez rapide. Quelques semaines, j'imagine.

Il n'y avait pas d'enfants impliqués, ni de comptes joints, ni de biens en commun hormis la maison. Il s'agissait simplement de signer un ou deux papiers et de rendre un jeu de clés.

— Vous avez vécu ensemble combien de temps ?

— Un an. Et quasiment jamais de week-end pluvieux !

Elle prenait une voix gaie, celle dont elle se servait pour s'adresser aux enfants en bas âge et aux clients tatillons.

— Je vois, déclara-t-il d'un air détaché.

— Écoute, Dan, confia-t-elle en gloussant. Je me suis trompée. Henry et moi ne sommes absolument pas faits l'un pour l'autre. Nous n'avons rien en commun. Il n'aime même pas les chaussures !

Dan lui décocha un sourire de circonstance.

— Que peux-tu me dire d'autre à son sujet, afin que je puisse me le représenter ?

— Henry est... il rédige des choses, il est rédacteur. Il adore manger. Il est très gourmand. Il boit beaucoup aussi. (Ce n'était pas tout à fait vrai.) Dan, je suis désolée, j'aurais dû t'en parler plus tôt. Je redoutais ta réaction. Je ne pensais pas que tu le prendrais avec autant de tact.

— Il est comment, physiquement ? poursuivit Dan.

Elle sourit. Si Dan était un grand nounours câlin, Henry faisait songer à un animal mince au pelage sombre, teigneux et dangereux. Le genre qu'on enferme dans une cage en vitrage blindé au zoo. Et auquel on jette de la nourriture à distance.

— Vous ne vous ressemblez absolument pas, répondit-elle.

— Il est mieux que moi ?

— Non ! Vous êtes très différents, c'est tout.

— Je suis sûre que tu le préférais à moi. Qu'est-ce qui te séduisait chez lui ? Sa personnalité charismatique ? Son compte en banque bien garni ? Ou son énorme sexe ?

— Ça suffit ! cria Jackie.

Dan dissimula ses yeux sous sa main.

— Désolé, murmura-t-il après un moment.

— Ce n'est pas grave.

— Tu comprends, j'essaye de me faire une idée de ce type. Je pensais que je me sentirais mieux si j'en savais davantage sur lui, alors que c'est le contraire.

— Écoute, ce qui m'attirait en Henry n'a plus vraiment d'importance puisque c'est fini. C'était fini avant que je te rencontre.

Mais Dan semblait toujours aussi accablé.

— Pourquoi tu ne me l'as pas dit plus tôt ? Moi, je t'ai bien parlé de mes ex !

Cela avait pris deux nuits au cours desquelles elle

avait examiné plusieurs albums de photos ainsi qu'un petit carnet d'adresses qui n'existait plus désormais.

— Si tu m'as caché son existence, c'est peut-être que tu l'aimes encore ? reprit-il.

— Non.

— Dès le début, j'ai su qu'il y avait un loup. D'habitude, une femme présente son petit ami à une douzaine de copines afin qu'elles prononcent leur verdict. Tu n'en as jamais fait venir une seule ici ! À croire que tu n'en avais pas. Je ne connais même pas ta famille. Tu m'as raconté ta vie en détail depuis ta naissance et jusqu'à une certaine date, comme si celle-ci s'était arrêtée il y a trois ans. Je comprends pourquoi maintenant. C'était à cause d'Henry !

— Écoute, répondit Jackie en s'énervant, si je ne t'ai pas parlé de lui, c'est que j'avais envie de tourner la page. J'en avais assez de ressasser des souvenirs. Tu sais combien d'heures j'ai passé à bassiner les autres avec Henry ? À quel point mon existence était centrée sur un homme qui me donnait l'impression de n'avoir rien vécu d'intense avant lui ? Alors un jour, je me suis dit : « Arrête, passe à autre chose. » Et j'ai fini par l'oublier.

— Jackie...

— C'est vrai, je ne t'ai pas avoué la vérité. J'ai eu tort. Mais c'était pour ne pas te décevoir. Pas parce que j'étais encore amoureuse de lui. Quand je t'ai rencontré, je n'étais plus l'autre moitié d'Henry, j'étais redevenue Jackie Ball. Et ça me plaisait ! Je me sentais mieux ainsi, figure-toi !

— Calme-toi, murmura Dan avec inquiétude.

Jackie s'assit à côté de lui.

— Dorénavant, c'est avec toi que je suis.

— C'est ce qui compte, je suppose. Et tu as de la chance car ça ne m'ennuie pas de prendre une « épouse d'occasion ».

L'espace d'un instant, elle crut qu'il était sérieux. Puis elle le poussa en riant.

— Salaud !

Dan se détendit. La nouvelle lui avait fait un choc, mais il finirait par s'y habituer.

— Le divorce ne va pas traîner, lui promit-elle. Ensuite, nous ne penserons plus jamais à Henry.

3

— Vous allez devoir attendre au moins quatre ans, lui annonça Velma Murphy, son avocate. C'est la loi irlandaise. Ils détestent distribuer les divorces.

— Quatre ans ? répéta Jackie atterrée. Je ne vous crois pas.

— Très bien ! aboya Velma en cherchant quelque chose sur son bureau en désordre. Je vais vous le prouver !

— Non, attendez... je ne voulais pas vous...

Velma semblait très susceptible. D'après l'encart publicitaire du journal local, elle s'était spécialisée dans le divorce : *Rapide ! Confidentiel ! Devis gratuit !*

En principe, Jackie n'aurait pas emprunté cette voie-là. Et Emma lui avait conseillé les services exorbitants d'un cabinet d'avocats situé dans les beaux quartiers de Dublin. Mais la photo de Velma avait retenu son attention. Avec ses cheveux coiffés en arrière, elle avait l'air d'une femme digne, d'une quarantaine d'années. Ses grands yeux tristes suggéraient qu'elle aussi avait connu les affres du divorce et comprenait la souffrance qu'on pouvait éprouver dans ces moments-là. Au milieu des publicités des vendeurs d'automobiles et des annonces des voyantes, le visage de Velma lui avait paru humain, honnête.

Néanmoins, en pénétrant à l'intérieur du bureau exigu de l'avocate, une grosse femme qui ne ressemblait en rien à celle de la photo l'avait accostée.

— C'est Susan, avait expliqué Velma par la suite. Ma secrétaire. Je ne l'ai engagée qu'à mi-temps pour ne pas déstabiliser ma clientèle. L'image est tellement importante de nos jours, n'est-ce pas ?

L'avocate mit enfin la main sur le document qu'elle cherchait et le lut à voix haute :

— « *À la date du dépôt de la requête, les époux doivent avoir vécu séparément pendant une période minimale de quatre ans, dans les cinq ans précédant le divorce.* »

Elle secoua la tête.

— C'est inhumain, s'indigna-t-elle. Il ne s'agit pas de divorcer en une demi-heure comme cela est possible aux États-Unis. Mais quatre ans ! Il y a des limites tout de même ! Qu'espèrent ces législateurs ? Qu'au bout de la quatrième année nous allons retomber amoureuses de l'ordure qui a couché avec notre meilleure amie ? Ou du monstre qui a vidé notre compte joint pendant les deux semaines de vacances en Thaïlande avec ses copains ?

— Henry n'a jamais...

— La semaine dernière, j'ai reçu une femme dont le mari notait quotidiennement sur un registre l'heure à laquelle elle quittait leur domicile et celle de son retour. Il notait aussi le temps qu'elle passait au téléphone avec ses amies !

— La pauvre, dit Jackie avec compassion.

Velma acquiesça d'un air sinistre.

— Vous croyez qu'après quelques années de séparation elle va avoir envie de repartir de zéro avec ce maniaque ? Qu'elle sera prête à lui laisser une deuxième chance, tant le registre lui aura manqué ? Non, bien sûr ! J'espère pour elle qu'elle ira fêter sa liberté sur une plage en Espagne !

Velma se calma et reprit d'un ton modéré :

— Naturellement, les femmes ne sont pas mieux. Je reçois aussi des maris en larmes, ici. Ils s'installent à votre place et me confient ce que leurs épouses leur assènent dès le matin. C'est souvent verbal avec les femmes. Si quelqu'un vous reprochait d'être un raté moche et triste pendant vingt-cinq ans...

L'avocate s'interrompit, comme si elle ressentait la douleur de toutes les ruptures du monde. Jackie s'assombrit. Dire qu'elle était tellement gaie en arrivant.

Elle avait laissé Dan dans la voiture, tandis qu'il inspectait un prospectus de châteaux et de manoirs. Lieux où, selon lui, pourrait se dérouler leur réception. Curieusement, elle avait imaginé un après-midi intime dans un petit hôtel.

— Ce n'est pas trop tôt ? avait-elle demandé.

— Si on ne s'y prend pas maintenant, tous les plus beaux endroits seront réservés.

— Les salles ont l'air immenses.

— Je compte inviter environ deux cents personnes.

— Deux cents ?

— Sans compter les gens qui vivent à l'étranger. Ça te va ?

— Je ne savais pas que ça serait une cérémonie mondaine, avait-elle répondu en plaisantant.

— Mais si ! Mon père est encore une célébrité de l'industrie pharmaceutique, Jackie. Et je ne me marierai pas deux fois.

Il l'avait regardée en rougissant avant d'ajouter :

— Pardon.

— Inutile de t'excuser, Dan.

C'était devenu un sujet délicat. La veille, en cherchant à éteindre une émission sur le divorce, ils s'étaient rués ensemble sur la télécommande. Dan n'était pas encore habitué à lui laisser le contrôle du téléviseur.

— Ça va prendre combien de temps ? s'était-il enquis.

— Trois mois, avait-elle répondu d'un ton cavalier. Au maximum, quatre.

Alors qu'en fait il s'agissait de quatre ans ! Dan allait être terriblement déçu. Ça pourrait sûrement s'arranger, songea-t-elle.

— Qu'est-ce qu'il a fait ? demanda Velma.

— Qui ?

— Henry. Il gaspillait son argent au jeu ?

— Non, déclara Jackie.

— Pourtant, je me trompe rarement. Hier, j'ai deviné que quelqu'un était bigame.

— Henry ne l'était pas.

— Écoutez, il n'y a pas de honte à avoir. Croyez-moi, j'ai tout entendu. Et bien sûr, c'est confidentiel, ajouta-t-elle à regret. Alors ?

Tendue, Jackie avait l'impression que Velma attendait la confession d'un acte ignoble commis par Henry pour accepter de la représenter. Elle regrettait presque de ne pas pouvoir lui annoncer qu'elle l'avait surpris au lit avec une chèvre. L'avocate remarqua qu'elle hésitait.

— Est-ce qu'il vous trompait ? s'enquit-elle avec gentillesse. Vous ne seriez pas la première à qui ça arrive. Il ne faut pas vous remettre en question par rapport à cela, ce n'est pas de votre...

— Il ne me trompait pas, coupa Jackie.

— Ah.

— À la fin de la journée, nous n'étions plus faits l'un pour l'autre.

— Je vois. C'est le syndrome des gens qui ne savent pas reconnaître un chat d'un chien. Très fréquent. Les opposés s'attirent, mais ils finissent souvent par s'infliger des coups et blessures. Franchement, quand on observe certains couples, on se demande comment ils ont pu imaginer qu'ils seraient heureux ensemble. Certains n'arrivent même pas à se mettre d'accord sur le lieu où se tiendra la réception de leur mariage, vous vous rendez compte ?

— Pouvons-nous poursuivre ? dit Jackie avec impatience. Mon fiancé m'attend dans la voiture. Il fait très chaud et j'ignore si j'ai laissé une vitre ouverte.

— Excusez-moi, répondit-elle en consultant ses notes. Parfois mon amertume me rattrape. Puisque vous avez un nouveau fiancé, vous ne souhaitez pas attendre quatre ans avant de l'épouser, je suppose ?

— Je n'ai pas le choix, si ?

— Faut voir. Aucune de mes clientes n'a attendu quatre ans. J'ai même réussi à boucler un divorce en trois semaines, une fois.

— Trois semaines !

— Ne vous emballez pas. Il s'agissait d'une union hippie qui s'était déroulé sur une plage haïtienne et qui n'avait pas été déclaré correctement. Le vôtre a-t-il été officiellement reconnu ?

— Hélas ! oui. Tout était légal.

Velma cocha une case sur une liste.

— Vous ou votre conjoint n'étiez pas déjà mariés à quelqu'un d'autre ?

— Non.

— Le mariage a été consommé ?

— Oui, à plusieurs reprises.

— Je n'ai pas besoin de détails, répondit Velma en cochant une nouvelle case. Bon, nos options se réduisent.

Elle tapota son stylo contre ses dents inégales et lança :

— Êtes-vous certaine qu'Henry soit encore vivant ?

— Pardon ?

— Bien sûr, nous espérons qu'il l'est, mais s'il ne l'était pas, cela accélérerait les choses.

— Il y a deux jours, je suis tombée sur son répondeur, à Londres.

— Qui était à Londres : vous ou son répondeur ?

— Son répondeur. Henry habite là-bas. Il est anglais.

— Pourquoi ne me l'avez-vous pas dit plus tôt ? s'exclama Velma en saisissant son carnet.

— Vous ne me l'aviez pas demandé.

— Combien de temps a-t-il résidé en Angleterre ?

— Toute sa vie. Je suis allée le rejoindre quand nous nous sommes mariés.

— Et il y est resté quand vous l'avez abandonné il y a un an et demi ?

— Je ne l'ai pas abandonné, protesta Jackie. Je suis partie parce que...

— Oui, oui, ne nous préoccupons pas des détails techniques pour l'instant. Ce qui compte, c'est que nous remplissions les conditions requises pour déposer une requête en divorce en Angleterre. Ils sont plus souples, là-bas.

Velma saisit soudain la main de Jackie et la serra dans sa paume douce et chaude.

— Ne vous en faites pas, je vais vous débarrasser de ce mufle en cinq sec !

Henry détestait les premiers rendez-vous. La fille s'appelait Charlie, un prénom qui ne lui plaisait pas du tout. Mais Dave, de la rubrique « Sports », lui avait confié qu'elle était adorable, « une bouffée d'air frais ». Charlie portait un haut court et pigeonnant. Henry n'avait pas vu de seins depuis longtemps et il espérait qu'il parviendrait à regarder ceux de Charlie avec discrétion. Elle ne disait pas grand-chose. Dans une minute, elle jetterait un œil sur sa montre. Ils avaient déjà parlé de cinéma, de littérature, de famille, et Henry venait même de repousser ses avances avec embarras.

— Votre plat vous convient ? la questionna-t-il.

— Ça va, maugréa Charlie.

De toute évidence, elle se sentait escroquée. Dave avait dû vanter ses mérites et elle se retrouvait coincée avec un pétard mouillé. Mais il n'avait jamais demandé à Dave de s'occuper de sa vie amoureuse ! Bien sûr, quand quelqu'un éclatait régulièrement en sanglots, ça gâchait l'atmosphère d'une salle de rédaction.

Henry essaya de se rattraper.

— « Ça va » est un commentaire insuffisant. Je ne pourrai pas m'en servir pour ma critique.

Elle le dévisagea avec inquiétude.

— Vous comptez écrire un article sur ce restaurant ? Dave ne m'a pas prévenue ; je pensais que vous vouliez simplement dîner avec moi.

— Oh, vous savez, dès que je me restaure, je travaille. Alors, dites-moi, comment trouvez-vous votre plat ?

— Je ne suis pas critique gastronomique.

— Et alors ? Votre opinion est aussi valable que la mienne.

Ce qui était faux. L'article d'une Marie-couche-toi-là comme Charlie n'aurait jamais été crédible aux yeux des lecteurs. Ils ne lisaient même pas les papiers rédigés par des experts. Au fil des ans, Henry en était arrivé à la conclusion déprimante que les articles traitant de gastronomie n'intéressaient pas les gens. Une critique au vitriol, oui ; la consistance d'une crème caramel, non. L'an dernier, son rédacteur en chef lui avait conseillé de raccourcir la partie relative au domaine culinaire. « Décris le plat en un paragraphe et ajoute quelques étoiles. Mais pas trop. Afin de préserver ton "mordant". – En clair, avait répondu Henry, tu veux que ça soit court et méchant ? – Exactement ! »

Le pis, c'était que ça avait marché. Henry s'était bâti une réputation de critique impossible à satisfaire. Plus il avait la dent dure, plus il attirait de lecteurs. Bien entendu, les autres critiques le méprisaient. Une collègue l'avait même insulté en public. Suite à quoi il avait récupéré la moitié du lectorat de cette dernière. Il détenait un certain pouvoir et les restaurants londoniens déroulaient le tapis rouge quand il daignait leur faire l'honneur d'une visite.

— Soyez cruelle, conseilla-t-il à Charlie. Les lecteurs adorent ça.

Elle rit.

— Très bien, répondit-elle à voix basse. Mes morceaux de bœuf n'étaient pas très tendres.

Henry inscrivit une note dans son petit carnet blanc.

— Qu'est-ce que vous écrivez ? s'enquit-elle.

— « *Le bœuf répond à tous les critères de qualité pour fabriquer des semelles.* »

Charlie s'esclaffa.

— Continuez, l'encouragea-t-il.

— J'aurais pu m'accommoder du bœuf s'il n'y avait pas eu ces trucs fourrés avec.

— Les ravioles au bacon et au chou.

— Je n'y connais pas grand-chose en cuisine et je vais rarement au restaurant. Quand je sors, je préfère aller m'amuser dans un pub et j'ai un faible pour les pizzas. Mais ce mélange de ravioles et de bœuf, c'est une blague ou quoi ?

— Je suis entièrement d'accord avec vous.

— C'est vrai ?

— Oui.

Finalement, la soirée prenait une tournure plus agréable. Dave avait raison, il avait simplement besoin de se remettre en selle. Pleurer sur son sort ne le mènerait nulle part. Après tout, il possédait une jolie maison, il aimait son métier, et les femmes se battaient pour le rencontrer. Il lui suffisait de faire claquer ses doigts. Toujours selon Dave, il était temps qu'il commence à profiter de ses avantages, car Jackie ne s'était certainement pas morfondue depuis qu'elle l'avait quitté ! Elle avait fini par ouvrir son magasin. La meilleure amie de la cousine de la femme de Dave, qui connaissait des gens dans le commerce des fleurs irlandaises, l'avait affirmé.

Ainsi, elle s'était établie comme fleuriste. Henry en était surpris. C'était le genre de femme qui ébauchait de grands projets au cours d'un repas bien arrosé, mais qui n'arrivait pas à se lever le lendemain pour les mettre en œuvre. Qu'elle ouvre ce qu'elle veut. Il s'en fichait. Il était en train de passer une excellente soirée, assis en face de Charlie, qui agitait ses cheveux blonds et son bustier pigeonnant.

— Vous devriez vous servir d'un Dictaphone, suggéra-t-elle. Sans Dictaphone, mon entreprise ne pourrait pas survivre. Je peux vous en commander un, si vous le souhaitez ; vous bénéficierez d'une réduction.

— C'est gentil, mais j'aime mieux ne pas attirer l'attention.

Charlie le toisa d'un air perplexe.

— Ils ne savent pas que je suis là, expliqua-t-il en aparté.

— Oh, fit-elle. Parce que vous êtes une célébrité ?

— Non, je ne suis pas célèbre, répondit-il d'un air modeste.

— D'après Dave, vous l'êtes. Pour ma part, sans vouloir vous vexer, je n'ai jamais entendu parler de vous.

— Ça ne me vexe pas.

— Vous êtes une terreur, paraît-il.

— Sornettes !

— Avec une critique, vous pouvez faire fermer un restaurant, m'a dit Dave. Selon lui, on vous surnomme « le Boucher de Notting Hill », en référence au type de Broadway qui avait la réputation de massacrer les pièces de théâtre.

— Il ne faut pas l'écouter ! se défendit Henry, tout en restant convaincu que provoquer la fermeture de certains établissements rendait service à la population. Si je ne les ai pas prévenus, c'est parce que, s'ils avaient su qu'un journaliste gastronomique venait, ils auraient astiqué la salle, la cuisine, et m'auraient servi un plat exquis.

— La critique n'aurait pas été honnête, commenta-t-elle avec entrain.

— Exactement. Une de mes règles est donc de ne jamais révéler mon identité.

— Vous réservez sous un faux nom ?

— Oui. Ce soir, c'était Don Corleone.

Elle gloussa.

— Ça ne fait pas de moi votre taupe, j'espère ?

— Je l'ignore. Je sors rarement accompagné.

— Vous dînez seul ?

— Ça me permet de me concentrer sur les plats.

— Je vous distrais ? demanda-t-elle en inclinant la tête sur le côté.

— Un peu.

— Vous savez, je ne pense pas que vous soyez un boucher. Ce n'est qu'une façade, à mon avis.

Elle lui sourit. De ses lèvres roses et charnues. En fait, Charlie était exactement le genre de femme dont il avait besoin : gaie, confiante, prête à s'amuser, simple. Sa vie lui semblait parfois tellement compliquée. Ou était-ce lui qui la compliquait ? Quoi qu'il en fût, il se sentait à la hauteur avec elle.

— Charlie, je suis marié, laissa-t-il soudain échapper.

Bon sang ! Il aurait au moins pu attendre le dessert. Elle avait peut-être prévu de s'éclipser avant la fin du repas, en invoquant une excuse minable.

— Je suis au courant, répondit-elle avec indifférence.

« Ne le lui dis pas la première fois », l'avait exhorté Dave. Il s'était trompé. Charlie s'en fichait de toute évidence. Et pourquoi s'en serait-elle alarmée ? Après tout, il n'y avait que lui qui en faisait un fromage.

La gentillesse de Charlie et le vin le rendaient bavard.

— Je n'ai pas l'intention de me remarier, déclarat-il. Jamais.

— C'est un peu présomptueux, non ?

— J'en conviens, mais le mariage présente des problèmes à au moins sept niveaux. J'ai dressé une liste si ça vous intéresse. D'abord, sur le plan affectif, c'est comme si la police vous poussait au crime dans le but de vous faire arrêter. Et sur le plan financier, ça ne permet pas de payer beaucoup moins d'impôts contrairement à ce qu'on imagine.

— Écoutez, je ne suis pas venue ici ce soir en pensant à mon statut fiscal.

Il avait voulu plaisanter, mais elle ne riait plus.

— Je sais, expliqua-t-il. Je désirais simplement vous donner quelques exemples afin d'illustrer mon propos. Le mariage est un piège.

Il creusait sa tombe, comprit-il soudain.

— Attendez, reprit-il, je préférais que tout soit clair entre nous.

— Au cas où j'aurais pu avoir de faux espoirs ?

— Non ! Vous ne voudriez pas épouser un type comme moi.

— Vous avez raison. Aucun homme ne m'a jamais

parlé d'impôts alors qu'il commençait à peine à faire ma connaissance.

Les lèvres de Charlie lui semblaient moins veloutées, à présent.

— Comme ça, c'est fait ! rétorqua-t-il. De toute façon, il paraît que je suis un mari impossible. Je ne bavarde pas assez, je ne partage pas ce que je ressens, je manque de tact, je ne fais pas le ménage, et cetera. Je vole. Tout le temps.

(Uniquement les menus et la vaisselle dans les hôtels.)

Elle avait l'air écœurée.

— Et vous pensez que j'ai encore envie de coucher avec vous ? Malgré tout cela ?

— Quoi ? Non ! Ce n'est pas ce que je suggérais.

— Si, c'est ce que vous espériez ! Une fille d'un soir !

Elle se leva et saisit son sac et son châle.

— Charlie, le fait que je ne croie pas au mariage ne signifie pas que je m'oppose à une relation durable, loin de là.

— Je connais le refrain.

— Je vous ai mal présenté les choses. J'ai essayé d'être franc. Charlie, attendez !

Une serveuse inquiète s'approcha.

— Tout va bien, assura Henry.

Mais Charlie pointa un doigt accusateur sur lui et annonça :

— Cet homme est un critique gastronomique !

Finalement, Jackie décida de lui écrire :

Cher Henry,
Tu dois être étonné d'avoir de mes nouvelles après tout ce temps. En effet, suite à notre rupture, j'aimerais à présent divorcer. Si tu n'y vois pas d'inconvénient, peut-être pourrais-tu te mettre en quête d'un avocat. Ci-joint, tu trouveras la carte de visite du mien, qui répondra à toutes tes questions.
Une réponse prompte m'arrangerait.
Sincèrement,
Jackie
P.-S. : Je lis parfois tes critiques. J'espère que tout va bien pour toi.

La lettre lui plaisait. Polie et détachée, elle allait droit au but. Et il n'y avait pas de taches de larmes. Elle avait brûlé d'envie de lui demander de lui envoyer les boucles d'oreilles en or qu'elle avait oubliées, mais s'était maîtrisée. Elle était quasiment sûre de les avoir laissées dans le bol de pot-pourri posé sur l'étagère de leur chambre. Si tel était le cas, Henry l'avait probablement jeté. Il détestait les pots-pourris, les bougies parfumées, l'encens, et tout ce qui tintait au vent. Aucun sens du confort.

Dommage que Velma n'ait pas eu une autre carte à lui donner. Écornée, marquée par une trace brunâtre de cigarette, elle ne risquait pas d'intimider Henry ou son bataillon d'avocats londoniens. Mais au moins, avec la lettre, la machine était lancée. Bien entendu, elle aurait pu se contenter de faire atterrir les papiers du divorce chez lui sans le prévenir. Elle avait passé des heures exquises à imaginer la scène : son choc en ouvrant la large enveloppe, ses cris de douleur. Ses larmes aveuglantes, sa chute accidentelle dans l'escalier et le terrible diagnostic des médecins : suite à sa paralysie, Henry ne pourrait plus jamais marcher ni faire l'amour. Elle lui rendrait visite dans un centre de rééducation, où le personnel, contrarié par son hostilité, le laisserait rouspéter dans un coin toute la journée. Éblouissante dans sa robe rouge et ses escarpins, Jackie lui offrirait du raisin. « Écoute, Henry, le taquinerait-elle avec un sourire triomphal, tu ne peux t'en prendre qu'à toi-même ! »

Comme c'était tentant. Cependant, lui écrire prouvait qu'elle était au-dessus de la vengeance. Qu'elle savait faire preuve de maturité, de contenance. Alors que lui débordait probablement de récriminations. S'il pensait à elle. Il n'avait jamais fait l'effort de la contacter, ni même de lui envoyer une carte ridicule à Noël.

Elle saisit du Tippex et blanchit la dernière phrase. Non, elle n'espérait pas que tout allait bien pour lui.

4

— Pourquoi ne lui as-tu pas annoncé que tu souhaitais te remarier ? demanda Michelle.

— Ça ne le regarde pas, répondit Jackie à sa sœur. Je ne veux pas qu'il s'imagine que je désire divorcer pour cette raison.

En fait, elle craignait surtout qu'il éclate de rire.

— Moi, à ta place, je n'aurais pas pu me retenir. Je lui aurais dit : « Tu sais ce que j'ai décroché après t'avoir plaqué ? Un directeur financier de... de... »

— D'une agence bancaire, rappela Jackie.

Elle était heureuse que sa sœur apprécie Dan. Peut-être parce que sa famille n'avait jamais aimé Henry. Il ne s'était jamais vraiment remis de la première remarque qu'il avait faite à la mère de Jackie : « J'espère que vous vous êtes contentée de nous mitonner un petit plat avec quelques restes. » Un silence de mort avait suivi. Plus tard, il avait expliqué à Jackie qu'en essayant d'être gentil il avait commis une gaffe irréparable. Elle avait beaucoup ri. Mais il avait eu raison. Sa mère l'avait pris en grippe après ce déjeuner.

— Je lui enverrais également une photo, jubila Michelle. De toi et Dan enlacés. Ou même au lit, dans le feu de l'action. Et, au feutre rose, j'inscrirais : *Mari bis !*

— Il n'y prêterait même pas attention.

— Tu plaisantes ! Les hommes tiennent toujours à savoir qui est leur successeur.

— De toute façon, je n'ai pas l'intention de l'inviter à la cérémonie.

— Si, fais-le ! implora Michelle. J'ai failli mourir d'ennui lors du dernier mariage auquel j'ai assisté. Les discours étaient interminables, tout le monde s'est soûlé. J'ai fini par coucher avec Gerry Butler tellement je me morfondais.

— Le coiffeur de maman ?

— Ne lui répète pas. Elle pense que je suis encore vierge.

Leur mère déboula dans la cuisine pour préparer du thé. Ses joues étaient rouges, son bandeau avait glissé – ce qui lui donnait l'air d'être légèrement éméchée.

— Arrêtez de parler d'Henry, les tança-t-elle, on vous entend à côté ! Dan est très gêné.

Elles se tournèrent vers le salon où Dan discutait de perceuses avec M. Ball.

— Il est au courant à propos d'Henry, répliqua Jackie. Il l'a bien pris.

— Quand ton imbécile de père s'est trompé de prénom, Dan n'a pas eu l'air d'apprécier ! Pousse-toi, Michelle, tu es assise sur les biscuits au gingembre.

Jackie tira une chaise.

— Assieds-toi, maman. Repose-toi un peu. Je vais m'occuper du thé.

— « Repose-toi, repose-toi », elle en a de bonnes ! Après m'avoir annoncé hier qu'elle venait déjeuner avec son nouveau fiancé ! Nous ne savions même pas qu'elle sortait avec quelqu'un. Nous pensions qu'elle avait besoin de se concentrer entièrement sur sa carrière de fleuriste, comme elle nous l'avait rabâché à Pâques. Franchement, Jackie, je n'arrive plus à te suivre !

Michelle observait la scène avec grand intérêt. Elle pouvait se le permettre, la garce ! Fille chérie à sa maman, elle, au moins, ne lui créait pas de soucis. Elle s'accrochait à ses études. Pas comme les garçons, qui, selon Mme Ball, s'étaient laissé distraire par des voitures rapides et des catins. Tout ça parce que Eamon, le frère de Jackie, avait acheté une vieille Mustang, quinze ans plus tôt, lors d'un séjour à Boston où il avait rencontré une femme originaire de l'Arizona. Ils s'étaient mariés aux États-Unis, avaient eu trois enfants, et Eamon roulait dorénavant en Mercedes. Mais cela n'empêchait pas Mme Ball de se ronger les sangs en pensant à lui ou à ses frères et sœurs. Nourris au sein, éduqués dans les meilleures écoles, ils auraient tous dû devenir des adultes responsables. Mais Eamon leur avait donné le mauvais exemple. Au lieu de rechercher un emploi stable qui leur eût assuré une bonne retraite, ils avaient brisé le cœur de leur mère en devenant prof de yoga, fleuriste et clown en Afrique du Sud – ça, c'était Dylan. Elle lui envoyait encore des mandats pour l'aider à payer son loyer. Deux autres vivaient ouvertement dans le péché avec des divorcées ; quant à Jackie, elle était en passe de devenir une épouse en série.

Dieu soit loué, il y avait Michelle. Jolie comme un cœur, intelligente, elle terminait ses études de droit. Et elle était sérieuse : pas question de se laisser tenter par les hommes, l'alcool ou les drogues. Le samedi soir, elle prenait seulement une aspirine avant de sortir, afin de se prémunir contre une éventuelle migraine liée au vacarme des pubs. Et si elle ne rentrait à la maison que le dimanche, c'était parce qu'elle préférait passer la nuit chez son amie Bernadette, qui adorait jouer à la bataille en buvant du chocolat chaud.

Mme Ball regardait Jackie.

— Enfin, soupira-t-elle. J'imagine qu'on devrait avoir l'habitude, maintenant. Déjà, quand tu étais petite, ton père disait qu'on ne s'ennuyait jamais avec toi. Et pas toujours sur un ton agréable.

— Oui, maman ; mais comment tu le trouves ?

— Dan ?

— Oui, Dan !

Elle se tourna vers le salon.

— Très bien, répondit-elle.

Naturellement, Dan incarnait le mari idéal aux yeux de sa mère. Choisir un homme qui lui plaise autant était peut-être une grave erreur, songea soudain Jackie.

— Il a beaucoup de charme, déclara Michelle. Est-ce qu'il a un frère ?

— Il en a quatre ou cinq, je ne sais plus.

Jackie avait fait brièvement leur connaissance lors d'un dîner familial organisé pour célébrer leurs fiançailles. Ils étaient arrivés à bord de luxueuses voitures et s'étaient aussitôt amusés à chahuter entre eux en se bagarrant. Leurs femmes, des blondes soignées toutes prénommées Fiona, s'étaient reculées d'un air scandalisé à la vue des bottines rouges de Jackie. Plus tard, Dan lui avait affirmé qu'elle allait lancer une nouvelle mode, mais elle ne les avait pas remises depuis.

— Ils sont mignons ? s'enquit Michelle.

— N'encourage pas ta sœur, Jackie, menaça leur mère. Cette semaine, son tuteur m'a confié qu'elle pouvait devenir un ténor du barreau.

— Alors si vous êtes accusées de meurtre, n'hésitez pas à m'appeler, déclara Michelle.

— Tais-toi, malheureuse ! glapit Mme Ball. Et toi, Jackie, n'essaye pas de perturber ta sœur en lui proposant d'être demoiselle d'honneur. Vous n'allez pas organiser une grande réception, de toute façon, si ?

— Non, répliqua Jackie avec un sourire. Si papa pouvait retirer quelques caisses du garage, ce serait parfait pour nos invités.

— Je ne sais jamais si tu plaisantes, grommela Mme Ball. Michelle, prends ces biscuits au gingembre et apporte-les au salon. Dis à Dan qu'il y en a d'autres s'il les aime !

Décidément, Dan avait la cote. Michelle s'éloigna avec l'assiette de gâteaux.

— Tu as l'air épuisée, maman, déclara Jackie.

— Avec ce déjeuner, il y a de quoi l'être. Pas que je me plaigne, mais hier soir j'ai été obligée d'envoyer ton père chercher un poulet. Un gros, je lui avais réclamé. Sauf que, sans ses lunettes, il ne voit pas grand-chose : il m'a rapporté une dinde ! Au mois de juillet ! Qu'est-ce que va penser Dan ?

Mme Ball se calma un instant, puis reprit :

— Dis-moi, ma chérie, tu es sûre de vouloir te remarier ?

Jackie hocha la tête.

— Parce que, figure-toi, je te connais : tu as tendance à t'emballer facilement. Et avec une telle énergie ! Tu te souviens du dessus de lit en patchwork que tu avais cousu pour le concours du collège ? Je n'ai jamais compris pourquoi tu l'avais fait aussi grand. Tu avais les doigts couverts d'ampoules à cause de l'aiguille ! Mais tu as remporté le premier prix : une poupée de chiffon. Nous étions tellement fiers de toi !

Mme Ball racontait souvent cette histoire à Noël, après un verre de sherry ou deux. Comme si gagner une poupée de chiffon avait été le plus grand accomplissement de Jackie.

— Zorabelle, murmura Jackie.

— Quoi ?

— C'était le prénom de la poupée.

— Ah oui ! Zorabelle. Qui aurait pu penser à un prénom pareil à part toi ? Nous, nous voulions l'appeler Jane !

Soudain, Mme Ball éclata de rire et Jackie fit de même. Dan surgit dans la cuisine.

— Pourriez-vous me dire où se trouve la hache ? demanda-t-il à Mme Ball.

— Pourquoi ? répondit-elle. Mon mari vous casse les oreilles ?

— Non, assura-t-il en souriant.

— Par moments, moi, je lui collerais bien un coup de merlin !

— Il m'a montré l'arbre mort dans le jardin. Je lui ai proposé de le couper.

— Ah, ce serait une bonne chose, approuva Mme Ball. J'ai toujours peur qu'il s'effondre sur

Michelle et la tue. C'est sa dernière année de droit avant d'obtenir son diplôme, vous savez.

— Oui, vous me l'avez déjà dit.

Dan décocha un clin d'œil à Jackie et ressortit.

— Il est adorable, affirma Mme Ball. On ne peut pas lui trouver le moindre défaut.

— Alors tu es contente que je l'épouse ? Tu me donnes ton accord ?

— Depuis quand te préoccupes-tu de ce que je pense, ma fille ?

— J'aimerais quand même avoir ton avis.

Mme Ball rajusta son bandeau.

— Je n'ai pas envie que tu souffres, répondit-elle.

— Je sais, maman.

— Quand tu es revenue de Londres et que je t'entendais pleurer dans ta chambre, ça me fendait le cœur. J'ai dit à ton père : « Si seulement elle réfléchissait un peu avant d'agir. »

— Réfléchir à quoi ? À la possibilité d'un échec ? On ne ferait jamais rien alors ! Par ailleurs, je réfléchis avant d'agir.

— Oui, mais pas comme nous autres.

Elle faisait référence à la retraite, aux économies – tout ce qui donnait par avance une migraine à Jackie.

— Mais c'était aussi la faute d'Henry, reprit Mme Ball. Il t'a fait tourner la tête avec ses lettres, ses coups de fil, ses voyages. Vous n'étiez pas dans la réalité, Jackie, vous viviez sur... sur la planète de l'Amour !

Jackie la dévisagea d'un air surpris. Sa mère aussi semblait étonnée. D'un ton déterminé, elle ajouta :

— J'aime bien Dan. On sent qu'on sait toujours où l'on en est avec lui.

— C'est reposant, approuva Jackie.

— Et tu es plus calme depuis que tu l'as rencontré. Ce n'est pas le genre d'homme à se disperser dans toutes les directions.

— Tu le connais à peine, lui fit remarquer Jackie.

— Tu m'en demandes beaucoup, ma fille. Si je t'avais expliqué que je ne l'aimais pas, tu te serais vexée. Je te dis que je le trouve bien et ça ne te convient pas non plus.

— Ton père a une perceuse équipée de cent trente-sept mèches, déclara Dan avec enthousiasme à l'intérieur de sa voiture. C'est ce que je veux pour Noël.

— Oh, tais-toi.

— Quoi ?

— Tu n'as plus besoin de faire semblant, maintenant.

— Qu'est-ce qui t'a mise de mauvaise humeur, Jackie ? Et je lui ai proposé de lui offrir une place pour assister au match amical entre l'Irlande et l'Argentine, le mois prochain.

— Papa s'intéresse au rugby ?

— Absolument !

— Il n'ira pas. Je le connais.

— Nous verrons bien. La dinde de ta mère était délicieuse. Je vais pouvoir jeûner pendant une semaine.

Jackie se tourna vers lui d'un air soupçonneux.

— Dan, arrête de prétendre que tu as passé un bon moment pour me faire plaisir.

— Ils vont être mes beaux-parents pendant des lustres. Mieux vaut que ça commence bien.

— Tu es retors ! répondit-elle avec un sourire.

— Non ! Je les ai trouvés sympas.

— Ils ne sont pas très intéressants.

— C'est ce que tu penses ? s'étonna Dan.

Jackie haussa les épaules. Il appuya sur l'accélérateur et ajouta :

— Pourquoi m'as-tu caché qui était Henry ?

— Comment ça ?

— Tu ne m'avais pas dit que c'était une quasi-célébrité.

— Oh, je t'en prie.

— Même moi, j'ai entendu parler de lui. Et pourtant, je ne lis jamais les critiques gastronomiques. Tu m'as simplement confié qu'il rédigeait des choses, comme s'il s'agissait de manuels informatiques ou de textes qui se trouvent au dos des paquets de céréales.

— Je n'imaginais pas que c'était important.

— Qu'il soit une star ?

— Ce n'est pas une star.

— On peut voir sa photo dans le journal chaque

semaine ! Pas que j'achète ce genre de presse populaire, et quand je le fais, c'est pour la rubrique « Sports ».

— Henry est un journaliste qui s'est bâti une réputation grâce à la controverse qu'il déclenchait, d'accord ? Sa plume cinglante lui permet de gagner sa vie. Et alors ?

— Je suis surpris que tu ne m'en aies jamais parlé. Tu avais sans doute peur que je sois jaloux.

— Non.

— Parce que moi aussi j'ai une bonne situation. Sur le plan financier, je m'en sors pas trop mal. D'ailleurs, critique gastronomique, ce n'est pas vraiment un métier.

— Avant, il était chef. C'est une progression normale, il me semble.

Jackie n'essayait pas de le défendre. Elle alignait simplement des faits. Dan la toisa d'un air méprisant.

— Alors il se promène avec un tablier et prépare des omelettes baveuses ? Je ne pourrais jamais faire un boulot pareil.

Non, et personne ne le lui demandait. Jackie n'avait toujours pas digéré le plat au curry qu'il avait préparé la veille.

— Chacun son truc, répondit-elle.

— Tu devais sortir beaucoup avec lui.

— Au début, oui.

Tous les soirs, en fait. Jusqu'à ce qu'elle commence

à s'en lasser et à soupçonner qu'Henry ne voulait pas se retrouver seul avec elle.

— Les galas, les mondanités, tu devais rencontrer des gens connus.

Il était presque vert.

— Dan, surveille la route, s'il te plaît.

— Et allume les étoiles aussi, non ?

— Dan ! Attention au camion !

Elle s'agrippa au tableau de bord tandis qu'il freinait. Ils évitèrent le poids lourd de justesse.

— Désolé, marmonna-t-il.

Lui aussi avait eu peur, remarqua-t-elle.

— Dan, tu ferais mieux de penser à notre mariage au lieu de penser à Henry.

— Tu as raison. Je ne sais pas ce qui m'a pris. Je me suis senti comme un imposteur quand j'étais chez tes parents. Comme si Henry était arrivé avant moi.

— Il est arrivé avant toi. Mais ma famille le détestait, d'accord ?

Dan s'illumina.

— Vraiment ?

— Vraiment. Alors ne parlons plus de lui, merci.

Un grand sourire aux lèvres, il posa sa large main sur la sienne et elle se sentit broyée.

5

Dans son pays, expliquait Lech (sans préciser lequel), les gens organisaient une grande fête quand quelqu'un se fiançait. Il décrivait la foule, les montagnes de nourriture et comment les invités ivres chantaient.

— Ce n'est pas typiquement polonais, rétorqua sèchement Emma. Les fiançailles se fêtent aussi en Irlande.

— Alors pourquoi n'avez-vous rien arrangé pour Jackie ? répondit-il sur le même ton.

Emma le prit au mot et passa la semaine à contacter des amies de Jackie. Elle loua la salle d'un pub, commanda des plateaux de feuilletés à la chair à saucisse et quelques dés de fromage.

— Mais je ne veux pas de fête de fiançailles, protesta Jackie. Je n'ai même pas encore divorcé !

Était-ce inconvenant ? La famille et les amis de Dan avaient l'air de le penser : comme par hasard, suite à divers empêchements, aucun d'entre eux ne pouvait se libérer pour la date prévue. Big Connell, l'ami de Dan, et Fiona, sa femme, avaient prétexté l'indisponibilité des baby-sitters.

— Pourtant elle n'a pas encore accouché, si ? demanda Jackie à Dan.

— Ça ne devrait pas tarder. Ils sont prévoyants, je suppose.

Cependant, Dan semblait exaspéré par la dérobade générale. Tous s'étaient défilés, sauf Rory, son cadet. Et Rory disait « oui » à tout sans pour autant honorer ses promesses.

— Je vais les rappeler, s'exclama Dan, énervé. Je vais leur expliquer que je compte sur leur présence.

— Dan, écoute.

— Non ! Nous allons nous marier et ils ne veulent pas venir à notre fête de fiançailles ? Quel genre de message essaient-ils de nous envoyer ?

« Un message limpide », songea Jackie.

— De toute façon, je n'y tiens pas trop, déclara-t-elle. C'était une idée de Lech. Pour ma part, j'aimerais mieux une fête d'enterrement de vie de jeune fille.

— Une quoi ? lança Dan avec méfiance.

— Les amies de la future mariée se réunissent et lui offrent des cadeaux utiles : des grille-pain, des diaphragmes, ce genre de choses.

— C'est ce qui te plairait ?

— Absolument ! Sauf si tu tiens vraiment à cette fête de fiançailles.

— Moi ? Non, non.

— Je ne pourrai inviter que des femmes. Ça ne t'ennuie pas ?

Dan secoua la tête d'un air soulagé.

— On frappera un grand coup pour le mariage, d'accord ?

— Super ! s'écria Jackie.

Elle était contente qu'il ait retrouvé le sourire. Elle avait eu peur qu'il fasse une fixation sur Henry, mais depuis leur récente dispute dans la voiture Dan s'était détendu et s'occupait activement des préparatifs de leurs noces. Jackie se contentait de parcourir les brochures qu'il lui montrait avec enthousiasme et ne se mêlait de rien.

Quand Emma apprit que la fête de fiançailles était remplacée par une fête d'enterrement de vie de jeune fille, elle resta stoïque.

— J'annulerai les dés de fromage, décida-t-elle. Et j'expliquerai à Lech qu'il n'est plus invité.

Mais la malchance perdurait et les amies de Jackie se désistèrent en invoquant des excuses. Quant à Michelle, elle annonça qu'elle devait réviser alors que Jackie pouvait entendre la voix d'un homme, ou même de deux, se détacher sur le fond sonore, à l'autre bout de la ligne.

— Ce n'est pas grave, décréta Emma. Allons quand même boire quelques bières !

Jackie était touchée. Emma buvait rarement plus de la moitié d'un demi.

— Bonne idée ! lança Lech avec entrain.

Il portait un débardeur rouge et son bras droit était plus bronzé que l'autre.

— Allez vous repoudrer le nez et je vous dépose au pub !

Elles regardèrent sa voiture à travers la vitre du magasin. C'était une Ford verte rouillée de 1989, qui sentait habituellement les pizzas et les fleurs. Un lapin rose pendait au rétroviseur et le pare-chocs était décoré d'un autocollant grivois. Ce qui ajoutait du poids aux arguments d'Emma qui voulait engager quelqu'un correspondant davantage à l'image de Flower Power. Quelqu'un qui n'aurait pas l'audace de faire des avances aux clientes. « Lech ne se le serait jamais permis, avait argué Jackie. C'est plutôt les femmes qui essayent de le draguer. » Une cliente lui avait même offert une rose en lui demandant de l'appeler. Quant à Lech, il n'avait manifesté aucun intérêt à leur égard. « Je suis un romantique qui cherche simplement l'âme sœur », expliquait-il. Emma, bien sûr, ne l'avait pas cru.

— Merci, mais nous allons nous y rendre à pied, répondit cette dernière d'un ton cassant.

Lech l'observa un long moment.

— Depuis que vous m'avez engagé, j'essaye d'être gentil avec vous. Je vous parle. Je suis amical. Mais vous avez un problème avec moi.

— Pas du tout, répliqua Emma. C'est une soirée réservée aux femmes, voilà tout.

— Même si j'étais une femme, vous ne voudriez pas que je vienne !

Jackie avait du mal à l'imaginer au féminin. À la rigueur, elle parvenait à se figurer Dan en joueuse de hockey. Henry en vamp sensuelle aux cuisses éternellement fermes. Henry était le meilleur candidat.

— Ou peut-être que vous n'aimez pas les Polonais ? insista Lech.

— C'est ridicule ! éructa Emma, pivoine.

— Le précédent pape était polonais. Il y a beaucoup de gens bien en Pologne.

— En route ! coupa Jackie d'une voix gaie.

— Quoi qu'il en soit, nous avons tous deux des idées préconçues, reprit Lech en toisant Emma d'un air sombre. Parce que j'étais venu en Irlande en pensant que les Irlandais étaient chaleureux. Je me suis trompé.

— J'offre la première tournée ! annonça Jackie d'un air désespéré.

— Je n'ai plus envie de trinquer, répondit Lech.

Il saisit les clés de sa voiture et sortit.

Après son départ, Emma sembla moins enthousiaste. Jackie se sentait aussi contrariée, mais la salle du pub avait été louée et des plateaux de friands à la saucisse les attendaient. Alors elle disparut aux toilettes, appliqua une nouvelle couche de rouge à lèvres cerise sur sa bouche et se recoiffa. Henry n'avait pas répondu à sa lettre. Après tout, ce n'était pas tous les jours qu'on recevait ce genre de nouvelles. C'était moins habituel que les factures d'électricité et les promotions sur les meubles à monter soi-même.

Chaque matin, elle inspectait la boîte aux lettres, sans toutefois espérer une exhortation à ne pas divorcer : Henry annonçant qu'il est profondément désolé, qu'il l'aimera jusqu'à son dernier souffle, qu'elle est sa femme et le restera. Henry avait toujours dissimulé ses émotions. Il fallait qu'elle interprète ses haussements de sourcils, ses moindres soupirs. Au début, elle avait cru que c'était lié à son métier de critique. Au fait qu'il préférait rester imperturbable afin qu'on ne puisse pas deviner son opinion avant que celle-ci paraisse dans le journal. Et elle avait trouvé son impassibilité sexy. Maintenant, elle savait que son mystère ne cachait que du vent ou, tout au plus, une indigestion.

Selon Henry, Jackie avait toujours été trop émotive. Il lui reprochait d'être trop sensible au sort des chats de gouttières, trop familière avec les étrangers dans les boutiques, et de se plaindre de la vie, en général. Parfois, il la regardait comme si elle n'avait aucun sens des convenances. Mais s'il n'y avait que des individus comme lui sur Terre, mesurés et énigmatiques, le monde serait sinistre !

Pourquoi n'avait-il pas répondu à sa lettre ? Pour la laisser se demander s'il l'avait reçue, s'il avait déménagé, si le facteur l'avait perdue dans le caniveau ? Le meilleur moyen de la rendre folle était de recourir à l'indifférence. De faire comme s'ils n'avaient jamais rien partagé. C'était apparemment la stratégie d'Henry. Ce constat avait rendu Jackie furieuse.

Velma avait déclaré que cela n'avait aucune importance. Elle était sur le point de faire une demande de divorce en Angleterre et l'affaire serait réglée au plus vite. Jackie pouvait choisir la date du mariage, avait-elle ajouté. Par superstition, sans doute, Jackie s'en était abstenue. Mais à cause de l'insistance de Dan, ils avaient fini par s'accorder sur le 14 octobre. Ce serait un mariage en blanc, bien qu'à la mairie, et ils partiraient trois semaines en lune de miel.

— Où allez-vous aller ? l'interrogea Emma.

Elles étaient assises dans une salle vide située au premier étage du pub, près de quatre plateaux de friands. Sa voix résonnait un peu. C'était déprimant, bien entendu, mais ni l'une ni l'autre ne souhaitaient le reconnaître.

— Sur la Costa del Sol, comme d'habitude ?

— Non, répondit Jackie. Dans le Montana, peut-être. Ou au Népal.

Un silence se fit.

— Tout dépend de la météo, s'empressa-t-elle d'ajouter. L'hiver, il fait très froid en haute altitude, mais quel spectacle ! Et il y a des moines, et l'Everest où Dan aimerait camper. Dans le Montana, le paysage est magnifique. On peut faire des randonnées dans les montagnes de Yellowstone. Si on parvient à rester un moment immobile, on peut même distinguer des ours.

— C'est une idée de Dan, je suppose ?

— Non. Nous en avons parlé ensemble et décidé de profiter pleinement de la nature, pour changer.

— Mais Jackie, protesta Emma. Tu t'étais évanouie lorsque nous avions trouvé une souris dans le sous-sol du magasin. Comment vas-tu réagir face à un ours ?

— Je ne sais pas !

Et elle allait être obligée de porter les horribles bottes qu'il lui avait montrées dans une revue.

— Très bien, c'était son idée, concéda-t-elle.

Elle aurait peut-être dû s'impliquer davantage dans l'organisation de leurs projets. Cela lui aurait évité de se retrouver coincée avec une lune de miel sportive.

— J'espère que tu ne vas pas changer à cause de lui, Jackie.

— Bien sûr que non ! Et toi, au fait ?

— Moi quoi ?

— Tu es d'une humeur massacrante depuis quelques semaines. Il y a quelque chose qui te perturbe ?

— C'est à force d'entendre parler de mariage,

répondit-elle au bout d'un moment. C'est dur quand on est célibataire, même si je suis ravie pour toi et Dan.

Jackie était étonnée.

— Je pensais que tu ne souhaitais rencontrer personne.

— C'est vrai, déclara Emma. J'ai quand même des... besoins. Comme tout le monde.

C'était la première fois qu'elles parlaient des besoins d'Emma. Jackie avait toujours cru qu'un déplantoir et un sac de terre arable lui suffisaient.

— Tu peux certainement trouver quelqu'un avec qui...

— Faire une partie de jambes en l'air ?

— Oui.

Emma fronça le nez.

— Mais je ne connais pas d'hommes. À part le type qui habite au-dessus de chez moi et il est bizarre.

— Réfléchis bien. Tu oublies quelqu'un. Quelqu'un que tu vois tous les jours.

— Ah oui ! Le vendeur de la boulangerie, au coin de la rue ?

— Non ! Lech.

— Lech ?

— Oui.

Silence.

— J'ai du mal à croire que tu puisses nous imaginer ensemble, maugréa Emma.

— Pourquoi ? De toute évidence, vous êtes attirés l'un par l'autre.

Emma la dévisagea d'un air outré.

— Je déteste Lech. Il me dégoûte. S'il ne restait plus que lui sur Terre, je l'éviterais.

— Désolée, bredouilla Jackie. J'ai mal interprété tes réactions à son égard.

— Je suis peut-être désespérée, mais je refuse de tomber aussi bas.

Jackie n'insista pas. Elle était déconcertée de se tromper autant sur les gens. Elle qui avait cru qu'en vieillissant on devenait plus intelligent ! Cela lui avait évité de se préoccuper de sa retraite ou de fonds d'assurance-vieillesse. Elle s'était dit que, plus tard, elle gagnerait sa vie en vendant des nouveautés inventées par son cerveau brillant. Elle n'avait pas prévu qu'elle pouvait devenir plus bête. Et elle n'avait que trente-quatre ans. Comment serait-elle à soixante-dix printemps ? Elle n'osa pas y songer.

— Qu'est-ce qui t'a fait penser que Lech me plaisait ? s'offusqua Emma.

— Je croyais que tu préférais changer de sujet. Mais si tu tiens encore à en parler...

— Non ! coupa Emma en rougissant. Tu ne veux pas commander un autre verre ?

— Est-ce bien raisonnable ?

— Je peux me permettre de faire un écart de temps à autre, répondit bravement Emma.

Assise à bavarder avec sa meilleure amie, Jackie se sentit soudain plus gaie. Elle se mit à penser à Dan qui l'attendait – probablement en écoutant les résultats des matchs. Il s'était montré tellement patient vis-à-vis d'elle. Même présenter une femme mariée à ses parents ne l'avait pas découragé. Et il avait réussi à oublier Henry alors qu'elle n'avait pas cessé de chercher la raison pour laquelle il n'avait pas répondu à sa lettre.

Ils iraient au Népal. Elle serait seule avec Dan, c'était tout ce qui importait. Même si une douzaine de sherpas les accompagneraient lors de l'ascension de l'Everest.

— Pourquoi souris-tu ? lui demanda Emma.

— Je vais me remarier ! s'exclama Jackie. C'est formidable !

Pour la première fois, Jackie sentit que c'était bien parti.

Assis dans la pénombre, courbé sur la télécommande, Dan avait le cœur battant. Une pizza refroidissait près de lui tandis qu'il scrutait l'écran du téléviseur. Les images tremblaient et le volume était inégal, mais, de toute évidence, le réalisateur du film ne cherchait pas à remporter un césar. Dan se pencha en avant et appuya sur « pause ». Henry Hart le dévisageait sans ciller. Il portait un complet gris, une chemise blanche, et sa dentition semblait trop belle pour être vraie. Mais après dix ans de rugby, Dan savait reconnaître un bon travail d'orthodontie. Force était de constater que le sourire étincelant d'Henry n'avait pas été amélioré par un spécialiste. Et ses cheveux ! Abondants, brillants, alors que Dan retirait des touffes ternes sur son peigne chaque matin. Néanmoins, le visage d'Henry était loin d'être parfait, remarqua-t-il avec satisfaction. Pas de pommettes saillantes, pas de nez aquilin. En fait, c'étaient ses yeux très bleus qui retenaient l'attention. On pouvait comprendre qu'une femme soit attirée par un regard aussi vif.

Au moins, Dan était plus grand que lui. Comparé aux gens qui l'entouraient, Henry paraissait tout petit. Un nain ! Cependant, quand Dan fit avancer l'image, il découvrit qu'Henry se trouvait en fait sur un banc et qu'en se levant il atteignait les un mètre quatre-vingts. Salopard ! Dan se demanda comment il était, physiquement, sous son complet. Mince et musclé ? Ou déjà grassouillet ? Il avait tellement envie de tester l'endurance du scribouillard sur un terrain de rugby.

Dan mordit dans une part de pizza huileuse et appuya sur la télécommande. Il aurait dû dire à Jackie qu'il était tombé sur la vidéo de son mariage en cherchant une cassette vierge afin d'enregistrer *Les 101 Meilleurs Moments du rugby*. Mais elle ne l'avait pas cachée. Et ce n'était pas un hasard si elle n'était pas rangée.

Il voulait simplement voir à quoi Henry ressemblait, rien de plus. Encore cinq minutes et il la remettrait dans sa boîte. La caméra suivait la progression d'Henry à l'intérieur de l'église. Des invités l'accostaient, lui souhaitant « Bonne chance » et « Il n'est jamais trop tard pour changer d'avis ». Henry souriait, serrait des mains, répondait des choses qui faisaient rire tout le monde. Ce n'était pourtant pas si drôle que ça, songea Dan. Le cameraman avait ensuite filmé des rangées de gens, le gratin de la presse londonienne, sans aucun doute. Des célébrités ne figuraient peut-être pas sur la liste des invités de Dan – bien que son cousin germain fût un chanteur de country populaire dans la région – mais aucun d'entre eux ne viendrait à son mariage accoutré de la sorte.

La caméra s'arrêta sur la mère de Jackie. Assise au premier rang, elle avait l'air inquiète, comme si elle s'attendait à ce qu'on lui demande de changer de place. À elle, dans sa propre église ! Dan eut pitié d'elle. Quand elle remarqua qu'elle était filmée, Mme Ball se leva, lissa sa robe qui ressemblait curieusement à celle que portait Dorothy dans *Le Magicien d'Oz,* et décocha un sourire forcé. Seule Michelle semblait à l'aise. Elle était ravissante dans sa tenue de demoiselle d'honneur. Dan ne manquerait pas de la présenter à Alan, son jeune frère.

Où se trouvaient les parents de son rival ? Étaient-ce eux, au deuxième rang ? Ils paraissaient trop gentils, trop modestes pour avoir engendré quelqu'un comme Henry. Mais la vieille dame avait les mêmes yeux que lui. Ils discutaient en montrant une petite plaque dorée clouée sur un banc situé devant eux.

— « *Priez pour Patricia O'Leary* », lut la femme à voix haute.

— Tu crois qu'elle est enterrée là-dessous ? interrogea l'homme.

— Non, je suppose qu'elle a simplement fait don du banc.

— Ah bon, répondit-il. Prions quand même pour elle.

La caméra se posa sur Emma, dont Dan avait seulement fait la connaissance quelques jours plus tôt. Encore en marron. Ce qui était tout de même mieux que la mer de rouges criards et de violets qui l'entourait. Un ecclésiastique s'approcha de l'autel suivi par deux homologues. Trois prêtres officiaient ! Même eux avaient l'air de penser que c'était excessif car ils n'avaient de cesse de regarder Henry comme s'ils ne parvenaient pas à le reconnaître. Finalement, ils montèrent sur l'estrade où des enfants de chœur attendaient parmi des arrangements floraux somptueux et des centaines de bougies. À croire qu'il s'agissait d'une cérémonie royale, enragea Dan. Soudain, il comprit pourquoi : Jackie s'était occupée de tout. Et elle allait certainement arriver dans une robe époustouflante, accompagnée par une pléiade de demoiselles d'honneur. Il n'y avait que Jackie pour organiser à grands frais un tel cirque. De toute évidence, Henry ne s'en était pas mêlé, il semblait presque immunisé au désordre ambiant. Devant l'autel, près de son témoin, il observait la foule d'un air distant, comme si la présence des invités le dérangeait. Il était là pour Jackie, songea Dan. Avant que les enfants de chœur entonnent la première chanson, Henry se tourna vers l'entrée de l'édifice. Il ne jeta un œil ni vers la caméra, ni vers les prêtres, ni vers personne. Idéalement, il aurait préféré que l'église fût vide, afin que rien ne puisse détourner son attention de sa promise. Le mariage représentait simplement le dernier obstacle à franchir avant de pouvoir poser ses mains sur Jackie pour toujours.

Dan sentit qu'un bout de pizza s'était coincé dans sa gorge. Il regarda la porte de l'église s'ouvrir lentement, distingua un pli de robe blanche.

— Dan ? Tu es là ?

Jackie était de retour. Il éteignit le magnétoscope et remit la télé.

— Je suis dans le salon ! répondit-il.

— Qu'est-ce que tu fais dans le noir ?

— J'ai une migraine. Viens t'asseoir ; je suis en train de suivre... (il scruta l'écran) une émission sur la langue irlandaise.

— Tu te cultives ! répliqua-t-elle d'un air admiratif.

— Ta soirée s'est bien passée ?

Elle tituba vers le canapé.

— Je n'ai pas arrêté de penser à Henry, annonça-t-elle. Je sais que tu as fait un gros effort pour l'oublier et je ne tiens pas à reparler de lui mais de moi.

Dan hocha la tête d'un air coupable.

— Je n'ai pas ta volonté, poursuivit-elle ; je l'ai laissé occuper trop de place dans mon esprit au lieu de t'aider à organiser la cérémonie. Je suis désolée.

— Si, tu m'as aidé.

— Non, non ! Je suis la mariée la moins motivée du monde. Mais ça va changer, je te le promets. Je vais suivre ton exemple. Dorénavant, Henry pourra s'adresser à Velma et il ne m'obligera plus jamais à penser à lui !

— C'est peut-être un peu excessif, non ?

— Henry Hart ne fait plus partie de mon existence !

Elle se lova contre son épaule et fut prise d'un hoquet.

— Nous allons être heureux ensemble, Dan.

— Oui, ma chérie.

Il aperçut le voyant rouge du magnétoscope qui clignotait. L'espace d'un instant, il eut l'impression qu'Henry se trouvait dans le salon.

6

Comme souvent, Henry travaillait chez lui. Il jugeait que la frénésie d'une salle de rédaction n'était pas indispensable pour décrire le goût d'une sauce hollandaise. Quoi qu'il en fût, le vendredi, c'était le jour où il triait le courrier des lecteurs que son journal lui faisait parvenir dans une grande enveloppe en papier brun. Il parcourait les lettres truffées d'insultes ou d'indignations justifiées puis choisissait les cinq meilleures. Pas pour y répondre, non. Il les remettait ensuite à Rhona qui les publiait à côté de sa critique.

Ce matin, Henry avait déjà sélectionné la missive de la patronne d'un pub du Hertfordshire qui lui demandait pour qui il se prenait, ainsi que celle d'un homme qui remettait en cause ses compétences de journaliste.

Henry n'avait aucune formation professionnelle, bien sûr, mais cela n'avait aucune importance. Il s'y connaissait suffisamment en gastronomie et il n'avait pas peur d'exprimer son opinion haut et fort. Il ajoutait un soupçon d'humour au vitriol à ses diatribes – on ne lui en réclamait pas davantage. Voilà en quoi consistait son travail. Un boulot bien payé, d'ailleurs. L'an dernier, il avait obtenu une augmentation juteuse, un renouvellement de contrat, et il pouvait aujourd'hui se permettre de présenter des notes de frais faramineuses. Ce n'était pas en écrivant des articles politiques pour le *Guardian* ou le *Times* qu'il aurait bénéficié d'autant d'avantages !

Parfois, désespéré, Henry posait sa tête sur son bureau en se demandant comment il avait fait pour en arriver là. Et si une porte de sortie existait. Le téléphone sonna. C'était son agent.

— Henry ! C'est Adrienne.

— Bonjour Adrienne.

— Vous êtes un vilain garçon, gronda-t-elle.

— Pourquoi ? s'indigna-t-il soupçonneux.

— Ne jouez pas les innocents. Vous étiez censé remettre les épreuves du livre mercredi.

— Vraiment ?

— Ils vous ont payé cher pour le rédiger.

Écrire un guide, ç'avait été l'idée d'Adrienne et elle en était fière. Compte tenu de la célébrité d'Henry, avait-elle affirmé, il était inutile de mentionner les mots *gastronomie*, ou *restaurant*, ou *critique*. Sur la couverture on pouvait donc lire : *Henry Hart – Le Guide*. « Vous êtes une marque déposée, désormais ! » avait-elle dit en jubilant. Dans l'ouvrage, il passait en revue une centaine des meilleurs restaurants londoniens. Adrienne était persuadée que les ventes allaient dépasser celles des livres des autres critiques, dont Egonay, murmurait-elle, et peut-être même le *Guide Michelin*. Il lui avait répondu de continuer de prendre ses antidépresseurs.

— Je vais les appeler et leur présenter mes excuses, proposa Henry.

— Je m'en suis déjà chargée, répliqua-t-elle. Je leur ai promis que tout serait prêt lundi. Neuf restaurants leur ont téléphoné pour savoir s'ils avaient été épargnés ! Vous vous rendez compte ? Ils leur ont répondu : « Vous n'avez qu'à acheter le guide quand il sortira. » Oh, je le sens, Henry ! Nous allons faire un tabac !

— Merveilleux, répondit l'intéressé. Écoutez, il y a quelqu'un qui frappe à la porte.

C'était son excuse classique.

— Et le producteur de l'émission intitulée *Je suis une star, sortez-moi de là*, a rappelé ; vous êtes sûr que... ?

— Certain, coupa Henry. Adrienne, vous occupez-vous de poésie parfois ?

— Pardon ?

— Vous savez, de phrases qui peuvent rimer ou pas.

— Je sais ce que c'est qu'un poème ! Je ne vends pas ce genre de littérature. À quel genre de poésie pensiez-vous, d'ailleurs ? Errant aussi seul qu'un nuage, ce genre-là ?

— Non. À de la poésie moderne. Des poèmes d'amour.

Silence.

— Celle d'un ami, ajouta Henry. Je lui ai promis que je me renseignerais pour lui.

— Votre ami perd son temps. Ça ne s'achète plus. S'il a un bon policier à me proposer, ça pourrait m'intéresser.

— Il n'écrit que des poèmes.

— Vous remettrez les épreuves lundi ?

— Oui, répondit Henry.

Il raccrocha. Il allait devoir passer le week-end à réviser le manuscrit : une version plus longue de ses critiques. Sa chienne, Shirley, pénétra dans la pièce. Elle s'était beaucoup grattée, hier, songea Henry. Il l'examina à la recherche de puces, n'en trouva aucune, se dit qu'il inspecterait la zone de la queue plus tard.

— Il faudrait aussi faire examiner ce grain de beauté près de ton oreille, lui confia-t-il. Ces trucs se métamorphosent pour nous nuire, parfois. Nous en savons quelque chose, n'est-ce pas ?

Sa chienne poussa un soupir apitoyé.

— D'accord, poursuivit Henry. Mais arrive un

moment où l'on ne peut plus faire comme s'ils n'existaient pas.

Il décida de se préparer un café et de se remettre au travail. Il se demanda ce que penseraient ses lecteurs s'ils voyaient l'arrogant, le cinglant Henry Hart, le Boucher de Notting Hill traînasser en chaussettes dans sa cuisine, plaint par sa chienne.

En nettoyant la table de la cuisine afin de pouvoir y poser les épreuves, il remarqua une lettre qui était parvenue avec le courrier des lecteurs. Les papiers du divorce. Il les reconnut immédiatement. À l'enveloppe et au poids. Ils avaient été envoyés au tarif lent, comme s'il ne méritait pas le tarif rapide ; cela ne manqua pas de le vexer.

Il savait qu'ils allaient arriver, bien sûr. Il avait été prévenu par la missive glaciale de Jackie. Sans nul doute, c'était son écriture à elle, mais peut-être que son avocate lui avait dicté le contenu. Ça ne ressemblait tellement pas à la Jackie qui collait des Post-it partout, à celle qui lui griffonnait des mots au rouge à lèvres. Ou alors, peut-être était-ce lié aux conséquences de sa dépression nerveuse.

Henry pensait souvent qu'un trouble psychologique inexplicable avait poussé Jackie à partir. Ce qui n'aurait guère été étonnant vu le genre de personne qu'elle était : imprévisible, empressée, jetant son dévolu sur une chose un jour et s'en débarrassant le lendemain. Il fallait se rendre à l'évidence : elle l'avait abandonné comme un vulgaire verre de lait qui aurait tourné pendant la nuit. Excessive, Jackie prenait des décisions irréfléchies et faisait de mauvais choix (sauf lui, bien sûr). Ses nerfs avaient sans doute fini par lâcher. Alors, elle avait laissé une feuille de papier sur laquelle elle s'était contentée de gribouiller « *Au revoir* », et était retournée en Irlande afin de se reposer en buvant des suppléments nutritionnels en guise de fortifiants.

Parfois, quand Henry se sentait magnanime, il parvenait à se convaincre que c'était là l'explication du départ abrupt de Jackie et arrivait presque à la comprendre. On ne pouvait pas accuser quelqu'un comme elle d'être responsable de ses actes, songeait-il. Et en voyant des bébés dans un parc ou un panneau publicitaire de Coca-Cola, le monde lui semblait plus tendre.

Mais s'il se sentait combatif, comme aujourd'hui par exemple, il analysait sa fuite et y voyait une tout autre explication : l'exemple flagrant du manque de poids des femmes. Il aurait dû s'en rendre compte dès le commencement s'il ne s'était pas laissé aveugler par ses attentions et ses flatteries. À son âge, il aurait dû savoir qu'il s'agissait d'une intensité chimérique, que dès qu'on grattait il n'y avait pas grand-chose derrière la façade. Quand elle s'était lassée, quand elle n'avait pas pu être à la hauteur de ses notions grandioses à l'égard de l'amour et du mariage, elle avait fait sa valise et poursuivi son chemin. En les abandonnant lui et Shirley, usés, lessivés.

— Je t'aime toujours, déclara-t-il à sa chienne. Ne l'oublie pas.

Parce que leur séparation remontait à moins de deux ans et afin d'éviter les délais d'attente, Jackie serait obligée de choisir le divorce pour faute et invoquerait probablement celle du « comportement déraisonnable ». C'était ce qu'avait expliqué Tom, un avocat débutant, en l'absence de maître Knightly-Jones :

— Les juges sont compréhensifs, leurs critères ne sont pas très astreignants et le « comportement déraisonnable » ne sera pas une attaque trop personnelle, avait informé Tom.

— Elle peut m'accuser d'avoir les pieds qui sentent mauvais ? s'était enquis Henry.

— Hum...

— Je plaisante.

— Ah bon. Non, ça sera probablement plus spécifique. Elle alléguera peut-être le fait que vous buvez beaucoup. C'est une cause fréquente.

— Je ne bois que le week-end.

— Maître Knightly-Jones sera de retour au cabinet la semaine prochaine et m'a chargé de vous dire que vous n'étiez pas obligé de lire la requête en divorce, vous pouvez simplement la lui envoyer quand vous la recevrez.

Ne pas lire la requête en divorce de Jackie ? Les détails croustillants ? Jamais de la vie ! Il salivait déjà. Il ouvrirait peut-être même un paquet de gâteaux pour l'occasion et décrocherait le téléphone.

Il déchira l'enveloppe et confia à Shirley :

— Je parie qu'elle me reproche de ne pas être assez sociable. Comme si, le soir, j'avais envie de sortir en compagnie des crétins que je côtoie déjà au bureau. Et combien de fois ai-je essayé de lui expliquer – tu en es témoin – qu'il m'arrivait d'avoir du travail et que je ne pouvais pas passer mes journées à faire les boutiques ?

Shirley ne semblait pas convaincue. Henry déplia le document et le parcourut rapidement jusqu'aux motifs du divorce.

Comportement déraisonnable :

— *Manquement au devoir de secours moral*

Le court paragraphe n'avait rien d'alarmant. Rien qui lui donne envie de hurler en cassant les meubles.

— *Défaut de participation à la vie familiale*

Les quelques lignes le décrivaient comme quelqu'un de négligent qui aurait, par exemple, oublié de tondre la pelouse. Ce qui lui arrivait souvent.

C'était tout ? Bien entendu, les fautes invoquées étaient suffisamment sérieuses pour porter un coup mortel à n'importe quelle union. Mais il avait espéré des mensonges éhontés, une mise à mort haineuse ! Elle ne mentionnait même pas son humeur changeante, qui, vers la fin, était pourtant devenue intolérable – il était le premier à en convenir. Ne l'avait-elle pas remarqué ?

Il se sentit déçu. D'habitude, Jackie ne savait pas se retenir. Et il lui semblait étrange qu'une relation aussi explosive puisse se terminer par une petite liste aseptisée.

Jackie essayait de choisir une robe de mariée. Michelle avait sacrifié une journée de cours pour venir l'aider – ce qui consistait surtout à décrocher des cintres et à les remettre à leur place.

— Regarde celle-ci ! s'écria Michelle. Avec ça, tu économiseras la location d'une tente. C'est pratique pour mettre à l'abri les desserts.

Emma était venue contre son gré. Comme Mme Ball avait interdit à Michelle de faire partie du cortège, Jackie avait demandé à son associée d'être sa demoiselle d'honneur.

— Je n'y arriverai pas, avait insisté Emma. Tous ces gens vont me regarder.

— C'est moi qu'ils regarderont.

— Alors pourquoi as-tu besoin de ma présence ?

— Parce que tu es mon amie, Emma. Ça devrait être un honneur pour toi.

Mais Emma l'avait fixée en blêmissant et Jackie avait été obligée de proposer à sa cousine Chloé d'être la demoiselle d'honneur numéro deux. Puis Michelle avait fait remarquer que Chloé était la plus jolie fille de la famille et probablement du pays, et que Jackie aurait mieux fait de s'adresser à Maureen, leur cousine grassouillette. Mais quand Jackie avait essayé de faire machine arrière, Chloé n'avait rien voulu entendre, et à présent elle se retrouvait coincée avec une seconde qui ne manquerait pas de l'éclipser. Pour couronner le tout, la mère de Chloé avait téléphoné à Mme Ball et lui avait dit quelque chose – nul ne savait quoi – qui avait contrarié cette dernière pendant une semaine.

Afin de rétablir l'équilibre, Dan avait demandé à P.J., son frère aîné, d'être son deuxième témoin. Froissée que son mari ait été choisi après Big Connell, la femme de P.J. s'était plainte de ne plus oser croiser le regard de l'épouse de Big, au club. Indifférent aux pleurnicheries de sa belle-sœur, Dan avait exhorté Jackie à composer son escorte d'autant de demoiselles d'honneur qu'elle le souhaitait : si des frères venaient à manquer, il disposait d'une armée de cousins germains. À la suite de quoi Jackie avait eu envie de fuir à Tahiti pour se marier sur la plage avec deux cocotiers en guise de témoins. Mais elle s'était gardée de faire part de sa soudaine misanthropie à Dan qui avait rajouté cent personnes à la liste des invités – quatre cents au total.

— Tu connais tous ces gens ? s'était-elle étonnée.

— Bien sûr. Bill, Cliff et Bugsy sont de vieux copains du lycée.

Plus tard, Jackie avait appris par la mère de Dan qu'il ne les avait pas revus depuis l'école maternelle et qu'il avait mis des semaines à retrouver leur trace. Elle semblait également alarmée par l'ampleur que prenaient les choses. Pourtant, au cours des dernières années, en raison de sa forte consommation de calmants, plus rien ne la paniquait, selon Dan.

La veille, Dan avait essayé d'obtenir le numéro de téléphone d'un ensemble de huit musiciens spécialisés dans les mariages de la haute bourgeoisie. Vers minuit, Jackie avait murmuré gentiment :

— Ce n'est pas grave s'ils sont pris.

— Tu veux quoi ? avait-il aboyé. Qu'un DJ nous passe du Madonna jusqu'à l'aube ?

Jackie aimait bien Madonna. Elle aimait aussi les disc-jockeys mais apparemment ce n'était plus la peine de songer à en engager un.

— As-tu envisagé le coût de cette réception ? avait-elle hasardé.

— Ce n'est pas un problème. À ce propos, nous arriverons au manoir en hélicoptère.

Il lui faudrait donc un voile court afin de ne pas finir décapitée par les pales, avait-elle pensé.

— Regarde ! s'écria Michelle. Une robe de bergère. Tu crois qu'on peut lever quelques moutons avec ça ?

— Tu es venue pour blaguer ou pour m'aider ? s'irrita Jackie.

— Tu ne vas pas perdre ton sens de l'humour à cause de Dan, j'espère. Il n'en vaut pas la peine.

C'était la première remarque négative de Michelle. Jackie se sentit sur la défensive.

— Ce n'est pas à cause de Dan, d'accord ? Plus vite

nous en aurons fini, plus vite nous pourrons aller boire un verre.

— Excellente perspective.

En les accompagnant au magasin, Michelle avait déjà essayé de les entraîner dans un pub à deux reprises. Au moins, Emma prenait sa mission davantage au sérieux. Elle lui présenta une ravissante robe en mousseline ivoire. Trop courte et trop simple, néanmoins. Surtout pour un mariage de quatre cents personnes avec un dîner comprenant sept plats et des épouses à l'affût de ses moindres défauts. Sûr que sa culotte révélée par le souffle de l'hélicoptère leur plairait ! Rien que de l'imaginer, elle en avait des sueurs froides.

— Allons faire un tour dans le coin des créateurs, proposa Jackie.

Emma et Michelle échangèrent un regard.

— Ça va te coûter dix fois plus cher et tu auras deux fois moins de tissu, avança Emma.

Jackie insista et s'éloigna. La vendeuse la suivit. Par crainte que Jackie lui vole ses plus belles pièces, de toute évidence.

Un mannequin drapé dans une création sans bre-telles retint son attention. Toutes les Fiona du monde se seraient pâmées devant une telle merveille, mais Michelle pointa du doigt la myriade d'agrafes.

— Pas facile à enlever le soir de ta nuit de noces, si ?

En songeant aux grosses pattes de Dan, Jackie hésita. Comment les choses avaient-elles pu devenir aussi compliquées ? Ou peut-être ne l'étaient-elles pas. Après tout, si Dan avait une famille qui comptait même de lointains cousins en Australie, et autant d'hommes d'affaires et d'amis qu'il désespérait d'épater, ce n'était pas sa faute. La seule chose qu'il lui avait demandée, c'était de choisir une robe de mariée. Il s'occupait du reste.

— Je vais l'essayer, décréta-t-elle sans conviction.

— Tu n'es pas obligée de te décider aujourd'hui, répondit Emma.

— Ah si ! Je n'ai même plus le temps de m'en faire faire une sur mesure. Il leur faut trois mois pour la coudre, huit semaines pour effectuer les retouches. C'était moins compliqué la première fois.

Un silence tomba. Des clientes la toisèrent d'un air scandalisé.

— Je parlais du style de la robe, reprit Jackie. Tu te souviens de celle que Mme Brady m'avait confectionnée, Michelle ?

— Elle avait moins de classe que celle-ci, répliqua l'interpellée.

Mais à l'époque, cela n'avait pas gêné Jackie. Aujourd'hui, elle ne se sentait plus portée par le même enthousiasme. Certes, il s'agissait d'un second mariage. La routine avait pris le pas sur les choses.

— C'est à cause du blanc, je crois, prétexta Jackie. Je ne suis plus vierge.

— Tu crois que les futures mariées qui se trouvent ici le sont encore ? s'exclama Michelle.

Quelques femmes se tournèrent vers elles avec embarras.

— Quel cynisme ! lui reprocha Jackie.

— J'ai du mal à croire au bonheur conjugal, soupira Michelle.

— À cause de moi ? se piqua Jackie.

— Non, toi, tu te débrouilles bien. Tu as déjà rencontré deux conjoints potentiels. Moi, je n'arrive même pas à prendre le petit déjeuner avec un homme après avoir passé une nuit en sa compagnie.

— Un jour, tu tomberas sur l'âme sœur et tu le sentiras.

— Comment ?

— Ça, ce n'est pas à moi qu'il faut le demander, intervint Emma.

— Ça t'a fait quoi quand tu as vu Dan pour la première fois ? insista Michelle. C'était le coup de foudre ?

— Pas exactement, bredouilla Jackie. Écoute, quand ça t'arrivera, tu le sauras.

Michelle restait sceptique.

— Ne te décourage pas, continue de chercher, renchérit Jackie.

— J'ai beau chercher, j'ai du mal à rencontrer un type avec lequel je n'ai pas déjà couché, Jackie.

— Tu les rencontres où ? l'interrogea Emma avec intérêt. Dans un endroit particulier ?

La vendeuse s'avança vers elles sans un sourire.

— Puis-je vous aider ?

— Oui, répondit Michelle. Nous souhaiterions trouver quelque chose pour un second mariage.

— Pour vous ? s'enquit la vendeuse d'un ton plus compatissant.

— Vous plaisantez ?

La femme se tourna vers Emma.

— Vous ?

— Certainement pas !

— Pour moi, confessa Jackie à regret.

La vendeuse la jaugea.

— Avez-vous envisagé du tulle ?

— Non.

— Essayez de vous imaginer avec.

Jackie eut une brève vision d'elle-même, coiffée d'un voile modeste, trottinant vers l'autel à la rencontre de Dan. Les plis du tulle crissaient et les invités poussaient des cris d'admiration. À mi-chemin, elle croisait le regard de son futur époux. Mais ce n'était pas celui de Dan. C'était celui d'Henry !

Atterrée, elle annonça :

— Écoutez, je repasserai un autre jour.

— Si le tulle ne vous convient pas, il y a aussi le satin.

— Non. Merci.

Et elle se rua vers la sortie.

7

Jackie avait rencontré Henry dans un pub londonien. Si Emma avait accepté de prendre un taxi au lieu de se diriger d'un pas entêté vers le métro, cela ne serait jamais arrivé. Mais Emma s'était trompée de station en voulant regagner leur chambre d'hôte bon marché et, les bras chargés de bégonias, d'un palmier, et d'une sélection de fougères, elles avaient atterri au *Crypt*, un pub baigné dans une lumière rouge et érotique.

— Il y a sûrement un endroit plus sympathique près d'ici, avait déclaré Emma avec nervosité. Sortons.

— On reste ! avait décrété Jackie.

Après avoir passé la journée à parcourir les allées de la Royal Horticulturist Society chaussée d'escarpins argent, Jackie avait les pieds en compote.

— La fumée de cigarettes va abîmer les fleurs, argua Emma, en posant ses plantes sur le comptoir.

Le bar était plein. Les gens semblaient se connaître et les femmes arboraient toutes du brillant à lèvres et des vêtements de marque. Avec embarras, Jackie avait remarqué que l'ourlet trempé de son imperméable rouge gondolait. Avec courage, elle s'était néanmoins tournée vers une brochette d'hommes occupés à boire et qui semblaient avoir lancé un concours de gel sculptant coiffant.

— Arrête, avait ordonné Emma.

— Quoi ?

— Ils risquent de se faire des idées.

— Je me contente simplement d'observer.

— Non. Tu n'es pas discrète. On voit ce que tu penses.

Comme si sourire était un crime. Vraiment. Certes, Jackie n'avait jamais eu la patience de se laisser désirer ou de jouer les timides. Et jeter des regards de biais sur les membres du sexe opposé lui donnait la migraine.

— Il n'y a pas de mal à cela, Emma. Nous sommes célibataires depuis des lustres.

Diplomatiquement, Jackie avait surtout cherché à souligner la solitude d'Emma, pas la sienne.

— Quand je songe à ta dernière aventure, ce n'est pas très motivant, avait répondu Emma.

En avril, Jackie avait fait la connaissance d'un conférencier. Elle avait imaginé des nuits passées à discuter du sens de la vie en buvant du bourbon, alors qu'en réalité il aimait se coucher tôt après avoir dévoré un cheeseburger en regardant *Buffy, la tueuse de vampires.*

— Nous étions mal assortis.

— Si tu les choisissais mieux, tu n'aurais pas de mauvaises surprises. Tu te fies à... à leur aura. Tu ne sélectionnes pas un homme parce qu'il est utile, beau, ou qu'il fait un métier intéressant, ou que c'est un bon amant. Non, à la place, tu craques pour un type qui a les yeux tristes, ou qui a l'air fou, ou parce que c'est un pseudo-philosophe et qu'il ressemble à James Dean.

— Mais c'est vrai qu'il ressemblait à James Dean ! se défendit Jackie.

Si, si. Quand l'éclairage était faible.

— Tu te laisses déborder par l'instant présent, avait repris Emma. Tu ne réfléchis pas.

Réfléchir signifiait « calculer », bien sûr. « Peser », « analyser », « mesurer » — toutes ces choses que Jackie ne parvenait à faire que lorsque la passion et la spontanéité s'étaient effacées. D'un ton ferme, Jackie avait répondu :

— Je ne vais pas me marier avec un homme simplement parce qu'il a un boulot et une voiture. Ou qu'il a le sens des responsabilités et que c'est quelqu'un de stable.

— Tu préfères un idiot avec une aura ?

— Je choisirai quelqu'un qui fait chanter mon cœur !

Le grand amour, ça devait bien exister, autrement on n'en parlerait pas autant, avait-elle songé. Elle avait fait signe au beau et jeune barman qui s'était rapproché d'un pas lent. D'un air arrogant, il leur avait demandé :

— Vous êtes invitées à la soirée privée ?

— Pardon ? avait rétorqué Jackie.

Il avait jeté un œil sur les fougères et reprit avec dédain :

— Ou vous êtes en charge de la décoration florale ?

— Nous ne savions pas qu'il s'agissait d'une fête privée, avait expliqué Jackie.

— Il y a un cordon rouge devant l'entrée.

— Oui. Nous l'avons enjambé.

— C'est ce que j'ai vu sur l'écran de télésurveillance. Je vais être obligé de vous sommer de partir. La salle est réservée aux invités de *Globe*. Norma Jacobs, le directeur de la rédaction, fête son départ.

Alors que Jackie s'était apprêtée à quitter les lieux sans discuter, une brise froide lui avait glacé les mollets au moment où la porte du pub s'ouvrait. Un homme au visage maussade était entré. Ignorant les gens qui venaient le saluer, il avait foncé droit vers le comptoir. Un type petit et grassouillet l'accompagnait.

— Tu n'y es pour rien, Henry, avait-il déclaré au beau ténébreux.

Le barman avait abandonné Jackie et Emma pour se précipiter vers Henry.

— Charmant, avait maugréé Emma.

Mais ce dernier, juché sur un tabouret, n'avait même pas prêté attention au barman. Pendant qu'il broyait du noir, son ami s'était chargé de commander. Bien que le pub fût empli de blondes vêtues du minimum autorisé, il dardait ses yeux très bleus vers la porte dès que celle-ci s'ouvrait, comme s'il avait hâte de filer. Cela ne devait pas être facile de retenir l'attention d'un homme comme lui, avait pensé Jackie, tandis qu'Henry descendait whisky sur whisky en fumant d'un air tourmenté.

— Sa chienne est peut-être morte, avait suggéré Emma.

Jackie ne parvenait pas à détacher son attention de lui. Quel charisme, quelle profondeur ! Elle avait tellement envie de le consoler entre ses seins. Il avait dû le sentir car il avait soudain croisé son regard. Jackie s'était pétrifiée.

— On y va ? avait déclaré Emma. Ils ne nous serviront pas, je crois.

Puis elle avait ajouté :

— Mince ! Ne me dis pas que tu es en train de tomber amoureuse ?

Plus loin, le long du comptoir, Henry Hart se détestait. Jamais il ne s'en était voulu à ce point. Il avait l'habitude des reproches et se savait doté d'un sale caractère. Ses amis lui faisaient souvent remarquer que ses plaisanteries dépassaient les bornes et il oubliait régulièrement l'anniversaire de sa mère. Par ailleurs, il lui était arrivé de coucher avec une fille qu'il n'avait jamais rappelée par la suite malgré l'insistance et le désarroi de cette dernière. Henry n'était pas un ange, certes. Mais en matière de loyauté et d'honnêteté, il se débrouillait plutôt bien. Il aurait pu continuer à se regarder dans la glace chaque matin si la lettre ne lui était pas parvenue :

Cher Monsieur Hart,

Vous arrive-t-il de vous mettre à la place des gens qui ont travaillé toute leur vie pour ouvrir un restaurant que vous détruisez en deux phrases désinvoltes ? Avez-vous conscience qu'à cause de vous des serveurs perdent leur emploi, des images professionnelles se ternissent, des entreprises familiales font faillite ?

J'espère néanmoins que vous dormez bien la nuit.

Oui, en avalant son oreiller afin de mettre fin à ses jours par overdose de plume d'oie. Finie la lune de miel. Force était de le reconnaître : il n'était qu'un salaud irresponsable, égoïste, méprisant, stupide et méchant.

— C'est ton boulot, Henry, avait déclaré Dave en mâchant des cacahuètes. Tu es critique.

— Oh, laisse-moi tranquille !

— Je ne peux pas. On m'a chargé de te réintégrer à l'équipe.

— Quoi ?

— Il paraît que tu as remis ta lettre de démission.

— Et alors ?

— Alors apparemment, je suis ton seul ami au journal et on m'a donc demandé de te raisonner.

— Va-t'en.

— Allez, reprends un scotch, vide ton sac, pleure un bon coup… demain ça ira mieux.

— J'ai fait fermer un restaurant, Dave.

— Tant mieux, vu ce qu'on t'y a servi. Tu avais appelé ça comment déjà ? Des crêpes fourrées à la saucisse aussi dures que du béton ?

— Il y avait des emplois en jeu ! Ceux des cuisiniers, du barman ; je me souviens même de Rose, la serveuse. Elle était enceinte !

— C'est leur problème, avait rétorqué Dave. S'ils veulent servir à manger, ils doivent s'attendre à ce que les critiques, eux aussi, fassent leur métier.

Comme si les propriétaires des petits restaurants et hôtels de province devaient se préparer à l'arrivée d'un grand critique qui allait les comparer aux établissements renommés de Londres !

— Tu réfléchis trop, avait poursuivi Dave. Tu devrais profiter de ta situation. Tu as un boulot en or – si on peut appeler ça un « boulot ». Tout ce qu'on te demande, c'est de décrire ce que tu as mangé la veille.

— Un peu plus que ça, tout de même.

— Ouais, ouais – tu dois aussi te prononcer sur la consistance des pâtes et la couleur de la soupe. Écoute, je lis tes papiers, je sais exactement ce que tu dois écrire. En fait, oublie cette conversation ; vas-y, quitte le journal. Je te remplacerai. Je pourrai aller souper tous les soirs dans des endroits huppés et, le lendemain matin, j'attendrai d'être remis de ma cuite avant d'aligner une phrase ou deux.

— Et moi, je prendrai ta place. En plein blizzard, j'irai me planter sur la ligne de touche pour regarder les joueurs de troisième division massacrer un jeu magnifique et j'essaierai de noter des noms étrangers imprononçables.

— Ne ris pas. C'est dur. C'est du vrai reportage. Et je ne gagne qu'un huitième de ton salaire. Par ailleurs, je n'ai pas d'agent, moi. Entre nous, je ne serais pas étonné si cette affaire finissait par te profiter.

— Quoi ?

— Tu as fait fermer un restaurant, Henry. Peu de critiques ont ce pouvoir. Quand ça va se savoir...

— Tu crois que j'en suis fier ?

— Oh, ça va ! Épargne-moi les remords. Si tu voulais vraiment démissionner à cause de ça, tu aurais déjà claqué la porte du journal et nous ne serions pas ici à en discuter. Détends-toi et essaye de penser à autre chose. Contemple toutes ces jolies filles. Tu as de la chance, Hannah t'a repéré.

Dave avait disparu parmi la foule. Dans l'espoir que quelqu'un l'aiderait à prendre la bonne décision, Henry avait jeté un œil alentour. Norma était déjà soûle et elle étreignait en pleurant ses collègues de travail comme si elle n'allait pas pouvoir survivre un jour de plus sans eux. Alors qu'en réalité elle s'apprêtait à déménager en Espagne avec un type de trente ans dont elle était amoureuse. Les habituels flagorneurs l'entouraient, mais lundi ce ne serait plus le même son de cloche : ils se battraient pour obtenir son poste.

La soirée était partie pour durer toute la nuit. Henry savait qu'il ne parviendrait pas à supporter une fois de plus cette atmosphère d'hypocrisie, de superficialité, ce cirque navrant dont il faisait partie. Non, il en avait assez. Il défendrait ses propres valeurs. Par ailleurs, il pourrait toujours proposer ses services de cuisinier à une cantine scolaire. Un travail honnête contre un salaire honnête. Voilà un avenir reposant.

Empli d'une détermination d'ivrogne, il avait bruyamment reposé son verre sur le comptoir. Derrière des plantes empotées, une femme l'observait. Les feuilles encadraient sa tête, comme si celle-ci était le prolongement d'une magnifique fleur exotique. Elle avait des cheveux frisés d'une couleur indéterminée, des traits fins et anguleux, un regard très audacieux. Clignant des yeux, il avait d'abord cru à une vision liée à l'alcool. Passant la main dans sa tignasse, la créature s'était alors tournée vers son amie pour éclater de rire. Se moquait-elle de lui ?

Il s'était demandé si elle travaillait au journal, mais, le cas échéant, il l'eût remarquée plus tôt. Ce n'était pas le genre de femme qui passait inaperçue. Avec son ciré rouge vif, sa crinière ébouriffée, ses escarpins clinquants, elle détonnait par rapport aux autres donzelles. Par ailleurs, son amie portait des bottes en caoutchouc – de toute évidence, ni l'une ni l'autre n'avaient un lien avec les médias, ou alors elles s'occupaient d'une émission sur l'agriculture.

Assise les jambes croisées sur un tabouret, l'inconnue semblait ravie de se trouver parmi les gens qu'Henry détestait. Et soudain, il avait trouvé l'ambiance du pub plus agréable. Surtout quand elle lui avait jeté un nouveau regard dépourvu d'ambiguïté. « Youpi ! » avait-il même pensé comme un gosse. Mais sa décision était prise, rien ne pourrait le détourner du droit chemin. Il allait devoir renoncer à ses revenus mirobolants, à son appartement spacieux, à son coupé, à plusieurs petites amies occasionnelles, et à son succès grandissant de critique. Le torse bombé, il s'était donc avancé vers la porte, jusqu'à ce qu'une force irrésistible le pousse à s'arrêter devant la femme aux cheveux fous.

— Puis-je vous offrir un verre ? lui avait-il demandé.

C'était sans doute à cause du sexe, s'était-il dit plus tard. Pour quelle autre raison se serait-il rué à l'église trois mois après l'avoir rencontrée ? Ils se jetaient l'un sur l'autre à la première occasion, passaient des jours entiers au lit sans même répondre au téléphone. Il avait présenté ses excuses au voisin qui s'était plaint du bruit. Curieusement, il ignorait pourquoi il l'avait trouvée attirante. Elle était sexy, bien entendu, mais nettement moins époustouflante que Mandy qu'il n'avait pas revue depuis. Et ses cheveux qu'il trouvait partout ! Sa voix aiguë qui lui tapait sur les nerfs ! Elle était incapable de fermer correctement une porte – que ce soit celle de la voiture, de l'appartement ou du réfrigérateur. Ou peut-être avait-il pris conscience de tout cela au moment où c'était le début de la fin. Pourtant, au commencement de leur relation, ils avaient été amoureux l'un de l'autre.

— Elle ne veut même pas le reconnaître ! s'exclama-t-il soudain.

Tom, le jeune avocat le dévisagea avec surprise. Ils attendaient le retour de maître Ian Knightly-Jones qui plaidait le dossier du magazine *Hello !* ou *O.K.* auprès d'un juge. Tom tenait les papiers du divorce d'Henry du bout des doigts.

— Je pensais à voix haute, clarifia Henry. Selon elle, nous n'avons jamais passé de bons moments ensemble.

— Oui, les demandes de divorce mentionnent essentiellement les aspects négatifs d'un mariage.

— À l'entendre, on croirait que ç'a été une torture du début à la fin. Attention ! je suis le premier à reconnaître que ça a dégénéré – je tiens autant qu'elle à divorcer. Mais je n'aurais jamais l'infantilisme de nier que je l'ai aimée. Même si je me suis trompée de personne.

— Je suis sûr que maître Knightly-Jones ne va pas tarder, répondit nerveusement Tom en scrutant la porte.

— Nous pouvons régler cela sans lui, déclara Henry.

Tom hésita.

— Vous ne préférez pas l'attendre ?

— Pourquoi ? Je suis d'accord pour racheter la moitié de la maison, la part qu'elle détient. Je peux vous donner le chèque maintenant, si vous voulez. En ce qui me concerne, il ne me reste plus qu'à signer les papiers, c'est ça ?

Tom acquiesça.

— Vous pouvez donc vous en occuper ? insista Henry.

Tom rassembla des papiers, des dossiers et apporta même un gobelet en carton empli d'eau, au cas où Henry défaille après avoir signé. Mais celui-ci se sentait prêt à tourner la page. Il n'avait pensé que vingt-sept fois à elle pendant la matinée.

Sans faire de gestes brusques, Tom fit glisser un document vers lui.

— La D10, murmura-t-il. Accusé de réception de la requête en divorce. Vous pouvez apposer votre signature là où j'ai mis une croix. Ensuite je la déposerai au tribunal qui fixera la date de l'audience. Vous n'êtes pas obligé d'y assister. La plupart des gens n'y vont pas. Les mesures provisoires seront arrêtées puis le jugement définitif sera prononcé quinze jours plus tard. Des questions ?

— Non.

— Non ?

— Tout est parfaitement clair.

Tom se redressa et attendit. Henry finit par lui réclamer un stylo.

— Oh ! Pardon, déclara Tom en lui tendant le sien.

— Merci, répondit Henry en se penchant sur le document.

— Vous êtes mon premier divorce, confia Tom. Et à vrai dire, mon premier client. Enfin, pas tout à fait ; maître Knightly-Jones reste votre avocat, bien sûr. Quoi qu'il en soit, il sera ravi que nous ayons réussi à boucler cette affaire. Et ça se déroule très bien pour vous, finalement – je ne veux pas dire par là que le divorce soit un moment joyeux. Pour certaines personnes, c'est un passage traumatisant. Mais les faits allégués par Mlle... Ball sont sans gravité. Cela vous épargne bien des désagréments. Parmi les fautes, elle a choisi la moins grave de toutes : comportement déraisonnable. Et que vous reproche-t-elle ? De ne pas participer à la vie familiale ? On peut difficilement se montrer plus aimable.

Tom s'assit sur le bureau et se mit à balancer sa jambe. Henry eut soudain envie de la lui amputer.

— C'est tellement plus facile quand les couples n'essayent pas d'exploiter la situation, vous ne trouvez pas ? reprit-il. Et à quoi bon tâcher de blesser l'autre si c'est fini ?

Un divorce rapide et sans frictions, voilà ce que Jackie espérait. Ce qui signifiait qu'elle ne pouvait pas dire la vérité et qu'elle tentait de l'amadouer en lui reprochant des fautes dérisoires afin qu'il signe.

Hors de question. Non seulement elle niait le fait qu'ils avaient été heureux au début de leur relation, mais surtout elle occultait la véritable raison de leur rupture !

— J'ai besoin d'une feuille de papier, annonça Henry.

— Pardon ?

— Afin de dresser ma liste de reproches.

— Je crains...

— Il y a un encadré réservé à ses griefs, mais pas aux miens. Pourquoi ?

— Elle est le requérant. C'est elle qui réclame le divorce.

— Et ça lui donne droit à un traitement de faveur ? Même si elle est autant responsable que moi de cette rupture ? Non, pas autant, davantage ! Elle m'a abandonné le soir de notre premier anniversaire de mariage !

Tom regarda la porte d'un air désespéré.

— Je refuse de cautionner ce tissu de mensonges, reprit Henry en chiffonnant le document. Si elle souhaite divorcer, qu'elle assume sa part de responsabilités.

— Mais vous n'avez pas le choix, répondit Tom en blêmissant. Soit vous acceptez, soit vous défendez vote point de vue devant un tribunal. Et vous ne pouvez pas faire ça.

— Pourquoi ?

— Parce que... parce que à ce point des choses personne ne s'engage jamais dans cette voie ! Le fait de ne pas contester les faits allégués par l'autre époux permet de recourir à une procédure sommaire.

Henry attendit sans dire un mot.

— Vous devez apporter des preuves sérieuses. Vous ne pouvez pas empêcher quelqu'un de divorcer simplement parce que vous n'avez pas obtenu votre propre encadré !

— Je veux mon encadré ! J'exige des torts partagés et une présentation des faits honnête. Et je me battrai jusqu'à ce que je l'obtienne !

Il visa la corbeille à papiers et y jeta le document.

8

Velma était livide.

— Incroyable ! tonna-t-elle.

— C'est ce que je t'avais dit, Jackie, intervint Dan. Ça n'arrive jamais.

— Depuis qu'ils avaient reçu le coup de fil de Velma, Dan s'était courbé comme s'il se préparait à plaquer un adversaire au rugby. Il avait ensuite insisté pour l'accompagner au cabinet de l'avocate afin de discuter de stratégies.

— C'est la première fois de toute ma carrière ! gronda Velma. Et je suis avocate depuis...

Ils la regardèrent avec attention.

— ... deux ans.

— Il ne peut pas l'empêcher de divorcer ? s'enquit Dan sur un ton irrité. La procédure va se poursuivre ? Il ne peut pas exiger qu'ils restent mariés ?

— Non, affirma Velma en frémissant. Bien sûr que non ! Mais cela suppose qu'il va devoir comparaître – ce qui, hélas ! va ralentir considérablement la procédure.

— Le salopard ! rugit Dan, qui venait de verser un acompte important (non remboursable) au Spring Golf Courts Hotel. Oh ! Pardon, Velma.

— Je vous en prie. J'encourage toujours mes clients à se libérer. Hier, j'ai laissé une femme crier : « Fumier ! » pendant une demi-heure. Attention au volume, néanmoins : il y a un groupe qui médite au-dessus.

Jackie était perplexe. Henry n'avait même pas répondu à sa lettre et il s'opposait au divorce ? Pourquoi le lui signifiait-il maintenant, au moyen d'une missive brève et sèche ? Elle l'imagina en train de ressasser les difficultés qu'il pourrait créer pour lui rendre la vie impossible.

— Que demande-t-il ? s'écria Jackie.

Parce que ce n'était certainement pas elle qu'il voulait. Elle lui avait accordé un an et demi pour le prouver. De toute façon, elle ne serait jamais retournée vivre avec lui. Et s'il était venu, elle l'aurait poussé sur le tas de compost situé dans l'arrière-cour de Flower Power.

— C'est la maison ? Il refuse de céder la part qui me revient ? Qu'il la garde. Je lui en fais cadeau !

— C'est peut-être un peu excessif, suggéra Dan.

— Je ne veux pas un penny !

— Il ne parle pas du logement familial, souligna

Velma. Ce qui est d'autant plus surprenant. D'habitude les gens contre-attaquent quand ils cherchent à obtenir un avantage.

— Ce n'est pas le cas ? s'affola Dan.

Un court silence se fit.

— Tout ce qu'il exige, c'est une « présentation honnête des faits », poursuivit Velma en scrutant la lettre.

— C'est injuste ! explosa Jackie. Moi qui ai été si gentille !

— Je sais. Trop, à mon avis.

Velma lui avait conseillé d'ajouter des griefs plus sérieux à la liste afin que le constat d'échec décrit dans le mémoire accompagnant la requête en divorce semble plus flagrant. Elle l'avait questionnée à propos de la consommation d'alcool d'Henry et de ses éventuelles obsessions malsaines. « Tout le monde en a », lui avait-elle assuré.

Mais Jackie avait résisté à la tentation d'exagérer les faits. Elle avait su faire preuve d'une maturité remarquable, alors qu'elle avait pourtant trouvé vingt-deux exemples de comportements déraisonnables – sans compter cette fameuse semaine en Espagne où il avait adopté son attitude « spécial vacances ». Elle avait refusé de s'en servir. Même des pires. Et après tous ses efforts, il n'allait pas la laisser divorcer ? Elle serra les poings et ses joues s'enflammèrent. Henry était le seul homme à pouvoir la mettre dans cet état ! Dan lui pressa la main.

— Tu as fait de ton mieux, chérie.

— Comment ça ?

— Ce n'est pas ta faute.

— Je le sais bien ! Je ne pouvais pas prévoir qu'Henry choisirait de se défendre.

— Si tu avais frappé plus fort la première fois...

— Pardon ?

— Parfois, ça ne paie pas d'être indulgent. Si les gens détectent une faiblesse, ils s'empressent de l'exploiter à leur avantage.

— J'ai simplement essayé d'être humaine !

— Ne te fâche pas, Jackie, je n'y suis pour rien.

— Je pense que nous devons faire état de notre incrédulité totale à l'égard de la tentative de M. Hart, qui de toute évidence ne tient pas à respecter les clauses de sauvegarde des libertés individuelles, déclara Velma. Je vais écrire à son avocat en lui expliquant que nous ne sommes pas disposées à attendre vingt-huit jours pour faire plaisir à son client ! C'est le délai dont il bénéficie pour déposer un mémoire en réponse au tribunal.

— Vingt-huit jours ? répéta Dan. Mais c'est ridicule ! Nous avons un mariage à organiser ! À l'heure qu'il est, cinq cents invitations doivent être imprimées ! Vous viendrez, Velma, n'est-ce pas ?

— Moi ?

— Nous insistons, hein, Jackie ?

— L'hôtel t'a dit qu'il n'y avait plus de chambres libres, Dan.

— Ils trouveront bien une place pour Velma. Et son invité, bien sûr.

— Je ne veux pas m'imposer, bredouilla Velma.

— Pas du tout ! renchérit Dan. Nous tenons à ce que tous nos amis soient présents.

— C'est très gentil à vous, déclara l'avocate. Dans mon métier, j'ai rarement l'occasion d'assister à des histoires d'amour qui finissent bien. Avec le temps, on finit par perdre la foi. J'ai beau essayer de prendre du recul, quand je vois un couple d'amoureux marcher main dans la main, je ne peux pas m'empêcher de penser que ça ne va pas durer. Tôt ou tard, il va la tromper ou elle va le mener par le bout du nez jusqu'à ce qu'il en meure. Ou alors, un beau matin, ils vont se réveiller en découvrant que la présence de l'autre leur donne envie de vomir. Les couples ne s'imaginent jamais que ça va leur arriver. Personne n'y songe devant l'autel. Et pourtant, c'est un fait. Au Royaume-Uni, cinquante pour cent des mariages se terminent par un divorce. Nous n'en sommes pas encore là en Irlande, mais ça ne devrait pas tarder. Honnêtement, si j'avais su que cela m'affecterait autant, j'aurais choisi une autre profession. Esthéticienne, peut-être, ou puéricultrice. Quelque chose de plus gai ! Quoi qu'il en soit, je vous remercie de votre invitation. Néanmoins, vu que je ne connais personne qui puisse m'accompagner à la cérémonie, je ne désire pas m'y rendre seule et je ne pourrai donc pas assister à vos noces.

Jackie et Dan la dévisagèrent d'un air affligé. Velma sourit et se leva d'un bond.

— Si vous voulez bien m'excuser une seconde, je vais aller chercher mon Dictaphone afin que nous rédigions la lettre destinée à l'avocat de M. Hart.

En l'absence de Velma, ils se mirent à scruter le papier peint rose qui se décollait sur le mur du cabinet.

— Désolé, bredouilla Dan.

— Désolé de quoi ? répondit Jackie. De m'avoir accusée d'être trop indulgente ?

— Jackie...

— Ou de me traiter comme une valeur en hausse parce que mon ex-mari va peut-être refuser de divorcer ?

— Tu te méprends sur mes intentions, rétorqua Dan, atterré.

— Ah oui ? Alors comment se fait-il que je ne me sente pas soutenue durant cette épreuve ?

— Je te soutiens ! Mais cette affaire me rend furieux !

— Pourquoi ? Parce que tes projets sont bousculés ?

— Non !

— Je t'avais pourtant dit qu'il valait mieux attendre que le divorce soit prononcé avant de se marier.

— Je sais, j'aurais dû t'écouter. Mais je t'aime, Jackie. Et j'aimerais t'épouser maintenant, pas quand Henry Hart m'en donnera l'autorisation.

Il posa sa main sur la sienne. Jackie dégagea ses doigts et se leva.

— Finalement, ce n'est peut-être pas plus mal que nous soyons obligés de reporter la cérémonie. Dès le départ, nous étions trop pressés.

— Jackie !

— Explique à Velma que je ne pouvais pas m'attarder.

Elle se rendit directement à un centre de remise en forme auquel elle n'était pas allée depuis des mois. La gym n'était pas son fort, mais elle avait été séduite par une enseigne lumineuse qui promettait « *un nouveau vous !* » pour seulement sept euros par semaine. À cette époque, Dan était entré en scène avec sa passion pour le jogging et les activités sportives. Après avoir rencontré quelques problèmes avec les appareils de *fitness* et en l'absence d'une amélioration physique visible, elle s'était rabattue sur la piscine du centre.

À présent, Jackie faisait la planche au milieu du bassin. De nouveau, elle se demanda ce qu'Henry cherchait. Une revanche ? Mais pour quelle raison ? Elle ne l'avait ni trompé ni maltraité, et n'avait pas fait bouillir sa chienne. C'est lui qui avait provoqué leur rupture. De façon impardonnable. Et aujourd'hui, il voulait l'empêcher d'épouser Dan à cause d'une histoire de formulation. Parce que les motifs invoqués ne lui convenaient pas ! Par orgueil, il était prêt à dépenser une fortune et à gaspiller l'argent de Jackie en compliquant la procédure. C'était tordu, minable de sa part. Elle se sentit soudain nettement supérieure à lui.

Au bout d'un an et demi de séparation, elle avait cru qu'il l'avait oubliée. Elle pensait qu'il avait repris ses habitudes avec les Mandy, Nina et Hannah, vu que, lorsqu'il restait seul trop longtemps, il avait du mal à se supporter. Henry adorait la compagnie des jolies femmes qui s'extasiaient sur son esprit mordant, sa célébrité et ses prouesses sexuelles. En fait, il n'avait jamais eu besoin d'une épouse. Lui, ce qu'il voulait, c'était plutôt quelqu'un qui tournerait en orbite autour de sa personne en se pâmant pendant qu'il était occupé à être Henry Hart. Dès que Jackie était redescendue sur terre pour lui demander : « Et moi ? », il s'était tourné vers d'autres conforts, trouvant les exigences liées à la vie conjugale trop contraignantes.

Si Henry était très généreux matériellement parlant, dans d'autres domaines il n'allait jamais au-delà de ce qu'il était préparé à donner. Pour un homme qui gagnait sa vie grâce à des phrases, il les économisait lorsqu'il se trouvait en sa compagnie. Un soir, alors que Jackie avait passé la journée seule entre quatre murs, il était rentré soûl et s'était réfugié dans son bureau, au grenier, sans répondre à une seule de ses questions « indiscrètes ». Elle qui avait simplement voulu faire la conversation ! Quand il était ivre, il restait souvent enfermé pendant plusieurs heures. Au début, Jackie avait pensé qu'il allait se cacher pour décompresser, elle lui trouvait toutes sortes d'excuses.

Au moins, elle avait su tirer les leçons de cette misérable expérience. Au lieu de perdre un an et demi à préparer sa vengeance, elle s'était secouée afin de se transformer en femme à l'esprit pratique, aux cheveux presque raides, et avait ouvert un magasin qui marchait bien. Finis les caprices. Elle ne tomberait plus jamais amoureuse d'un type au regard tourmenté. Dorénavant, elle était heureuse.

Et quelque part, c'était grâce à lui. Si elle n'avait pas rencontré Henry, elle n'aurait jamais été attirée par un homme comme Dan.

Parfois, cependant, de bons souvenirs d'Henry lui revenaient. Quand, arrêtée à un feu, elle entendait leur chanson préférée à la radio, par exemple. Elle restait alors pétrifiée sur son siège jusqu'à ce qu'un véhicule la klaxonne. Ou quand, à travers la porte ouverte d'un restaurant, une odeur alléchante lui parvenait. Après tout, ils avaient passé une grande partie de leur temps à déguster des tajines et des gratins. Mais ces moments n'étaient pas suffisants pour effacer le reste.

En rentrant chez elle, Jackie claqua la porte et avança d'un pas ferme sur le sol carrelé. Dan était dans la cuisine. Courbé au-dessus de l'évier, il était en train d'appliquer deux poches de glace sur sa figure bouffie. Dès qu'il vit Jackie, il se redressa.

— Mon Dieu ! s'écria-t-elle. Tu t'es battu ?

— J'en ai pour une minute, répondit-il.

— Tu veux que j'appelle un médecin ?

— Non.

Son cou avait doublé de volume.

— Mais... tu es malade !

— Je suis passé au magasin cet après-midi, expliqua-t-il.

— À Flower Power ?

Il opina du chef.

— Bravo ! le tança-t-elle. As-tu déjà oublié ce qu'ils t'avaient dit à l'hôpital ? Que, si tu frôlais de nouveau des fleurs, cela pourrait t'être fatal ?

— Ce ne sont pas des fleurs qui vont me tuer ! aboya Dan.

— De toute évidence, tu ne les as pas écoutés. Ils t'avaient pourtant prévenu que l'allergie risquait de s'aggraver.

Jackie lui tamponna le visage avec une poche de glace. Il la repoussa.

— Je désirais te parler ! répliqua-t-il.

— Tu pouvais m'appeler.

— Je dréférais te présenter mes excuses en personne.

— Dans ce cas, tu aurais pu attendre que je rentre à la maison.

— Non, tu m'aurais reproché de ne pas m'être pressé.

— Je ne t'aurais fait aucun reproche, rétorqua Jackie tout en sachant qu'il avait raison.

— Alors j'ai enfilé ma veste de protection, j'ai acheté une énorme boîte de chocolats, plus un médicament antiallergique, et je me suis rendu au magasin. Pour te dire que j'étais désolé d'avoir été aussi désagréable avec toi chez Velma. Et me jeter à tes pieds afin de te supplier de ne pas refuser de m'épouser. Mais les corbeilles suspendues de chaque côté de la porte m'ont fait suffoquer avant que je puisse entrer.

— Oh, Dan.

— Ensuite, j'ai découvert que tu étais en fait au centre de remise en forme : j'ai vu ta voiture garée devant. Voilà. Je suis navré de te présenter mes excuses aussi tardivement, mais elles sont sincères. Maintenant, si ça ne t'ennuie pas, j'aimerais aller me coucher.

Il se dirigea vers la chambre.

— Dan, attends.

Il se retourna et la scruta de ses yeux rouges.

— Pourquoi as-tu imaginé que je ne voulais plus t'épouser ? lui demanda Jackie.

— Parce que tu avais l'air de regretter d'avoir accepté. Tu trouvais que nous avions décidé trop vite ! Qu'aurais-tu ressenti à ma place ?

— J'étais blessée, Dan. Parfois je dis des choses que je ne pense pas. Je suis au beau milieu d'un divorce au cas où tu ne l'aurais pas remarqué.

— Je sais, Jackie. Tout tourne autour de ça. Je ne

peux pas faire un geste sans y songer. Et à cause de ton ex-mari qui a trouvé le moyen de faire traîner la procédure, nous sommes obligés de reporter la date de notre mariage. Mais le pire, c'est que ça n'a même pas l'air de te déranger !

— Comment oses-tu dire cela ?

— Tu t'es précipité au centre de remise en forme pendant que j'ai passé la journée à annuler tout ce que j'avais arrangé !

Jackie n'en revenait pas. Dan la fusillait du regard. Elle avait l'estomac noué et, dans quelques secondes, elle allait éclater en sanglots. Même en vivant dans un autre pays, Henry parvenait à lui empoisonner la vie.

— Ne nous disputons pas, supplia-t-elle.

Ils s'étreignirent avec maladresse.

— Je suis désolée, murmura Jackie.

— Non, c'est moi.

— Tu as raison, nous ne devons pas nous laisser grignoter par ce divorce.

— Je ne sais pas pourquoi ça me met dans cet état. Je ferais mieux de me détendre. Tôt ou tard, la procédure aboutira.

— Bien sûr, approuva Jackie. Dans six mois, nous pourrons peut-être nous marier.

— Si tu y tiens encore.

— Oui, mon chéri. C'est même ce à quoi je tiens le plus.

— Henry finira bien par se fatiguer, à force.

Jackie acquiesça. Elle accompagna Dan jusqu'à la chambre à coucher, le borda tendrement, et attendit qu'il dorme avant de redescendre au salon où elle ferma soigneusement la porte derrière elle. Cette fois, elle se souvenait parfaitement du numéro de téléphone et Henry décrocha à la deuxième sonnerie.

— Allô ?

— Henry, c'est Jackie.

Après un bref silence, il déclara d'un ton détaché :

— Tu m'appelles à propos du divorce, je suppose ?

— Évidemment, confirma-t-elle.

— Ton avocate a donc reçu les papiers. Ce n'est pas plutôt à elle que tu devrais t'adresser ?

— Je pensais qu'on pourrait peut-être passer l'éponge sur nos différends, par téléphone.

— Passer l'éponge ? Tu crois que tu saurais le faire ? Toi qui n'as jamais été une fée du logis ?

Jackie s'empourpra.

— Tu vises bas, rétorqua-t-elle.

— C'est vrai, reconnut-il.

— Écoute, Henry, je sais que c'est une épreuve difficile ; mais ne vaudrait-il pas mieux régler cette affaire de façon civilisée ?

— Comme tu récites bien ton texte, Jackie.

— Je ne récite pas !

— C'est bizarre. J'ai l'impression d'entendre une femme que je ne reconnais pas.

— Comment ça ? aboya-t-elle.

Il ne prit pas la peine de développer.

— Je ne changerai pas d'avis, répliqua-t-il. Tu avais l'intention d'essayer de me faire revenir sur ma décision, j'imagine ? Tu as toujours été très douée pour ça.

— Je ne cherche pas à te convaincre, Henry.

— Dans ce cas, que suggères-tu ? Que nous soyons amis ?

— Non.

— Tant mieux. Parce que les choses ont été trop loin entre nous.

Pour une fois, Jackie était entièrement d'accord avec lui.

— Je souhaite simplement divorcer, Henry.

— Ce n'est pas moi qui t'en empêche. J'ai également hâte de résoudre ce problème, figure-toi.

— Vraiment ? Alors pourquoi as-tu décidé de te défendre ?

— Je ne veux pas être tenu entièrement responsable de l'échec de cette relation.

Incroyable ! Comme si ce n'était pas lui qui l'avait poussée à partir.

— Alors demande toi-même le divorce. (Elle avait déjà réfléchi à cette alternative avec Velma.) Ça te permettra de te défouler. Tu pourras m'accuser de tout ce qui t'arrange et même mentir !

Il rit.

— Tu as de la suite dans les idées, Jackie, on ne peut pas t'enlever ça.

— Ça s'appelle « une demande reconventionnelle ». C'est sans doute la solution la plus appropriée, Henry.

— Et si je te reproche des choses qui sont fausses, ça ne te dérangera pas ?

— Aucunement. Tu as toujours été un bon menteur.

— Et toi, tu as toujours su éviter les réalités déplaisantes. C'est d'ailleurs ce que tu es en train de faire.

Jackie craqua. Soudain, elle s'entendit lui expliquer ce qu'elle s'était jurée de ne pas lui confier :

— Tu sais, Henry, je vais me remarier. Et s'il me faut supporter tes insultes afin que le jugement du divorce soit prononcé, je les supporterai.

Après un long silence, Henry déclara d'un ton égal :

— Félicitations. Mais je ne t'assignerai pas en divorce, Jackie.

— Alors dis-moi ce que tu veux ! explosa-t-elle. Parce que je te connais : tu veux forcément quelque chose !

— Oui. La vérité.

— Tu n'as qu'à te regarder si tu veux la vérité.

— Je suis prêt à reconnaître mes torts. Mais tu dois aussi assumer les tiens.

Comme si ceux-ci étaient comparables !

— D'ailleurs, reprit-il, la liste des fautes que tu as commises pourra t'être fort utile. Cela t'évitera de faire deux fois les mêmes erreurs avec ton second époux.

Il semblait amusé.

— Je ne me suis pas trompée de personne, Henry. Grâce à Dieu, mon fiancé ne te ressemble pas du tout. C'est un homme chaleureux, correct, marrant et... et nous allons être très heureux ensemble.

— Qui essayes-tu de convaincre ? Moi ou toi-même ?

— Tais-toi ! cria-t-elle en raccrochant.

9

*C*hère Madame Murphy,
    Nous accusons réception de votre lettre.
    Maître Knightly-Jones plaide au palais cette semaine, mais il m'a demandé de vous informer qu'il n'était point habitué au ton et au langage employés dans votre correspondance. Il dément également toute insinuation concernant l'éventuelle influence qu'il aurait pu avoir sur son client dans le but « de faire traîner les choses pour se remplir les poches *». En outre, il ne considère pas que le choix de M. Hart ait besoin d'être clarifié : légalement, M. Hart est en droit de défendre son point de vue et nous a confirmé que telle était son intention.*
    Pour finir, Maître Knightly-Jones n'est pas en mesure d'accepter votre généreuse proposition, à savoir : « lui envoyer des clients en remerciement du service qu'il pourrait vous rendre *».*

Sincèrement,
Tom Eagleton
Au nom de Maître Ian Knightly-Jones.

— Quel salaud ! s'indigna Lech. Il vous laisse sans nouvelles pendant plus d'un an et maintenant voilà ce qu'il vous fait parvenir ! Il a attendu qu'un autre s'intéresse à vous pour faire une scène ! Pourquoi ne veut-il pas vous permettre d'épouser l'homme que vous aimez ?

Lech prenait l'affaire très à cœur – ce qui était mignon de sa part, songeait Jackie.

— Son avocat cherche probablement à profiter de la situation en ranimant les conflits, répliqua Emma. Plus la procédure sera longue, plus elle sera coûteuse. Maître Machin a sans doute envie de s'acheter une maison de campagne en France.

Lech secoua la tête.

— Ce n'est pas à cause de l'avocat si Henry réagit de cette façon.

— Qu'en savez-vous, Lech ? Vous le connaissez ?

— Non, mais je suis un homme.

— Et alors ?

— Je suis bien placé pour deviner ce qu'un type peut éprouver à l'égard d'une femme. Je n'ignore pas ce que c'est que l'amour, le désir...

— Épargnez-moi les détails, coupa Emma en rougissant. Je n'ai pas encore déjeuné.

— Très bien, intervint Jackie. Calmez-vous. Henry veut résister et j'ai fini par l'accepter, d'accord ?

— Et tu n'es pas curieuse d'apprendre ce qui le pousse à se comporter ainsi ? insista Emma.

Jackie avait passé la semaine à essayer de ne pas y penser.

— Je ne comprends pas, répondit-elle.

— C'est peut-être une réaction irréfléchie ? suggéra son associée.

— Non, il a eu le temps d'y songer. Je l'avais prévenu.

— Oui, mais il ne s'y était peut-être pas préparé. Parfois les gens réagissent bizarrement quand ils ont peur.

— C'est un trouillard ? s'enquit Lech, qui était encore dans la boutique alors qu'il devait aller livrer un bouquet.

— Non, répliqua Jackie. Un jour, la Cocotte-Minute a explosé dans la cuisine et il n'a pas bougé le petit doigt.

— Alors c'est quelqu'un de compliqué, finalement, déclara Emma. Moi qui pensais que les hommes se contentaient de sexe et de petits plats.

— Je n'ai jamais entendu un commentaire aussi sexiste ! tonna Lech.

— Je plaisantais.

Il la fusilla du regard.

— Vous croyez que vous êtes les seules à avoir des

sentiments ? Que nous ne courons qu'après une unique chose ?

— C'est ce que semble indiquer l'autocollant qui décore votre pare-chocs, ironisa Emma.

Lech la toisa d'un air perplexe puis s'illumina.

— Oh, ça ! Il était déjà sur la voiture quand je l'ai achetée. Je ne l'ai pas choisi si c'est ce que vous supposez.

Gênée, Emma baissa les yeux un instant.

— Vous ne l'avez pas enlevé que je sache, répliqua-t-elle en regardant de nouveau Lech.

— Je vais l'ôter ! rugit l'intéressé. Tout de suite !

Et il sortit.

— Encore deux jours, grommela Emma entre ses dents. Ensuite, sa période d'essai sera terminée et nous le remercierons.

Elle se tourna vers Jackie et ajouta à voix haute :

— Ça va ?

Jackie hocha la tête. Néanmoins, le fait d'avoir épousé un homme qu'elle ne connaissait pas la déconcertait. Comment avait-elle pu partager une maison, un lit, des fluides organiques avec quelqu'un et en arriver à cette conclusion ? Emma, Lech, Dan, sa mère ainsi que cinq cents invités attendaient une explication qu'elle ne pouvait pas leur donner. Henry l'avait ridiculisée ! Tandis qu'il se faisait passer pour un personnage mystérieux, insaisissable et dangereux, elle avait l'air d'une idiote qui ne savait rien de son mari.

Au téléphone, elle avait eu l'impression de discuter

avec un inconnu. Quand elle lui avait annoncé qu'elle allait se remarier, au lieu de s'effondrer au sol en gémissant, il avait insinué qu'elle était destinée à échouer.

C'était vraiment rageant qu'il soit encore capable de la blesser. De toute évidence, sa forteresse intérieure se fissurait et il fallait colmater la brèche. Le lendemain, elle s'était donc fait faire un soin complet du visage et avait demandé à l'esthéticienne de lui limer les ongles en pointe. Elle était ensuite passée chez le coiffeur. Dan avait semblé agréablement surpris. Il l'avait emmenée au club où toutes les Fiona s'étaient soudain rapprochées d'elle. L'épouse de Big Connell lui avait confié qu'elle avait été obligée de se laisser pousser la frange suite à un lifting raté. Jackie s'était dit que, bien qu'elle fasse désormais partie de ce groupe de gens, elle ne choisirait pas le même chirurgien esthétique. Personne n'avait évoqué le report des noces.

— Il reste vingt jours à patienter, reprit Emma.

— Je sais.

C'était comme s'ils s'étaient tous transformés en attentistes. Même Dan n'évoquait plus le mariage. Stoïque, il occupait ses soirées devant son ordinateur.

— Je crois que ça l'affecte aussi, confia Emma.

— Oui, soupira Jackie. Mais il fait de son mieux pour ne pas le montrer.

— Je parle d'Henry.

— Quoi ?

— Apparemment, il a pris une semaine de congé.

— Qu'est-ce que tu racontes ?

— Je n'ai pas vu son article dans le journal que tu as laissé sur le comptoir.

— Je n'ai rien laissé.

— Alors quelqu'un d'autre l'a oublié ici. Je pensais que tu allais t'en servir pour lancer des fléchettes sur sa photo. Où est-il donc passé ?

Elles finirent par le retrouver sur un tas de compost. Emma avait raison. La critique était signée par une dénommée Wendy Adams.

— Je préfère nettement le style de cette femme, déclara Emma.

Jackie ferma le journal et le jeta dans la poubelle.

— Il est probablement enrhumé, avança-t-elle d'un ton dédaigneux.

— À moins qu'il soit en train de sangloter dans son lit.

— Henry n'a pas de crise de larmes. Seulement des crises de fiel.

Elles pouffèrent et Jackie se sentit mieux.

— Je suis sûre qu'il retournera travailler la semaine prochaine, décréta-t-elle. Il ne supportera pas que quelqu'un d'autre le remplace.

Tout de même, c'était déstabilisant. Henry était parfaitement capable de disparaître après avoir rejeté sa requête. Elle l'imagina terré chez lui, dressant des listes au vitriol des manquements de Jackie.

Lech était de retour. D'un air triomphant, il annonça :

— Je crois savoir pourquoi Henry se comporte de cette façon. À mon avis, il est encore amoureux de Jackie.

Jackie le dévisagea avec stupéfaction.

— Ça m'étonnerait fort, répliqua-t-elle d'un air incrédule.

— Pourquoi ? Il fait tout pour ralentir la procédure du divorce. Il cherche à gagner du temps pour vous reconquérir !

— Me reconquérir en m'offensant, en m'insultant ?

Lech sembla moins sûr de lui.

— Ne soyez pas ridicule, Lech, intervint Emma. Elle lui a laissé un an et demi pour se rattraper. C'est de l'histoire ancienne.

— Absolument, affirma Jackie, bien qu'agacée par les propos d'Emma.

Elle disparut dans la réserve.

C'étaient toujours des sales types qui récupéraient les meilleures femmes – Dan en était écœuré. Oh, il les connaissait par cœur, ces arrogants, ces frimeurs, qui regardaient autour d'eux comme si le monde leur était redevable. Alertes, opportunistes, ils avaient souvent un cuir chevelu bien fourni, mais rien de plus. En fait, certains d'entre eux, avec leur gros nez, leur bouche lippue ou leur menton fuyant, étaient même incroyablement laids. Pas que ça les retienne de jouer les séducteurs, loin de là ! Ils s'arrangeaient toujours pour que leurs attributs acceptables – une paire d'yeux, un corps sans membres manquants – éclipsent leurs défauts, et les femmes s'exclamaient : « Il a quelque chose, c'est clair ! » Même s'il s'agissait d'un individu méchant, minable, qui finirait par coucher avec leur petite sœur.

Les sales types pouvaient se permettre d'être infidèles, impolis, hypocrites, malhonnêtes sans qu'on leur en tienne rigueur. Plus ils se montraient odieux, plus leur succès auprès des femmes croissait. Dan se demanda quel genre de mélange chimique coulait dans leurs veines. Car ils dégageaient certainement une fragrance particulière, irrésistible bien que délétère, pour attirer les femmes par centaines. C'était peut-être l'odeur de leur sueur ou de leur haleine qui poussait ces dernières à se jeter à leurs pieds, nues, au lieu de prendre leurs jambes à leur cou. Ou leurs sourires de débauchés, leur façon de se pavaner, leurs lèvres cruelles, leur autosuffisance ! Sales types ! Dan fut pris de vertiges.

Et les hommes sympas, où se trouvaient-ils dans tout ça ? Ceux qui croyaient en la loyauté ? Ceux qui travaillaient dur pour subvenir aux besoins de leur famille, de la communauté sportive ? Les gars avec lesquels Dan avait grandi ne se promenaient pas en criant : « Admirez-moi ! » Ils ne lançaient pas de regards noirs (ils n'auraient pas su le faire) et étaient dépourvus de magnétisme animal. Ils tondaient leur pelouse le samedi matin, lavaient leur voiture, déposaient leur mère chez le dentiste. Ils jouaient franc-jeu et s'attendaient à ce que vous en fassiez de même en retour. Où étaient ces hommes honorables ? Perdus, négligés, délaissés, considérés comme des êtres inférieurs à cause de leur gentillesse, on les reléguait au fond de la salle pendant que les sales types devenaient le point de mire.

Dan appuya une nouvelle fois sur la souris de son ordinateur. Jackie Ball et Henry Hart apparurent sur l'écran. Entortillés dans l'immense voile blanc de Jackie, ils dansaient en silence dans une étreinte passionnée. Dan fit surgir une autre image de Jackie. Le visage radieux, elle souriait face à la caméra. Dan ne l'avait jamais vue sourire ainsi. Elle était même distante depuis quelque temps. En s'immisçant dans leur vie, Henry avait creusé un fossé entre eux deux.

Néanmoins, l'un des avantages d'être un type sympa, et de surcroît un joueur de rugby, était qu'on parvenait à se faire des amis sur lesquels on pouvait compter. Des gars costauds, velus, intimidants. Dan en connaissait quelques-uns de ce type à Londres. Ils seraient ravis de lui rendre un service, songea-t-il en consultant son carnet d'adresses. Ils étaient tous très gentils.

Si la gastronomie est une nouvelle religion, alors les restaurants sont nos temples. Henry cligna des yeux. Comment avait-il pu écrire un truc pareil ? Il raya la phrase et la remplaça par : *Un bon restaurant doit aussi nourrir l'âme.* Mais ça lui donna aussitôt la nausée. Il arracha la feuille de son bloc-notes et la jeta dans la cuvette des toilettes où se trouvaient déjà de nombreuses pages. Dehors, Adrienne attendait à l'intérieur de sa voiture.

— Je partirai quand vous m'aurez rendu cette préface, avait-elle annoncé. Cinq cents mots, ce n'est pas long. Même moi, je pourrais la rédiger !

— Ne vous gênez pas.

— Henry, vous avez déjà trois semaines de retard !

— Calmez-vous, Adrienne. Le monde pourra survivre quelques jours de plus sans mes critiques, non ?

— Écoutez, je sais que vous traversez une période difficile. Pour ma part, j'ai divorcé trois fois.

— Je ne vois pas quel est le rapport avec cette préface. Combien de mots ont-ils réclamés déjà ?

— Cinq cents. Bon, allez, quatre cents me suffiront.

Courbé sur son carnet, Henry se concentra en essayant d'ignorer le bruit de chasse d'eau provenant du box voisin. Mais ici, au moins, il avait davantage la paix que dans la salle de rédaction. Il scruta la page blanche. Aucun mot ne lui vint à l'esprit. C'était à cause de Jackie, bien sûr, s'il était bloqué. L'inspiration, c'était tout ce qui lui restait et ça aussi elle le lui avait pris !

« Tu sais, Henry, je vais me remarier. »

Comme s'il avait espéré qu'elle reviendrait un jour !

Dix-huit mois : apparemment, cela représentait une éternité entre deux maris selon Jackie. Il aurait dû le souligner au téléphone. Pourquoi ne l'avait-il pas fait ? Après son coup de fil, il avait pensé à tout ce qu'il avait oublié de lui demander et à ce qu'il regrettait de lui avoir dit.

« Je prendrai une douche après toi », lui avait-il proposé un an et demi auparavant, le jour de leur anniversaire de mariage. Vingt minutes plus tard, en descendant du grenier, il s'était aperçu qu'elle avait déguerpi. Tout d'abord, il n'avait pas cru à son départ. Le rideau de douche était encore humide et elle lui avait laissé toutes ses affaires. Puis il avait découvert le mot posé sur la table de la cuisine et compris qu'elle préférait changer de pays plutôt que de dîner en sa compagnie. Naturellement, il était un peu tendu quand elle l'avait appelé, après des mois de silence ! Sa voix produisait toujours un son de porte de placard qui grince, mais il n'avait pas reconnu le reste. Ce ton glacial, cette raideur...

Quand elle avait raccroché, il avait réalisé qu'il l'avait vraiment perdue. Il se demanda s'il avait essayé de ne pas la perdre. Il avait toujours estimé qu'elle était partie sur un coup de tête. Était-il possible qu'elle ait fini par s'égarer ?

Son portable sonna.

— Henry ? C'est Adrienne. Vous en êtes... ?

— J'ai presque fini !

Elle n'allait pas le lâcher ! Il regarda son carnet en soupirant. Les mots auraient dû jaillir au lieu de sortir au compte-gouttes. Au bout d'un moment, la plume de son stylo à encre se tordit. Henry était en nage. Quelqu'un tambourina à la porte.

— Henry ?

— Laissez-moi tranquille, Adrienne.

— C'est Dave. Adrienne a décidé d'aller se garer devant ta maison.

Henry ouvrit.

— Je peux rester chez toi, ce soir ? implora-t-il.

— Non.

— Je dormirai sur le canapé.

— Non !

— Je n'arrive pas à me concentrer. Il faut que tu m'aides, Dave.

— C'est mon anniversaire de mariage. Avec ma femme, nous avons décidé de dîner chez nous.

— Ah, d'accord.

— On ira boire une bière ensemble demain si tu veux ?

— Ça marche.

— Écoute, j'ai entendu dire que tu souhaitais t'octroyer un congé ?

Henry acquiesça.

— Pendant combien de temps ?

— Je l'ignore encore, avoua Henry en se levant.

Il se dirigea vers le lavabo et s'aspergea d'eau. Il avait l'impression de ne pas s'être lavé depuis une semaine.

— Au moins, ça te permettra de te remettre de cette histoire avec, euh...

— Elle s'appelle Jackie.

— Je sais, répondit Dave. Je ne voulais pas te mettre en colère.

— J'ai l'air énervé ? s'irrita Henry en examinant dans la glace ses cheveux gras et ses yeux injectés de sang.

— Tu devrais peut-être aller faire un tour en Espagne. Prendre un peu le soleil.

Henry le dévisagea. Dave pensait-il vraiment qu'il avait envie de siroter une *pina colada* sur une chaise longue alors que sa vie partait en lambeaux ? Pourtant, quelques mois plus tôt, tout allait bien. Enfin, pas trop mal. Il avait commencé à rédiger le guide, il s'était remis à sortir avec des femmes. Et maintenant, il n'arrivait même plus à écrire son propre nom.

— Non, répliqua-t-il. Je tiens d'abord à régler cette affaire.

— Oui, approuva Dave. Ensuite tu pourras te remettre en selle.

— Peut-être.

— Un conseil : ne laisse pas tomber ta rubrique pendant trop longtemps, les gens ont la mémoire courte.

Henry opina du chef.

— À demain, ajouta Dave.

— Tu n'as vraiment pas le temps d'aller boire un verre ? insista Henry.

— Non. Désolé, mon vieux.

Il les entendait chuchoter dans la cuisine :

— Je suis navrée, ma chérie.

— C'est notre anniversaire de mariage, Dave.

— Il n'a nulle part où se rendre.

— Il a une grande maison avec un Jacuzzi dans le jardin.

— C'est le divorce. Ça lui a fait un sacré choc. Dans dix minutes, j'appelle un taxi, d'accord ?

La porte s'ouvrit et ils l'observèrent avec un sourire mêlé d'inquiétude. Dawn transportait avec embarras un cheese-cake aux framboises en forme de cœur. Elle avait déjà dû couper en trois deux tartelettes aux tomates et réduire les portions d'asperges. En titubant, Dave tira une chaise pour sa femme qui s'en empara aussitôt avec fermeté et s'y installa.

— Vous êtes mignons, lâcha Henry malgré lui.

Il savait qu'il aurait dû les laisser tranquilles et partir, mais il avait désespérément besoin de se sentir entouré, même par des gens qui avaient hâte de se débarrasser de lui.

— Si on veut, répondit Dawn.

— Non, c'est vrai, insista Henry. Un couple normal, charmant et honnête.

— Nous ne sommes pas très différents des autres, je suppose, déclara Dave en jetant un œil sur Dawn comme s'il craignait de l'avoir vexée.

— Non, renchérit Henry. Vous vous disputez de temps en temps, comme tout le monde, n'est-ce pas ? Puis ça retombe et vous vous réconciliez. Ce soir, vous allez probablement vous déchaîner passionnément au lit, non ?

— Je ne sais pas, répliqua Dawn d'un ton sec.

— Avec Jackie, ça ne se passait pas comme ça. Quand je rentrais à la maison, elle m'attendait en espérant entendre des histoires divertissantes à propos de mon travail, des célébrités que j'avais rencontrées, et j'avais l'impression de jouer un rôle superficiel qui ne me correspondait pas.

— Quoi ? s'enquit Dave d'un air confus.

— Je ne suis pas Don Corleone, ni Robert de Niro, ni Richard Branson – et tant mieux, d'ailleurs – ; en fait, je n'étais même pas Henry Hart !

— Qu'est-ce qu'il raconte ? lança Dave à son épouse.

— Comment peut-on expliquer à Jackie – une femme qui n'a aucun esprit pratique, une femme qui peut claquer trois cents livres sur une paire de chaussures – que l'on n'est pas celui qu'elle suppose ? Imaginez sa déception ! Imaginez la crise ! Alors je ne lui en ai jamais parlé. Et nous ne nous sommes jamais disputés à ce sujet. C'était malsain, non ?

Dawn bredouilla quelque chose d'inintelligible.

Henry se pencha vers eux et leur demanda :

— Vous me trouvez plutôt marrant, comme type ?

— Marrant ? répéta Dave.

— Oui : est-ce que je suis un rigolo, un boute-en-train ?

— Non, assena Dave.

— Jackie non plus ne le pense pas.

— Elle l'a évoqué dans sa requête en divorce ? questionna Dawn d'un air scandalisé.

— Non, on ne peut pas exiger le divorce sous prétexte que quelqu'un n'est pas marrant, répondit Henry.

— Ah bon ? insista Dave.

— Ça t'intéresse tant que ça ? aboya Dawn.

— Apparemment, elle s'amuse bien avec son nouveau fiancé, poursuivit Henry. De toute façon, je ne me vois pas comme quelqu'un de désinvolte et il n'y a aucune honte à ne pas l'être.

— Tu es un sinistre connard, décréta Dave.

Sa femme le poussa du coude.

— Quoi ? reprit Dave. Il m'a réclamé mon avis, je le lui donne.

— Personne ne peut blaguer toute la journée, déclara Dawn avec diplomatie. Jackie en a bien conscience.

— Pourquoi essayes-tu toujours d'éviter les problèmes en présentant les choses mieux que ce qu'elles sont réellement ? s'énerva Dave. Ça ne l'aide pas. Henry, on se connaît depuis combien de temps ?

— Tu me demandes toujours ça quand on a bu et je ne sais jamais.

— Longtemps. Au moins dix ans... J'ai oublié ce que je voulais dire.

— Henry, tu étais tellement heureux quand tu as rencontré Jackie, roucoula Dawn. On était persuadés que tu étais tombé sur la bonne personne. Et finalement, non.

— Alors je me suis trompé, grommela Henry sur la défensive.

— Aucune femme ne pourrait te rendre heureux, déclara Dave. Ne fais pas porter le chapeau à cette pauvre Jackie.

« Pauvre Jackie ! Comme si elle avait besoin d'être plainte », songea Henry.

— Sans elle, j'aurais changé de métier. C'est elle qui tenait à ce que je sois critique.

— C'est elle qui t'a lancé ? se moqua Dave.

— Non. Mais ça lui plaisait.

— Et tu aurais fait quoi ?

— Chef. Comme avant.

— J'ai vu l'intérieur de ton frigo. Dedans, il n'y a même pas de quoi faire frire un œuf.

— J'aurais pu choisir une autre carrière. Être représentant de commerce.

— Pour vendre quoi ? Des assurances ? De la lingerie ? Des voyages sur la Lune ?

— Tais-toi. J'aurais pu écrire d'autres choses.

— Un roman ? gloussa Dave.

Henry renonça à lui confier son projet.

— Non, tu as raison, répondit-il. C'est ridicule. Je suis coincé au journal.

— Tu peux encore partir, suggéra Dawn.

Mais Henry pressentait qu'il était allé trop loin pour faire machine arrière. Il avait fini par se fossiliser et était devenu de façon permanente celui dont il se contentait de répéter le rôle depuis des années : un type malheureux, grincheux, sale. Ce qui était étrange car, au fond de lui-même, il savait qu'il ne correspondait pas à ce portrait. Il en était même l'opposé.

Dave prit un air contrit.

— Écoute, Henry, arrête de bloquer sur ce divorce. Va te faire couper les cheveux, habille-toi correctement, reviens bosser et tire un trait sur cette histoire.

— Laisse-le tranquille, intervint Dawn.

Henry se leva. Il se sentait très las. Au début de leur relation, Jackie ne lui avait jamais confié qu'elle cherchait un clown. Il avait pourtant subvenu amplement à ses besoins : la maison, les amis célèbres, la renommée, un compte en banque bien garni — elle avait été ravie d'en profiter. Mais Jackie aurait voulu aussi un comique. Peut-être devait-il l'appeler en criant : « Ha ! Ha ! Ha ! » Mauvaise idée. Cependant, sur le chemin du retour, il songea à sa voix qu'il avait hâte de réentendre.

10

— J'ai parlé à sa mère, avoua Mme Ball.

— Quoi ? fit Jackie.

— La mère d'Henry. Je l'ai appelée à Sommerset. Au départ, j'estimais que c'était une bonne idée.

Elle s'était fait boucler les cheveux et, avec sa robe courte à froufrous, elle ressemblait à une vieille Shirley Temple. Jackie comprenait enfin pourquoi ses joues étaient si rouges et pourquoi elle avait évité son regard pendant tout le repas.

— Tant que cette affaire ne sera pas réglée, je n'arriverai pas à dormir, reprit plaintivement Mme Ball. Alors je lui ai dit : « Vous savez ce que ce pirate nous prépare ? Parce qu'il retarde le mariage de ma fille par méchanceté, par malveillance ! » Elle était mortifiée. À juste titre. J'ai ajouté : « Hormis Michelle, aucun de mes enfants n'a réussi, mais jamais ils ne se permettraient de bloquer un divorce ! »

Horrifiée, Jackie la dévisagea.

— Tu sais ce qui va se passer maintenant ? Elle va s'empresser de le répéter à Henry qui pensera que c'est moi qui t'ai poussée à téléphoner à sa mère. Que je te mêle à cette histoire !

Si Jackie pouvait tolérer la colère d'Henry et même sa haine, elle ne supporterait pas sa pitié.

— Très bien, bredouilla Mme Ball. Je n'aurais pas dû, excuse-moi. Mais je n'ai pas confiance en ton avocate ! Surtout après ce que Michelle a découvert.

— Qu'est-ce qu'elle a découvert ? questionna Jackie, menaçante.

Mme Ball se tourna vers la cuisine et fit signe à Michelle d'approcher.

— Elle a cherché les affaires que cette Velma avait plaidées. Elle n'en a trouvé aucune. Elle a retourné le palais de justice, n'est-ce pas, ma chérie ?

Michelle séchait des assiettes en porcelaine exhumées en l'honneur de Dan.

— Ne m'implique pas là-dedans.

— Elle a fouillé dans les corbeilles à papiers, poursuivit Mme Ball. Velma n'est peut-être même pas membre d'un barreau. Quoique Michelle pourrait le vérifier, hein, chérie ?

— Arrête avec ça, maman ! aboya l'intéressée.

Jackie fusilla sa mère du regard.

— Velma s'en sortait très bien avant que tu viennes mettre ton nez dans nos affaires. Attends qu'elle apprenne que tu as contacté la partie adverse à notre insu !

— Mme Hart ne constitue pas la partie adverse, Jackie ! J'étais assise près d'elle lors de ton premier mariage, tu te souviens ?

— Jusqu'à présent, il n'y en a eu qu'un.

— Une femme charmante, bien qu'elle ne discute que de brocante. L'année dernière, elle m'a envoyé une jolie carte à Noël, avec des rouges-gorges dessus.

Sa naïveté irrita davantage Jackie.

— C'est la mère d'Henry ! Elle est du côté de son fils ! Velma va bondir quand elle va entendre ça. Tu nous as probablement fait perdre le divorce ! En fait, poursuivit-elle, tu pourrais aller en prison pour avoir essayé de manigancer quelque chose avec les témoins.

— Je n'ai rien manigancé ! glapit Mme Ball. N'est-ce pas, Michelle ?

Celle-ci avait l'air d'avoir passé la nuit à se droguer et à coucher avec des hommes. Elle resta sans réaction.

— Henry ne saura jamais que j'ai téléphoné à sa mère ! reprit Mme Ball. Ils ne se parlent pas souvent, paraît-il. Il ne lui a même pas dit que vous étiez en train de divorcer. C'est moi qui le lui ai annoncé ! Ce n'est pas une famille très unie, pas comme la nôtre.

Jackie renonça à lui rappeler que quatre de ses enfants vivaient sur des continents différents.

— En somme, à part me faire passer pour une idiote, tu n'as rien arrangé ? conclut Jackie avec sarcasme.

Mme Ball rougit de nouveau.

— Je pensais que quelqu'un devait manifester un peu d'inquiétude vis-à-vis de ce divorce, au moins pour Dan.

Et elles se tournèrent toutes vers lui. Il creusait une tranchée devant le jardin pour les rosiers de Mme Ball. Il pleuvait et il était trempé jusqu'aux os. Mais ayant déjà réparé la gouttière dans la matinée, il avait expliqué qu'il pouvait continuer sur sa lancée. Mme Ball affirmait déjà qu'il serait de loin le meilleur de ses gendres. Pas qu'elle en ait d'autres. Ursula, la petite sœur de Jackie, avait catégoriquement refusé d'épouser le moniteur de ski avec lequel elle vivait en Australie depuis cinq ans. Ce qui angoissait régulièrement la mère de Jackie. Par ailleurs, elle se demandait s'il y avait vraiment de la neige là-bas.

— Je t'ai déjà expliqué, maman, répliqua Jackie. Au moins cent fois ! Nous ne pouvons rien faire tant qu'Henry n'a pas déposé son mémoire. Nous sommes obligés d'attendre.

— Tu pourrais au moins te débarrasser de cette Velma et prendre un autre avocat, implora Mme Ball. Engage Michelle, elle le fera gratuitement ; n'est-ce pas, chérie ?

— Impossible, grommela l'interpellée. Je n'ai pas encore obtenu mon diplôme.

— Velma non plus, apparemment.

— Si j'avais été en mesure de représenter Jackie, je le lui aurais déjà proposé, tu ne crois pas ?

Les yeux de Mme Ball s'embuèrent.

— Si, bien sûr. Tu es la plus sage et la plus gentille de mes enfants. Pauvre Dan. Il a à peine touché à son assiette pendant le repas. Il a l'air accablé. J'espère qu'à cause de cette affaire il ne changera pas d'avis et n'épousera pas quelqu'un d'autre.

Elle tapota la main de Jackie.

— Ne t'en fais pas, ajouta-t-elle. Je vais lui apporter une tasse de thé et vanter tes mérites.

Après son départ, Michelle déclara :

— Ne fais pas attention à elle. Papa m'a confié qu'elle n'avait pas dormi depuis mardi.

— À l'entendre, on se figurerait que je suis ravie qu'Henry fasse traîner la procédure ! s'écria Jackie. Je lui ai pourtant écrit, je lui ai téléphoné – j'ai fait tout ce que je pouvais !

— Je sais, répondit Michelle d'un air dubitatif.

— Quoi ?

— Tu as raison.

— Non. Si tu as quelque chose à me dire, dis-le-moi !

— Tu devrais aussi lui donner ce qu'il veut.

C'était tellement simple, tellement évident que Jackie se sentit obligée de battre en retraite derrière une série de bredouillements et de soupirs indignés peu crédibles.

— Pardonne-moi de ne pas vouloir procéder à la dissection de mes problèmes de couple avec Henry, un homme dont je ne pourrais même pas supporter la présence si nous nous trouvions dans la même pièce !

— Personne ne te demande de disséquer tes problèmes de couple, rétorqua Michelle.

— Si ! Lui l'exige !

— Écoute, il est amer, il est tordu, et peut-être également maso. Mais il faut faire avec. Capitule, Jackie. Rédige une nouvelle requête en divorce qui lui convienne et je t'assure qu'il te fichera la paix.

— Tu crois ?

— Oui. Comme ça tu pourras te remarier et maman sera contente.

— Moi aussi, souligna Jackie.

— Mais maman tient vraiment à ce mariage. Et Dan aussi, bien sûr.

Dehors, munie d'une assiette de biscuits fourrés aux figues, Mme Ball avait coincé Dan devant le garage. Elle avait raison, songea Jackie. Il paraissait miné. La nuit, il grinçait des dents et, récemment, il avait frappé l'air de son poing en affirmant qu'il avait vu un moustique alors que le marais le plus proche se trouvait à Dun Laoghaire.

Michelle se laissa choir sur le divan.

— J'espère que tu ne prends pas trop de drogues, en ce moment, déclara Jackie.

— Non. Je suis enceinte.

— Quoi ?

— J'attends des jumelles.

— Oh ! mon Dieu.

— Devine qui est le père ?

— Tais-toi ! répondit Jackie en se bouchant les oreilles. Je ne veux pas en savoir davantage.

— Justice Gerard Fortune. Nous avons couché ensemble après le bal des Legal Eagles. Une fois.

Jackie avait déjà vu ce nom dans le journal.

— C'est un brun qui porte des lunettes ? s'enquit-elle.

— Il a bien des lunettes, mais il est chauve, précisa Michelle.

— C'est un vieux ! s'exclama Jackie.

— Dans le noir, il était pas mal, soupira Michelle. J'ignore comment sa femme va réagir.

— C'est tout ? Ou dois-je me préparer à entendre pire ?

— Hormis le fait qu'il refuse de s'inscrire avec moi à des cours d'accouchement sans douleur, c'est tout.

— Michelle, ce n'est pas drôle.

— Tu crois que ça m'amuse ? se plaignit sa sœur. Je n'ai plus aucun jean qui soit à ma taille et je ne suis enceinte que depuis seize semaines.

— Ça fait presque quatre mois !

— Oh, arrête !

— Tu as décidé de garder les jumelles, je suppose ?

— Oui. Bien que Justice Fortune m'ait suggéré de me faire avorter en Angleterre.

— Pourquoi l'appelles-tu par son nom ? Comme si tu le connaissais à peine ?

— Tu préfères Monsieur Fessée ? Je l'avais surnommé ainsi lors de la nuit que nous avions passée ensemble.

— Comment peux-tu rester aussi calme ? D'habitude c'est à moi que ce genre de choses arrive.

— Je sais, reconnut Michelle.

— J'ai toujours eu tendance à profiter du moment présent sans réfléchir et à me retrouver dans de beaux draps par la suite. Alors que, toi, tu parvenais à faire ce qui te plaisait tout en laissant croire à maman que tu marchais droit.

— Tu t'es bien amusée, néanmoins, souligna Michelle.

— Toi aussi. Trop, je crois.

— Être la prunelle de ses yeux, ce n'est pas facile tous les jours. Au moins, elle t'a laissée vivre ta vie quand elle a compris que tu étais irrécupérable. Depuis le départ des frères et sœurs, c'est moi qui subis ses angoisses.

— Habiter avec un vampire, c'est usant, renchérit Jackie.

— C'est pire que cela. J'en ai assez de toutes ces cachotteries, d'être obligée de planquer mes drogues dans le sucrier, d'invoquer une Bernadette qui n'existe pas afin de pouvoir passer une nuit avec un homme. Je suis ravie d'être enceinte !

— Tu n'es pas sérieuse ?

— Si. Enfin, des jumelles, ça fait beaucoup. Un seul bébé m'aurait suffi.

— Quand comptes-tu lui annoncer ?

— Je ne sais pas. J'espère qu'un heureux dénouement concernant ton divorce la distraira.

— Ne compte pas là-dessus.

— De toute façon, je vais tomber en disgrâce à ses yeux. Alors c'est à vous de vous débrouiller pour qu'elle soit heureuse.

— Quoi ?

— Je doute qu'Eamon, que Dylan ou Ursula viennent lui rendre visite ; c'est donc à toi de prendre les choses en main, Jackie. Si tu lui prépares un grand mariage tape-à-l'œil, elle m'oubliera, et je pourrai grossir tranquillement en coulisse.

— Je ne vais tout de même pas épouser Dan uniquement parce que tu es enceinte de Justice Fortune.

— J'espère que ce n'est pas une excuse de plus.

— Pardon ?

— Quiconque penserait que tu ne tiens pas à divorcer d'Henry.

Au cours de la semaine, Jackie s'équipa d'un carnet de format A4 et d'un bataillon de stylos. Henry réclamait la vérité, elle allait la lui servir ! Elle ferait exactement ce qu'elle avait prévu de faire à l'origine : frapper fort et vite. Elle ne lui épargnerait aucun défaut et exposerait ses vilaines petites habitudes. Elle rédigerait une nouvelle requête en divorce et en enverrait une photocopie à son avocat ainsi qu'à toutes ses ex-petites amies, à son journal et à son agent.

— Vous ne pouvez pas faire ça, déclara Velma au téléphone. C'est illégal.

— Dans ce cas, je la mettrai en ligne sur Internet.

— C'est aussi illégal.

— Puis-je au moins l'envoyer à sa mère ?

— Non. Le contenu doit rester confidentiel.

— Alors c'est tout à son avantage ! explosa Jackie.

— Dites-moi, vous êtes très énervée, aujourd'hui.

— Oui, Velma. À ma place, vous le seriez aussi, non ?

Mais elle doutait que Velma ait jamais divorcé. Elle haïssait tellement les hommes qu'elle ne se serait sans doute pas abaissée à en épouser un.

— Cela a tendance à rendre les gens amers, Jackie. Où en êtes-vous avec votre nouvelle liste ?

Afin d'éviter l'indiscrétion de Dan, Jackie avait commencé à la rédiger à Flower Power. Installée au comptoir, elle se tourna vers Emma.

— Je ne sais pas par où débuter. Peut-être par « A » pour *arrogant* en procédant par ordre alphabétique.

— Pourquoi pas ? répondit Emma. Au fond, je pense que ça ne peut que t'aider, de mettre les choses par écrit.

— Si je le fais, c'est pour que la procédure aboutisse. Pas pour une autre raison.

— Mais vous n'avez jamais résolu ce qui s'était passé entre vous, toi et Henry ?

— Il n'y a rien à résoudre.

— Tu en es sûre ? insista Emma en la scrutant d'un air incrédule.

— Dorénavant, Henry appartient au passé et je m'en porte fort bien.

— Parfait, conclut Emma en haussant les épaules.

Jackie se pencha sur sa feuille. Très vite, elle renonça à sa liste alphabétique. Elle essaya de regrouper les défauts d'Henry sous un titre. Elle songea à « Défauts capitaux ». Elle passa une heure à dégager les traits les plus irritants de sa personnalité : son cynisme, ses sarcasmes, sa façon de se dissimuler derrière son image. Par exemple, il était incapable de succomber à la spontanéité. Quand elle avait suggéré de repeindre la maison en lilas – qui détenait par ailleurs une vertu apaisante –, il ne s'était pas laissé entraîner par l'élan d'enthousiasme de Jackie. Il ne lui avait jamais déclaré qu'il l'aimait à la folie et qu'il ne pourrait pas vivre sans elle. À la place, il lui avait jeté quelques miettes d'affection. Même quand elle l'avait rencontré, il était déjà froid et réservé, comme s'il avait peur d'en dire trop. Tandis qu'elle, bien sûr, s'était répandue en effusions.

Mais elle ne pouvait pas écrire cela. Pour qu'il le lise ? Elle en mourrait.

Lech s'approcha, les mains dans les poches de son jean délavé.

— Ça va ? s'enquit-il avec compassion.

— Oui ! répondit Jackie en fermant son carnet.

— Les livraisons sont terminées. Je peux partir ?

Il était cinq heures moins cinq.

— Bien sûr. Mais, Lech, Emma aimerait vous parler.

Comme si elle avait senti sa présence, celle-ci sortit de la réserve et s'avança vers eux. Elle tenait l'enveloppe contenant la notification de licenciement de l'employé à la main.

— Asseyez-vous, Lech, commença-t-elle.

L'intéressé jeta un œil alentour. Il n'y avait pas de chaises.

— Où ? demanda-t-il.

— Bon, ce n'est pas grave, soupira Emma.

— Je peux retourner un seau : ça me fera un siège, proposa Lech.

— Non, restez debout !

Emma regarda Jackie qui ne souhaitait pas être impliquée. Elle aimait bien Lech. Si son associée voulait le renvoyer, qu'elle le fasse seule.

— Comme vous le savez, enchaîna Emma d'un air sombre, votre période d'essai s'achève aujourd'hui, et nous avons donc passé en revue vos compétences.

— Oui, prononça Lech avec aplomb. Comme vous avez pu le constater, je suis ponctuel, je livre les fleurs à temps, je ne me trompe plus d'adresse. Et vous écrivez mieux qu'avant, Emma ! Votre écriture est plus claire.

Il lui décocha un sourire étincelant.

— Et vous avez vu ? J'ai retiré l'autocollant qui vous choquait.

Emma scruta la voiture garée à l'extérieur.

— Oui, très bien...

— En fait, si vous regardez attentivement, ma portière porte également l'inscription *Flower Power*.

En rouge, remarqua Jackie. Avec au-dessous le numéro de téléphone du magasin.

— Ça m'a coûté cinquante euros.

— Nous allons vous rembourser, déclara Jackie.

Emma la fusilla du regard.

— Lech, nous ne vous avions pas demandé...

Il balaya l'air de sa main.

— Pas de problème, coupa-t-il. Sur l'autre portière, il y a le nom de la pizzeria pour laquelle je travaille ; ils me payent pour ça. C'est de la publicité sur un véhicule privé.

— Oui, renchérit Jackie. C'est normal.

— Si c'est sur une voiture appartenant à l'entreprise, décréta Emma. Pas sur une Ford de 1989 !

— Vous allez m'en fournir une ? s'illumina Lech.

— Non ! Écoutez, ce n'est pas ça dont je voulais
vous parler.

— Mais en tant qu'employé, j'ai le droit de faire
des suggestions, non ?

— Il a raison, Emma, intervint Jackie.

— Vous devriez acheter une voiture de sport,
conseilla Lech. Une dans laquelle je pourrais aller faire
un tour avec des filles.

Il sourit et ajouta :

— Je blague.

Son débardeur moulant remonta tandis qu'il enfilait
son blouson. Emma détourna les yeux.

— Je suis content que nous ayons pu discuter de
tout ça ! reprit-il joyeusement. Maintenant il va me
falloir un contrat de travail.

— Quoi ? dit Emma.

— Ma période d'essai est terminée, répliqua-t-il. Je
connais mes droits. Bon, il faut que je me sauve. J'ai
rendez-vous avec une demoiselle.

— Une demoiselle ? répéta Jackie.

— Elle s'appelle Aisling, répondit-il d'un air exagé-
rément amoureux. Une beauté. Allez, à lundi !

Après son départ, Jackie scruta Emma avec insistance.

— Très bien, bredouilla son associée. Je ne l'ai pas renvoyé, je sais !

— Et à présent, nous allons devoir l'augmenter et lui fournir une voiture.

— Nous ne lui fournirons rien du tout, rétorqua Emma en s'affairant au comptoir.

— Il a rendez-vous avec une fille, murmura Jackie.

— Et alors ?

— Elle s'appelle Aisling.

— La pauvre, grommela Emma.

Elle saisit un exemplaire de *Globe* et le lui tendit.

— C'est arrivé mercredi, j'avais oublié de te le donner.

Le nom de Jackie et l'adresse du magasin figuraient sur l'emballage transparent du journal. Perplexe, Jackie déclara :

— Je n'y suis pas abonnée !

— Alors c'est un cadeau de quelqu'un.

De qui ? D'Henry ? Mais sa rubrique était encore signée par Wendy Adams. Qu'est-ce que cela signifiait ? Était-ce pour lui faire comprendre que malgré son absence au journal il était encore dans les parages ? À élaborer des stratégies machiavéliques pour lui mettre des bâtons dans les roues ! Jackie s'empressa de jeter le quotidien dans la poubelle.

— Tu es bien silencieuse, fit remarquer Dan.

Il était passé la chercher pour l'emmener dîner au *Bistro*.

— Tu trouves ? s'étonna Jackie. C'est peut-être parce que je me fais du souci à propos de Michelle.

— Il va falloir remonter le moral de ta mère quand elle lui aura annoncé qu'elle est enceinte.

— C'est surtout la situation de ma sœur qui m'inquiète. Il lui reste un an avant d'obtenir son diplôme et elle va se retrouver coincée avec des jumelles dont le père refusera de s'occuper.

— Ta mère s'en chargera peut-être ? suggéra Dan.

— Pas s'ils ressemblent à une version miniature de Justice Fortune, répondit Jackie d'un ton sinistre. Tu te demandes dans quelle famille tu es tombé, je parie ?

— Non, martela-t-il d'un ton convaincant.

Mais Jackie savait que Dan attendrait que sa mère ait pris sa dose de tranquillisants avant de lui parler du dernier scandale lié à la famille de sa fiancée. Quant aux Fiona, elles ne viendraient plus s'asseoir à côté de Jackie, même si elle portait des chaussures respectables. Et Dan en rirait en prétendant que cela n'avait aucune importance.

— Pardon, murmura Jackie.

— Pardon pour quoi ?

« Pour tout », songea-t-elle. C'était peut-être le moment de lui proposer d'aller passer le week-end à la campagne. Dans un pavillon de chasse, par exemple, où il pourrait tirer sur des trucs, courir dans la forêt impénétrable et dévorer de gigantesques biftecks, pendant qu'elle boirait des gin tonics.

— Et si on partait ce week-end ? reprit Dan. Ça nous changerait les idées. J'envisageais New York. Si tu veux aller faire des courses à Bloomingdales, je t'attendrai dans un bar.

— Oh, Dan.

N'était-il pas adorable ? Faire des compromis, voilà à quoi il se préparait. Ce qui était d'ailleurs indispensable pour réussir sa vie conjugale. C'était plus important que la passion, le désir, qui souvent ne duraient pas.

— Où en es-tu avec la nouvelle requête ? s'enquit-il. Ça avance ?

— Oui, bredouilla Jackie. J'ai presque fini.

Il lui pressa le poignet.

— Quand je pense qu'il t'oblige à faire ça, soupira-t-il. Crois-moi, si je pouvais mettre la main sur... Enfin, de toute façon, on récolte ce qu'on a semé, pas vrai ? Les gens devraient avoir ce qu'ils méritent. Des dents en moins, par exemple. À ta place, je ne me soucierais pas trop de ce document.

— Je ne comprends pas où tu veux en venir, Dan.

— On ne sait jamais ce qui peut se passer, c'est tout.

La nuit précédente, elle avait rêvé qu'Henry agitait la demande de divorce sous son nez et elle l'avait insulté à voix haute. « Pardon », avait marmonné Dan en se retournant sous les draps. Puis, à cinq heures du matin, alors que les oiseaux commençaient à chanter, Jackie s'était souvenue de son retour à Dublin. Et des gens qui avaient pleuré sur son triste sort d'épouse qui s'était dévouée corps et âme à un homme dont le premier amour avait toujours été lui-même ! Personne ne l'avait critiquée. Même sa mère avait gardé pour elle-même son conseil préféré : « Il faut toujours avoir quelque chose sur quoi se rabattre. » Elle lui avait simplement fait remarquer qu'elle avait grossi. Ce qui n'était guère étonnant : quand elle vivait avec Henry, Jackie avait consacré une grande partie de son temps à manger des gâteaux au lit. Elle qui était pourtant si active ! Elle avait d'abord pensé à ouvrir son magasin à Londres, mais l'annuaire recensait déjà vingt-six fleuristes. Se faire engager par l'un d'eux en tant que jeune salariée n'avait pas marché non plus. Ne possédant aucun diplôme, n'ayant ni amis ni relations, Jackie avait fini par renoncer à trouver un travail. Chaque jour, plantée devant le téléviseur, elle attendait le retour d'Henry dont l'étoile devenait de plus en plus brillante. Il fallait presque mettre des lunettes de soleil quand il entrait quelque part. Jackie s'était dit que son succès déteindrait sur elle, qu'en l'épousant il la rendrait heureuse.

Honnêtement, il aurait pu l'aider davantage, au moins à consulter les annonces de la rubrique « Emplois ». Ou même lui dégoter un boulot à *Globe*. Quand elle lui en avait parlé, il s'était rembruni en lui expliquant que travailler ensemble était une mauvaise idée.

— Ton dessert est bon ? s'enquit Dan.

— Délicieux.

Bien sûr, elle s'abstiendrait de préciser ces détails dans sa liste de griefs – elle n'allait pas lui faire le plaisir d'indiquer qu'il subvenait aux besoins financiers du foyer, comme tout bon mari ! Néanmoins, elle écrirait que, si elle avait échoué à s'intégrer dans un pays étranger, Henry, de son côté, n'avait pas pris de dispositions pour éviter cet échec.

Jackie se sentit mieux. Peut-être était-ce à cause du fait qu'une facette de la vérité scintillait. Elle se demanda si Henry la verrait aussi.

Une fois de plus, Jackie attendit que Dan s'endorme avant de sortir de leur chambre. Il faisait de beaux rêves, pour changer, il souriait en bavant sur son oreiller.

En bas, elle ouvrit son sac et en extirpa le journal qu'elle avait repêché dans la poubelle. Toute la journée, elle s'était demandé pourquoi Henry le lui avait envoyé. Si c'était lui.

À la lumière d'une lampe, elle examina la première page. Avec attention, elle lut les suivantes. Elle consulta même son horoscope et un article sur la santé des femmes, au cas où il aurait essayé de se manifester en se cachant derrière une rubrique. Rien.

Puis soudain, elle remarqua un encadré rouge parmi les petites annonces. Un poème :

Tu ne me trouves pas marrant ?
C'est vraiment navrant.
Car mes anecdotes,
Mes histoires rigolotes
Feront bientôt rayonner
Ton visage étonné.

À la fin, c'était marqué : *Pour Jackie.*

11

— J'aimerais être reçue par maître Knightly-Jones, articula Velma.

— Il est au palais ce matin, susurra une voix masculine.

— Et cet après-midi ?

— Il ne reviendra pas au cabinet aujourd'hui.

Velma gloussa.

— Il a peur de me parler, c'est ça ?

Un silence se fit. « Parfait », pensa Velma. Au moins, ils se rendaient compte qu'ils n'avaient pas affaire à une plouc !

— Absolument pas. À l'heure qu'il est, il plaide contre une multinationale.

— Bien sûr, ricana-t-elle. Dans ce cas, quand il aura un moment de libre, dites-lui de m'appeler.

— Je pourrais peut-être moi-même vous aider ?

— Qui êtes-vous ?

— Tom Eagleton.

Ah oui, l'auteur des horribles lettres qu'elle avait reçues. Il n'avait pas la voix d'un avocat. Il manquait de fermeté. Le type auquel elle achetait un beignet chaque matin était plus autoritaire que lui.

— Vous en avez vraiment les compétences ? Je ne veux pas qu'on essaye de me fourguer un bleu, vous comprenez ?

— Je suis qualifié, mademoiselle, répondit-il d'un ton offensé.

Qu'il s'indigne. Comment pouvait-elle savoir à qui elle devait se mesurer à Londres si elle ne le vérifiait pas avant ? Le fait qu'ils se servent de papier gaufré crème n'indiquait rien du tout. Elle aussi aurait pu en acheter si elle en avait les moyens. Mais elle ne prenait pas de grands airs comme eux, ne possédait pas de nom à rallonge, et ne faisait pas attendre les gens au téléphone en faisant semblant d'être débordée. Velma connaissait ce genre de tactiques par cœur.

— Je vous appelle parce que je pensais que nous pourrions régler ça entre nous, d'avocat à avocat.

— Pardon ?

— Régler nos différends sans hostilité.

— Mademoiselle Murphy, je n'ai pas le droit de vous faire part de confidences sans l'accord de M. Hart.

— Allons donc ! Écoutez, parfois on se donne plus

de mal pour un client que ce qu'il nous rapporte. Concernant les nôtres, j'ai vu des poulets décapités qui étaient moins désorientés qu'eux.

— Je refuse de décrire mon client ainsi.

— Quoi qu'il en soit, ils ont besoin d'avis éclairés, monsieur Eglinton.

— Eagleton.

— Peu importe. Et c'est à nous de les conseiller, n'est-ce pas ? Vous pourriez, par exemple, convaincre M. Hart de la futilité de choisir la réfutation, et en retour je suggérerais à ma cliente de renoncer à ses droits concernant le chien. Ça vous va ?

— Votre cliente n'a pas réclamé le chien.

— Pas encore, répondit Velma d'une voix gaie. Alors, qu'en dites-vous ?

— Mademoiselle Murphy, nous sommes un cabinet réputé. Nous ne passons pas de marché de ce genre au téléphone. En revanche, si voulez le mettre par écrit...

Au moins, elle avait essayé d'être aimable. Elle lui avait laissé une chance ! Elle se redressa sur son siège qui grinçait sous ses kilos en trop. Elle en avait pris quelques-uns à Pâques et l'été arrivait. Les vitrines exposaient déjà des hauts qui parvenaient au-dessus du nombril, des minijupes, des jeans moulants – un cauchemar pour une femme classée parmi les obèses depuis l'âge de seize ans. Elle n'avait pas fait de rencontre depuis le fiasco avec le type du groupe de soutien pour les gros. Trevor pesait le double de son poids et l'avait emmenée à une fête foraine. En raison de mesures de sécurité, on les avait refoulés à l'entrée du train fantôme. Trevor avait proposé de la revoir, mais l'amertume s'était installée dans le cœur de Velma.

Le seul plaisir qui lui restait, hormis celui de combler sa gourmandise, était sa carrière. Après avoir longtemps vendu des assurances par téléphone, à des clients invisibles, elle avait suivi des cours de droit sur Internet et découvert sa vocation : se battre pour ceux que l'amour avait escroqués, trahis, dénigrés ! Elle aimait les serrer sur sa poitrine en leur confiant qu'elle savait ce qu'ils ressentaient, mais cela avait tendance à les alarmer. Aussi se contentait-elle de les débarrasser de leur moitié le plus brutalement possible. Mue par la rage et l'empressement, Velma n'était pas une femme avec laquelle il fallait plaisanter.

— Écoute-moi bien, mon garçon, déclara-t-elle, je vais te donner une chance, je vais te laisser réfléchir à ma proposition.

Ses cours de droit, basés sur une méthode américaine, lui avaient enseigné de nombreuses stratégies dont la « confrontation positive » ou la « tactique de collecte de renseignements ». L'« intimidation » était sa préférée.

— Vous ne m'avez pas fait de proposition.

— Parlez-en à votre patron, quand il reviendra avec son sandwich. Je pense qu'après un moment de réflexion vous comprendrez qu'il vaut mieux boucler ce dossier maintenant. Tant qu'il est encore temps.

— Pardon ?

Velma leva les yeux au ciel. Il ne remarquait même pas une menace à peine voilée.

— Avant que les choses se gâtent pour votre client.

Il écoutait attentivement, à présent. Tout de même. Car Jackie Ball était passée la voir dans la matinée, avec d'énormes poches sous les yeux. Velma aurait pu y stocker une semaine de courses. La pauvre lui avait annoncé qu'elle n'avait pas fini de rédiger sa nouvelle demande. Et tout ça à cause des tourments que lui infligeait Henry Hart ! Velma ferait du divorce de Jackie sa mission personnelle !

— C'est un avertissement ? s'inquiéta-t-il enfin.

— Vous tenez à vous en assurer ?

Sous un épais fond de teint orange, Henry essayait de ne pas éternuer. Ses cheveux étaient tellement laqués qu'il craignait d'allumer une cigarette. Il avait arrêté de fumer le jour du départ de Jackie. La plupart des gens se précipitaient sur un paquet de Rothmans après un événement traumatique. Lui s'était senti soulagé. Oui, sous la stupeur, la douleur, il avait éprouvé un soulagement. Il s'était dit qu'elle et ses attentes étaient parties, qu'il pouvait cesser de jouer la comédie et redevenir lui-même. Sauf qu'il ne savait pas très bien qui il était. Il n'avait jamais essayé de prendre un risque pour le découvrir. Donc ce projet de tout plaquer pour prendre des cours de yoga ou de s'inscrire à un atelier d'écriture n'avait abouti nulle part. Il était resté Henry Hart. Il avait continué à écrire des critiques cinglantes, à entretenir sa réputation, à assister à des soirées avec des gens qu'il n'aimait pas, et, occasionnellement, à faire l'amour avec Hannah. Très bien, une fois. Mais dorénavant, il devait faire tout cela sans Jackie.

Il avait parfois l'impression de s'être tiré une balle dans le pied. Il lui arrivait de soupçonner d'avoir volontairement provoqué le départ de sa femme afin de se libérer et de changer de vie. Il le regrettait amèrement, aujourd'hui.

— Ne battez pas des cils pendant que je vous mets du Rimmel, demanda la maquilleuse.

— Mais je n'en veux pas, grogna Henry.

— Ça ne se remarquera pas sur la photo.

— J'ai déjà du fond de teint, du brillant à lèvres ; je ne veux pas de mascara.

— Ça fera ressortir vos yeux, s'entêta la maquilleuse.

— Laissez-moi tranquille !

Adrienne surgit à la rescousse.

— Faites une pause-café, ordonna-t-elle à la jeune femme.

À voix basse, elle ajouta :

— Il n'est pas toujours facile.

Henry passa la main dans ses cheveux qui ressemblaient à une poignée de couvercle.

— Ils sont en train de s'occuper de l'éclairage, lui annonça Adrienne. Henry Hart dans sa propre cuisine, ça va être magnifique !

— Pourquoi ne se sont-ils pas servis de la photo du journal ? s'irrita Henry.

— Ils ne vont pas utiliser une vieille photo pour votre guide, voyons ! s'exclama Adrienne. D'ailleurs, à ce propos, ils aimeraient que vous plumiez un poulet.

— Quoi ?

Il avait demandé à poser en buvant un verre de vin. Simple et sans prétention.

— Je sais, moi, ça me répugnerait aussi. Mais ils insistent. Ils veulent des plumes et du sang.

— Comme si je venais de tuer le volatile de mes propres mains ? s'inquiéta soudain Henry.

— Quelqu'un va devoir s'en charger.

— Parce qu'il est encore vivant ?

— Il est en train de picorer dans votre garde-manger. Le photographe et son équipe sont végétariens. Ils refusent de le tuer.

— C'est à moi de le faire alors, c'est ça ? Je peux peut-être baver aussi et brandir une hache ?

— Ça correspondrait à votre image, en tout cas, déclara Adrienne. Si celle-ci était différente, il n'y aurait ni photo ni guide ! Ni moi !

Elle s'esclaffa, mais Henry avait bien saisi le message.

Depuis qu'il n'écrivait plus pour *Globe,* elle n'avait pas cessé de faire pression sur lui. Elle lui avait expliqué que sa rubrique faciliterait la promotion du livre. Il savait qu'elle le prenait pour une petite star munie d'un ego démesuré qui vivait hors des réalités. Elle avait raison à quatre-vingt-dix-neuf pour cent.

— Henry, ils n'ont pas aimé votre préface, reprit-elle.

— Pourquoi ? Elle fait six cents mots.

— J'en conviens. Néanmoins, ce n'est pas exactement ce à quoi ils s'attendaient.

— S'ils voulaient quelque chose de spécifique, ils n'avaient qu'à le préciser.

— Ils pensaient que vous sauriez vous-même quoi écrire, Henry.

— Je ne comprends pas.

Le visage d'Adrienne se tendit.

— Laissez-moi vous donner un exemple, répondit-elle en s'emparant de la préface : « *La bonne cuisine commence à la maison. En réunissant avec amour quelques restes, vous pouvez mijoter un merveilleux petit plat qui, accompagné de rires et de discussions consensuelles, rendra la soirée inoubliable.* »

Elle le toisa d'un air glacial.

— Et alors ? s'enquit Henry.

— Il s'agit d'un guide, pas d'un livre de recettes ! Et pourquoi des « rires » ? Le Boucher de Notting Hill ne rit pas, Henry !

— Moi si, rétorqua-t-il offensé. Vous n'avez jamais eu l'occasion d'être témoin de l'aspect plus léger de ma personnalité, c'est tout.

— Les éditeurs m'ont signalé que le ton de l'ouvrage posait problème dans son ensemble. Ils ont décelé une chaleur, une désinvolture qui ne correspondent pas au style du grand critique londonien qu'ils apprécient. Et franchement, je suis entièrement d'accord avec eux.

— Je suis désolé, murmura Henry. Je ne l'ai pas fait exprès.

— D'être aussi sympathique ?

— Oui. C'était inconscient. Le soleil brillait peut-être pendant que je travaillais, j'ai oublié...

Adrienne tira une chaise et se rapprocha de lui. Elle agita ses ongles écarlates et déclara :

— Il faut travailler dur et avoir beaucoup de talent pour arriver au sommet. Seulement, une fois qu'on y est, on devient parfois arrogant. On se dit qu'on peut tout se permettre, qu'on peut changer ! Et se passer de ce qui nous a rendu célèbre. N'est-ce pas, Henry ?

— C'est une histoire qui fait peur ? murmura-t-il en écarquillant les yeux.

— Bien sûr ! aboya-t-elle. Parce que les gens détestent les changements. Ils veulent s'assurer de ce qu'on va leur servir comme ils sont assurés que, le vendredi, c'est du poisson et des pommes de terre.

— Vous sous-estimez le grand public, Adrienne.

— Ne me parlez pas du grand public ! Des ignares qui savent à peine lire, pour la plupart, et qui ne sont certainement pas ouverts aux nouveaux concepts. Le simple fait de changer l'emballage de leur paquet de céréales et de le ranger au-delà de sa place habituelle sur l'étagère d'un magasin suffit à déclencher leurs foudres. Vous doutez-vous du nombre de projets innovateurs que j'ai essayé de lancer au cours de ma carrière ? Je ne crois pas que les gens vont vous laisser le temps d'explorer les aspects cachés de votre personnalité. Vous allez les plonger en pleine confusion, ils ne liront plus vos critiques. Dans un an, vous n'arriverez même plus à vous faire inviter sur le plateau d'un jeu télévisé !

— J'espère que vous ne dites pas ça à tous vos auteurs.

— Uniquement à ceux auxquels je tiens. Mais vous êtes trop sensé pour commettre une telle erreur, Henry. Vous connaissez l'alternative : l'obscurité. Vous ne tiendriez pas six mois !

Elle se leva d'un air guilleret.

— Je vais voir s'ils sont prêts ! déclara-t-elle.

Près de la porte, elle se retourna.

— Au fait, j'ai pensé à votre ami poète. Je pourrais peut-être lui trouver un petit éditeur. Les ventes ne lui rapporteront pas de quoi acheter un litre de lait, mais peu importe. Tant que c'est par vanité et qu'il continue d'exercer son métier principal.

Elle lui décocha un sourire entendu.

— Vous voyez, tout le monde peut gagner, Henry !

Elle quitta la pièce en divulguant dans son sillage une bouffée de parfum doucereux. Soudain saisi par une pressante envie de fumer, Henry ouvrit le tiroir de la commode à la recherche d'un vieux paquet de cigarettes. Il tomba sur une paire de lunettes de soleil aux montures rondes, style Hollywood, rose vif. De très mauvais goût, elles retenaient prisonnier un long cheveu frisé.

Il aurait dû y être habitué, bien sûr. Pendant des semaines, il avait ramassé çà et là son maquillage, ses vêtements, ses bijoux, le livre qu'elle avait laissé (*Le Guide de l'autohypnose*). Sans compter ses chaussures – il y en avait un sac au garage et la plupart étaient dépareillées. Quant à ses cheveux, il en avait aspiré une quantité telle que l'aspirateur s'était bloqué. Les lieux lui avaient semblé ensuite aussi froids qu'une réception d'hôtel, et parfois il n'osait pas parler trop fort de peur d'entendre son propre écho. Mais il avait refusé de reconnaître qu'elle lui manquait. Désespérément. Même sa voix. Même ses cheveux.

Adrienne fumait. Sa dépendance ne l'avait pas encore tuée, hélas ! Elle avait posé son sac à main sur une chaise et il ne tarda pas à y dénicher un paquet de légères. Il se dirigea vers la porte d'entrée au moment où elle revenait de la cuisine.

— Henry ? Ils ont attrapé le poulet.

— J'arrive dans une minute.

Dès que sa vie serait plus lisible, songea-t-il.

Samedi matin, Dan paressa dans la maison toute la matinée. Il ne sortit même pas acheter le journal et invita deux amis à déjeuner.

— Il n'y a rien dans le frigo, protesta Jackie. Il faut que tu ailles faire quelques courses.

— Il y a des œufs, répondit-il. On les fera frire et on les servira avec des tranches de pain grillé.

Une fois qu'ils se furent débarrassés des invités déconfits, Jackie reçut un coup de téléphone de sa mère qui s'inquiétait au sujet de Michelle.

— Elle ne va pas bien, confia Mme Ball ; ton père l'a entendue vomir aux toilettes. Et tu as vu comme elle a grossi ? J'aimerais bien que tu lui parles, Jackie. C'est peut-être lié au stress, à cause de ses examens. Hier, elle portait un pantalon de survêtement et un haut très large. Et elle mange comme un ogre à midi : un demi-poulet et huit pommes de terre ! Elle n'arrête pas d'aller chez le médecin. Hier, elle s'est rendue à l'hôpital : elle avait des analyses à faire, paraît-il. Je me demande ce qui lui arrive.

Samedi soir, Dan l'entraîna dans un pub car il tenait absolument à voir jouer un groupe de musique traditionnelle irlandaise. Ils passèrent trois heures dans une salle bondée, plantés devant la caméra de télésurveillance située près de l'entrée.

— Qu'est-ce qu'elle a, cette caméra ? s'enquit Jackie. Pourquoi tu la fixes autant au lieu de t'intéresser au groupe ?

— J'ai le cou bloqué.

— Alors rentrons, décréta-t-elle. Je suis gelée et j'en ai assez d'être bousculée.

Dimanche, il s'accrocha à elle comme une sangsue. Pas moyen d'examiner le poème qu'elle avait rangé dans son sac.

Lundi, elle fut débordée au magasin. Vers dix-huit heures, Lech leur proposa d'aller boire un verre pour fêter son augmentation et son contrat de travail.

— Allez-y sans moi, répondit Jackie qui avait hâte de se retrouver seule.

Emma et Lech se regardèrent.

— Essayez le nouveau pub du quartier, suggéra Jackie en les poussant vers la porte.

— Laisse-moi ranger et nettoyer le magasin, supplia Emma à voix basse.

— Sors d'ici, toi.

Quand ils furent partis, Jackie tira les stores. Le cœur battant, elle ouvrit son sac et fouilla dans la poche où elle rangeait son permis de conduire et ses sachets de Canderel. Elle parcourut de nouveau le poème. Elle ne l'avait montré à personne. *Pour Jackie,* relut-elle. Mais des centaines, voire des milliers de Jackie lisaient *Globe.* Peut-être ne lui était-il pas adressé, après tout.

Emma serrait les genoux afin qu'ils n'effleurent pas la main de Lech. Il maniait le levier de vitesses comme un pilote de Formule 1. Sa vieille Ford empestait la pizza, la transpiration, le déodorant bon marché, et l'haleine mentholée de Lech parvenait jusqu'aux narines d'Emma. Il avait probablement croqué un Tic Tac avant de monter à bord, songea-t-elle. Il manquait tellement de raffinement.

— Pauvre Jackie, déclara-t-il en secouant la tête. Elle n'a pas de chance avec son divorce.

— Divorcer n'est jamais facile, rétorqua Emma en se tournant vers la vitre, anxieuse d'être vue à bord d'une voiture aussi miteuse, qui, de surcroît, diffusait une musique polonaise tonitruante.

— Pourtant je n'ai pas l'impression qu'elle le hait, reprit Lech.

— Elle a toutes les raisons de lui en vouloir, répliqua Emma d'un ton sec.

— Elle a l'air d'avoir du mal à les écrire.

— Parfois la douleur peut bloquer.

— Peut-être que les choses vont s'arranger entre eux quand elle aura fait le point sur ce qui s'est passé, hasarda Lech.

— La semaine dernière, vous l'avez traité de salaud, lui rappela Emma.

— Qu'est-ce que j'en sais ? Je ne le connais même pas.

Après un long silence, il ajouta :

— Les relations, c'est bizarre, non ?

— Pardon ?

— Je me demande souvent pourquoi telle personne nous plaît davantage qu'une autre.

— Aucune idée, grogna Emma.

— Souvent, les opposés s'attirent.

— Vous avez lu ça dans un magazine ou vous l'avez découvert seul ?

— Je me fie à ce que je ressens. Et vous ?

— Moi, quoi ? aboya-t-elle.

— Que pensez-vous de l'amour ?

— Je peux très bien m'en passer.

— Tomber amoureux, c'est tellement agréable. Il n'y a rien de meilleur, je trouve.

— Tant mieux pour vous. J'espère qu'Aisling l'est aussi.

— Ah, vous vous souvenez de son prénom.

— J'ai une excellente mémoire qui m'aide aussi à me souvenir de choses plus importantes que le prénom de vos petites amies.

— Il n'y en avait qu'une. Mais ça n'a pas marché. Elle n'était pas faite pour moi.

Pourquoi la regardait-il avec insistance ?

— Continuez de chercher, répondit-elle avec entrain. Et laissez-moi là.

— Nous ne sommes pas encore arrivés au pub, protesta Lech.

— Je sais. C'est mon arrêt de bus. J'ai quelque chose d'urgent à faire à la maison. Tout de suite.

— Je vois, soupira-t-il en freinant.

Elle posa sa main sur la poignée de la portière.

— Au revoir, Lech. Merci de m'avoir déposée.

— La poignée est cassée, murmura-t-il avec embarras. Attendez, je vais vous ouvrir.

Et il se pencha vers elle, pressant son torse musclé contre son chemisier marron. Elle eut alors une étrange sensation, comme si un instinct primitif s'éveillait en elle. Devant le groupe de gens postés sous l'Abribus, devant les conducteurs qui les entouraient, elle l'étreignit de toutes ses forces et l'embrassa.

12

Jackie rêva encore d'Henry. Dans un lit à baldaquin, ils s'adonnaient ensemble à des ébats fougueux. « Je le hais », pensait-elle dans son rêve, tout en l'encourageant à se montrer plus bestial. De son côté, Henry continuait de répéter le prénom de Jackie. Au moins, il était concentré. À la fin, il fit apparaître deux cornets de glace. « Comment te doutais-tu que j'en avais envie ? disait-elle émerveillée. – Parce que, même si tu me détestes, je suis ton âme sœur, murmurait-il d'une voix rauque. – Pourquoi m'as-tu fait souffrir, alors ? demandait Jackie. – Toi aussi, tu m'as fait mal. » Et pour la première fois, il avait l'air vulnérable.

Elle s'éveilla en sursaut, déçue que son rêve n'ait pu arriver à une conclusion. Par exemple, elle aurait bien aimé savoir ce qui avait été blessé en lui, à part son orgueil. Le fait qu'il ne l'ait pas contactée après son départ pour lui réclamer des explications prouvait bien qu'il se sentait coupable. Ce n'était pas lui qui avait été trahi, humilié. La victime de leur couple, c'était elle !

Jackie entendit frapper. Qui pouvait venir les déranger à sept heures moins dix ?

— Dan ?

Il dormait encore. Vêtue de son pyjama Winnie l'Ourson, elle descendit ouvrir.

Deux policiers la dévisagèrent : un homme et une femme.

— Jacqueline Ball ?

— Dan ! cria-t-elle. Viens vite ! Il est arrivé quelque chose à maman !

Michelle avait dû lui annoncer la bonne nouvelle à propos des jumelles et de Justice Gerard Fortune. Si leur mère l'avait apprise alors qu'elle était au volant de sa voiture, elle avait peut-être perdu le contrôle de son véhicule et percuté un camion.

— Nous aimerions simplement vous poser quelques questions, déclara la femme d'un air sévère, comme si on l'avait formée à ne jamais sourire.

— Entrez, proposa Jackie.

Dan dévala les escaliers et la rejoignit. Elle reconnut son peignoir blanc. Il recouvrait à peine le haut des cuisses massives de Dan et son torse velu apparaissait. L'officier de police féminin détourna les yeux.

— Que se passe-t-il ? s'enquit-il.

— Vous êtes mariée à Henry Hart ? demanda la femme à Jackie.

— Non. Enfin, oui.

— Oui ou non ?

— Je le suis encore, je suppose.

— Elle est en train de divorcer, expliqua Dan avec fermeté. Puis-je savoir ce qui vous amène ?

— Il a été agressé samedi après-midi devant sa maison. Il était sorti fumer une cigarette.

— Henry ? s'étonna Jackie.

L'officier de police acquiesça.

— C'est affreux, répondit-elle troublée.

— Oui, renchérit Dan. Il est gravement amoché ?

Le policier opina du chef.

— C'est-à-dire ? insista Dan. Il a des os brisés, le visage défiguré, il est invalide ?

Ils le scrutèrent avec étonnement.

— L'hôpital a accepté de le laisser partir aujourd'hui, annonça l'homme.

Dan passa un bras rassurant autour des épaules de Jackie.

— Eh bien, tu vois, chérie, il n'est pas si mal en point.

Son peignoir remonta de quelques centimètres et la femme riva ses yeux au plafond.

— Nous avons donc quelques renseignements à vous demander, déclara-t-elle à l'ampoule électrique.

— Bien sûr, répondit Jackie. Néanmoins, je ne vois

pas trop comment nous allons pouvoir vous aider. Depuis que j'ai rompu avec Henry, je ne sais plus grand-chose de sa vie.

— Où étiez-vous samedi après-midi et samedi soir ? interrogea le policier d'un air soupçonneux.

— Vous ne nous accusez pas de quoi que ce soit, j'espère ? menaça Dan d'un ton belliqueux.

— Nous essayons simplement de vous éliminer de la liste de coupables potentiels.

— Nous éliminer ! rugit Dan. Nous étions ici, samedi. Nous avons invité deux amis à déjeuner, et la soirée nous l'avons passée dans un pub : *O'Reilly*. Je suis sûr qu'ils vous le confirmeront. Je peux aussi vous donner les coordonnées des deux personnes qui sont venues manger ici.

— Nous verrons ça plus tard, quand vous passerez au commissariat.

Ils fermèrent leurs carnets et s'approchèrent de la porte.

— Je vais prévenir mes avocats ! lança Dan.

La femme se retourna et le regarda droit dans les yeux.

— Bonne idée. Ils pourront peut-être nous expliquer pourquoi l'un des agresseurs a déclaré à la victime : « Ça, c'est de la part de Dan. »

— Jackie, ne t'énerve pas.
— Ça suffit !

— Assieds-toi. On va en parler, d'accord ?

— De quoi ? De comment tu as recruté un gang pour tabasser mon ex-mari ?

— Ils devaient simplement lui faire peur.

— Ils ont failli le tuer !

— Non, c'est ridicule.

Jackie l'observa. Au moins, il avait retiré le peignoir blanc et s'était habillé de façon décente. Mais sa tenue de jogging noire lui donnait des allures de voyou.

— Jerry m'a averti qu'ils l'avaient un peu malmené, c'est tout. Son nez a saigné, il n'y a pas de quoi en faire un drame.

— Alors tu as appelé ce Jerry pour savoir comment ça s'était passé ?

— Arrête, coupa-t-il, d'un air exaspéré. Ce ne sont pas des gangsters.

— Tu t'es comporté comme un malfrat, Dan. Parce que la justice ne t'a pas accordé ce que tu voulais, tu as pris les choses en main !

Elle le dépassa et s'empara d'une pile de vêtements qu'elle jeta dans sa valise ouverte.

— Je ne comprends pas pourquoi tu réagis de cette façon ! explosa Dan. Tu comptes aller où ?

— Je l'ignore. Loin de toi, en tout cas.

Il se laissa choir sur le lit.

— Je suis désolé, d'accord ? C'était stupide de ma part. Mais je ne pouvais pas le laisser continuer à nous nuire !

— Nous nuire ?

— Il cherchait à briser notre couple ! À cause de lui, nous allons devoir payer des frais d'avocat astronomiques et nous avons été contraints de reporter la date de notre mariage. Aux yeux de nos amis et de nos familles, nous sommes devenus les dindons de la farce !

— Je me fiche de ce que les gens pensent, rétorqua Jackie.

— Et de ce qu'il te fait ? Il t'humilie avec cette requête en divorce, il t'oblige à ramper !

— Je tiens le coup, Dan.

Il se redressa brusquement.

— Pas moi. Je ne peux même pas te protéger. C'est pour ça que j'ai demandé à mes copains de lui rendre visite. Et je leur ai dit de le frapper aux parties de ma part. Compte tenu des circonstances, c'est tout ce que je pouvais faire. Franchement, il ne l'a pas volé.

— Et si la police rassemble suffisamment de preuves pour vous inculper ?

— Ils ne trouveront rien.

— Je pourrais leur rapporter ce que tu viens de me confier.

Il baissa la tête d'un air contrit.

— Tu vas nous dénoncer ?

Elle ferma sa valise.

— Tu es vraiment un crétin, Dan !

— Je sais. Je ne suis pas fier de moi. Je suis un type violent et...

— Tais-toi ! Tu devines ce qui va se passer maintenant ?

— Quoi ?

Elle lui jeta un regard noir.

— Henry va se venger en bloquant la procédure le plus longtemps possible. Tu peux renoncer à m'épouser cette année.

— Pourquoi ne l'as-tu pas fichu dehors au lieu de partir ? s'étonna Emma.

Bonne question. Plantée dans le petit salon bien rangé d'Emma, sa valise à la main, Jackie se sentit soudain décontenancée. Vêtue de son pyjama et d'un imper rouge, elle se rendit compte qu'elle avait oublié son portable et les clés du magasin. Tant pis. Elle appellerait Dan et passerait les récupérer.

— Sur le moment, ça me semblait plus satisfaisant d'être celle qui s'en va ! se justifia Jackie sur la défensive.

— Et vous allez rester fâchés longtemps ?

— Comment veux-tu que je te réponde !

— J'aimerais simplement savoir si je dois préparer la chambre d'amis, déclara Emma en nouant la ceinture de sa robe de chambre.

— Jackie prit conscience qu'elle venait de la réveiller.

Mais vu qu'il était presque huit heures, cette dernière aurait déjà dû être habillée pour aller travailler.

— Désolée, Emma. Je ne désirais pas m'imposer de cette façon.

Emma balaya l'air de sa main.

— Ne sois pas ridicule. Je te sers un café ?

Jackie la suivit dans la cuisine. Elle avait oublié qu'Emma aimait aligner ses jarres par ordre décroissant. Et on aurait pu manger à même le carrelage tant celui-ci rutilait. Sur l'évier, elle remarqua une bouteille de vin à moitié vide et se demanda si son associée avait commencé à boire seule chez elle. Il était peut-être temps de lui suggérer de reprendre des cours de quelque chose, le soir. L'an dernier, Emma avait bien aimé le cours de pâtisserie pour débutants, même si ses génoises n'avaient pas levé. Jackie, pour sa part, songeait à rejoindre un groupe de soutien. Sur le thème « Comment éviter les catastrophes au sein du couple », par exemple.

— Tu te fais du souci pour lui ? s'enquit gentiment Emma.

— Non ! Il n'a qu'à mijoter dans son jus.

— Je parlais d'Henry.

— Oh, Henry n'est pas si mal en point. En principe, il doit sortir aujourd'hui de l'hôpital. J'espère qu'il n'a pas la mâchoire cassée, c'est tout.

— Ça se répare une mâchoire, commenta Emma.

— Mais il est critique gastronomique. S'il ne peut plus mâcher, il va perdre son boulot.

— Ils lui proposeront peut-être de passer ses plats au mixer et de lui apporter une paille, suggéra Emma.

Jackie explosa en sanglots. Emma lui fourra une serviette en papier dans la main.

— Ça t'a fait un choc, murmura-t-elle. C'est normal, c'est encore ton mari.

Jackie était heureuse de l'entendre. Parce qu'il l'était. Même si elle le haïssait et que les autres s'attendaient à ce qu'elle l'exècre.

— Tu sais, parfois je regrette de l'avoir rencontré, hoqueta-t-elle d'une voix plus aiguë qu'à l'accoutumée. Il ne représente qu'un an de ma vie, et regarde les dégâts que cette relation a provoqués !

— On dit que c'est bien d'aimer même s'il faut perdre, insista Emma, stoïque.

— Pourquoi ? Pourquoi dit-on cela ?

— Aucune idée. C'est une expérience qui rend peut-être les gens meilleurs.

— En tout cas, sur moi, ça n'a pas fonctionné. J'étais bien plus gentille avant de rencontrer Henry.

— C'est vrai.

— Ça fait peut-être référence au plaisir sexuel en comparaison avec la privation de celui-ci, avança Jackie.

— C'est une possibilité, reconnut Emma.

— Ça n'en valait pas la peine. J'aurais préféré ne pas l'épouser et me contenter d'un gadget à piles.

— Mais tu racontais toujours que ça marchait bien au lit avec lui.

— Sûrement ! glapit Jackie. Comparé au reste.

En guise de consolation, Emma rajouta une cuillerée de sucre dans la tasse à café de Jackie.

— Entre vous, ç'avait été le coup de foudre. Je n'aurais jamais pensé que ça pourrait mal tourner.

— Moi non plus, Emma. Autrement, je ne l'aurais pas épousé.

— C'est dommage que tu aies toujours évité la confrontation.

— Comment ça ? riposta Jackie.

— Tu ne lui as jamais parlé de ses défauts.

— C'est ce que je suis en train de faire avec la nouvelle demande, non ? J'en ai déjà écrit des tartines ; il va me falloir une troisième page.

En vérité, elle avait à peine terminé un paragraphe.

— Je m'en doute, répondit Emma. Mais tu te serais peut-être sentie mieux si tu lui avais dit les choses en face. Au lieu de partir sans rien résoudre.

Comme si Jackie était du genre à se débiner au moindre problème. Du coin de l'œil, elle observa sa valise. Elle était rouge, d'un rouge aveuglant. Et Emma la scrutait aussi.

— Aucun rapport avec ce qui s'est passé avec Dan ! se défendit Jackie.

— Non, bien sûr.

— Tu ne sais même pas pourquoi j'ai quitté Henry, Emma.

— Je t'écoute.

Elle ouvrit la bouche quand soudain, vêtu d'un caleçon violet, Lech surgit de la chambre d'Emma.

— Ça sent le café ! s'exclama-t-il joyeusement.

Il remarqua Jackie et ajouta :

— Vous avez passé la nuit ici, vous aussi ?

Jackie se tourna vers Emma qui devint écarlate.

— Je vais m'habiller, déclara cette dernière en fonçant dans sa chambre.

— Henry ! s'exclama Dawn. Mon pauvre ! Tu as le menton et la lèvre dans un état ! Et ton nez !

— Il n'est pas cassé. Aïe ! Touche pas !

— Désolée.

Munie d'un coton imbibé d'antiseptique, elle lui tamponnait le visage çà et là. Il avait la sensation désagréable de se trouver de nouveau entre les mains de la maquilleuse. Quand il était sorti pour allumer une cigarette, trois brutes avaient surgi, comme dans une série policière. Là, il était assis sur la même chaise, avec en plus quelques côtes fêlées, une dent branlante et un nez de la taille d'un chou-fleur. Il n'avait même pas eu le temps de fumer.

— Tu veux un chocolat chaud ? proposa Dawn.

Il avait déjà refusé son bouillon de poulet, ses tartines de gelée, et il ne désirait pas la vexer.

— Volontiers, répondit-il.

Dawn et Dave étaient passés le chercher à l'hôpital et avaient tenu à rester avec lui même s'il rêvait d'être enfin en paix. La séance aux urgences lui avait semblé interminable. Les gens l'avaient toisé comme s'il s'était bagarré avec des ivrognes et avaient écarté leurs enfants. Des infirmiers lui avaient confié que ça aurait pu être pire. Qu'il aurait pu arriver dans l'état du type qui venait de se faire recoudre presque entièrement. Ou de celui qui s'était fait retirer un couteau de cuisine de la cage thoracique. Il leur avait ordonné de travailler au lieu de bavarder. Ils l'avaient alors abandonné une heure avec un thermomètre coincé sous l'aisselle. Puis une infirmière l'avait reconnu et s'était approchée de lui avec un livre à dédicacer. L'ouvrage n'était pas de lui, mais de Jamie Oliver. Henry l'avait quand même décoré de sa signature et elle lui avait apporté une tasse de thé en lui confiant que les cheveux repoussaient. Henry l'avait scrutée d'un air perplexe jusqu'à ce qu'il découvre une zone chauve sur son cuir chevelu.

Le téléphone sonna de nouveau.

— Tu veux que je réponde ? murmura Dawn.

Elle s'adressait à Henry comme s'il était un enfant malade – ce qui n'était pas pour lui déplaire.

— Dis-leur que je ne suis pas là, rétorqua-t-il.

Pourquoi les drames provoquaient-ils toujours la compassion des gens qu'on n'avait pas vus depuis des mois ? La moitié de la rédaction du journal l'avait déjà appelé et sa mère lui avait demandé si ça ne le dérangeait pas qu'elle change la décoration de son ancienne chambre. Pour y mettre sa collection de tapis et de poupées de porcelaine, avait-il songé. Ou d'autres objets qu'il ne connaissait pas. Il visitait rarement sa planète. La dernière fois qu'elle lui avait téléphoné, c'était pour lui annoncer que Mme Ball allait divorcer.

— Les parents de Jackie divorcent ? s'était-il étonné.

— Je crois, oui.

— Moi aussi, maman.

— Vraiment ?

Elle avait ensuite digressé et évoqué ses dernières acquisitions à une foire à la brocante.

Adrienne l'avait également soûlé. Mais c'était elle qui l'avait découvert dans une piscine de sang au milieu de la route, s'était-elle empressée de raconter à qui voulait l'écouter. En fait, il s'agissait plutôt d'une flaque et Henry se tenait sur le trottoir quand elle l'avait repéré. La cigarette était restée indemne – ce qui était une bénédiction car elle s'était jetée dessus en attendant l'arrivée de la police. Adrienne n'avait vu aucun des agresseurs et elle en était soulagée : elle n'aurait pas aimé être prise au milieu de la bagarre.

Pendant la matinée, Adrienne lui avait expliqué qu'elle avait pu reporter la séance de photos. La maquilleuse avait déclaré que son coquard pourrait être masqué, mais qu'il ne fallait pas qu'il perde sa dent.

Quant à la préface, Adrienne l'avait remaniée afin qu'elle retrouve son mordant.

Affublé d'un tablier et des vieux gants de ménage roses de Jackie, Dave sortit de la cuisine. Henry cligna des yeux plusieurs fois afin de vérifier qu'il ne s'agissait pas d'hallucinations. Avec déception, il finit par constater que non.

— Où est rangée ton eau de Javel ? questionna Dave.

— Sous l'évier. C'est dans quel état ?

— Ne m'en parle pas, grogna Dave en secouant la tête d'un air écœuré. Je crois que j'ai bien fait de prévenir la SPA à propos de ce photographe et de son équipe. Enfermer un poulet vivant avec un chien, non mais tu te rends compte !

Shirley s'approcha. Son ventre traînait honteusement par terre. Au moins, Dave l'avait débarrassée de la majorité des plumes.

— Ce n'était pas ta faute, lança-t-il à sa chienne.

Shirley lui prêta à peine attention et ressortit du salon pour suivre Dawn dans le couloir.

— Les flics sont revenus te voir ? s'enquit nerveusement Dave.

Selon Dawn, il était devenu très agressif depuis qu'il avait appris ce qui était arrivé à Henry.

— Non, mais je pense qu'ils sont occupés à courir après des assassins ou des types vraiment dangereux.

— Et les petites frappes qui t'ont tabassé, c'était

qui ? Des individus coupables d'avoir jeté leurs emballages sur la voie publique ? En fait, tu ne sais même pas qui c'est !

— Non, je ne les avais jamais vus et je serais probablement incapable de les reconnaître. En revanche, je pourrais identifier les jointures de leurs doigts sans me tromper.

— Ce n'est pas drôle ! Ce Dan avait des motifs d'agir ainsi ; ils l'ont découvert. Pourquoi ne vont-ils pas l'arrêter ?

— Ils l'ont déjà interrogé. Il a tout nié, bien sûr. Il a un alibi. Ils ne trouveront pas de preuves, apparemment.

Henry eut soudain envie de reprendre des comprimés de paracétamol.

— Si la police n'arrive pas à les coincer, on devrait aller lui rendre visite nous-mêmes ! gronda Dave.

— Et déclencher une guerre ? Pour une femme qui ne m'intéresse même pas ?

— Comment peux-tu être aussi méchant ? s'indigna Dave.

— Quoi ?

— Très bien. Je sais, tu as été amoché. Mais Jackie est quelqu'un d'adorable, elle ne ferait pas de mal à une mouche. Et si tu avais accepté de divorcer quand elle te l'avait proposé, cette agression n'aurait jamais eu lieu.

— Alors, en somme, c'est ma faute ? s'exclama Henry avec stupéfaction.

Son nez se remit à saigner.

— Oui, affirma Dave en plantant ses poings sur ses hanches. Tu ne respectes pas les gens et ensuite tu t'étonnes que ça te revienne en pleine poire.

— Si c'est ce que tu ressens, dégage. Rentre chez toi.

— C'est exactement ce que je vais faire, répondit-il en arrachant les gants de ménage. Tu nettoieras ta cuisine tout seul !

Il jeta les gants au sol. Quelques instants plus tard, Henry entendit la porte d'entrée qui claquait. Il demeura assis un moment. Ça s'arrangerait avec Dave, songea-t-il. Il lui passerait un coup de fil pour lui présenter ses excuses. Au moins, Dawn était restée. Il se demanda si elle avait oublié son chocolat chaud.

— Dawn ?

Pas de réponse.

— Shirley ? Shirley !

Elle ne surgit pas non plus. Tout le monde le détestait. Après avoir fait fuir ses derniers amis, et même la chienne, il était seul dans sa maison vide, avec un chou-fleur rouge au milieu de la figure.

La sonnerie du téléphone retentit. Et Dawn n'était plus là pour se charger des interlocuteurs. Il aurait pu laisser sonner, bien sûr. Ou attendre que le répondeur s'enclenche. Mais il décrocha.

— Allô ?

— Henry ?

Jackie. Sa voix était très aiguë.

— Bonjour, articula-t-il.

— Je voulais savoir comment tu allais, s'enquit-elle d'un ton chaleureux.

— Comment as-tu appris que j'ai été agressé ?

— Par des amis d'amis. Ça m'a fait un choc.

C'était sa façon de lui expliquer qu'elle n'avait pas planifié le passage à tabac. Il ne l'aurait pas imaginé. Elle était du genre à enfermer les moustiques dans un verre avant de les relâcher par la fenêtre. Cependant, elle vivait quand même avec le coupable. Et elle devinait qu'il la soupçonnait d'être au courant de quelque chose.

— J'espère qu'ils arrêteront le responsable, déclara Henry. Ce type d'agression est passible de six ans de prison.

Il venait de l'inventer et obtint l'effet escompté.

— Ah bon ! s'affola légèrement Jackie.

Il comptait bien qu'elle s'empresserait de le répéter à son fiancé.

— Ça va ? reprit Jackie d'un ton neutre. Quelqu'un prend soin de toi ?

Il se demanda si son inquiétude était sincère ou si elle cherchait à savoir si une femme l'avait remplacée. Elle, de son côté, n'avait pas perdu de temps pour trouver un remplaçant. Le pire serait qu'elle pense qu'il était triste de n'avoir personne dans sa vie.

— Oui, répondit Henry. Et ma mère doit passer.

Dans deux ans sans doute, pour son quarantième anniversaire.

— Tant mieux.

Un long silence se fit. Il sentit qu'elle allait raccrocher.

— Ton avocate ne m'a pas contacté, déclara-t-il.

— Non.

— Il ne reste que dix jours avant que j'envoie mon mémoire.

— Je sais. Je n'ai pas fini.

Des bruits de tir lui parvinrent à travers le récepteur.

— Jackie, que se passe-t-il ?

— Comment ça ?

— J'entends des mitraillettes.

— Non, c'est... un règlement de comptes entre gangs.

— Tu habites dans un quartier dangereux ?

— En fait, je suis au cinéma. Devant la salle.

— Tu es allée voir quoi ?

— *Justice suprême III,* répondit-elle gênée.

Il éclata de rire. Il ne pouvait pas se réfréner.

— Parfois, j'aime bien les films d'action hollywoodiens, poursuivit-elle.

— Tu as regardé vingt-sept fois *Casablanca.*

— Mes goûts ont changé, s'irrita-t-elle.

Il sentit qu'il avait touché un point sensible. Jackie se réfrigéra.

— Écoute, déclara-t-il. Je ne voulais pas te mettre des bâtons dans les roues.

— Alors pourquoi le fais-tu ? demanda-t-elle d'un ton meurtri.

— Parce que j'aimerais savoir pourquoi tu m'as quitté. Ou peut-être que je le sais mais que j'attends que tu me le confirmes.

— Oh, je t'en prie, rétorqua-t-elle furieuse. Tu as passé l'âge de jouer aux devinettes. Tu me prends pour une idiote ? Tu pensais que je n'aurais rien découvert ? Ou que ça ne me dérangerait pas ?

Elle raccrocha.

Deux choses frappèrent Henry : premièrement, il ne voyait pas à quoi elle faisait allusion ; deuxièmement, si elle allait seule au cinéma à dix-huit heures, il y avait un problème entre elle et Dan.

13

Chère Mademoiselle Murphy,

Compte tenu de la teneur de votre dernier appel téléphonique, lequel avait été enregistré à des fins de formation juridique et non pour vous « piéger », Maître Knightly-Jones estime qu'il ne vous doit aucune excuse. En effet, suite à l'agression dont son client a été victime, il s'est vu dans l'obligation de faire part de vos menaces verbales aux forces de l'ordre. Soyez assurée que nous ne sommes nullement responsables de la visite de la police à votre cabinet, ni de l'embarras que vous avez ressenti face à vos voisins : un loueur de voitures et un coiffeur.

Naturellement, nous sommes soulagés d'apprendre que vous et votre cliente n'êtes pas impliquées dans les violences mentionnées.

Sincèrement,

Tom Eagleton
Au nom de Mᵉ Ian Knightly-Jones.

— Elle n'est pas là, insista Emma.

Au moins, cette fois, c'était vrai. Jackie n'était pas cachée dans la réserve, mais avait pris un taxi pour se rendre chez sa mère.

— Quand sera-t-elle de retour ? demanda Dan.

Sa voix était assourdie par la visière de son casque qu'il conservait afin d'éviter tout contact avec le pollen. En entrant dans le magasin, il avait prévenu Emma qu'il ne pourrait rester au-delà de deux minutes sans suffoquer.

— Je ne sais pas, répondit Emma. Sa mère n'est pas bien.

Apparemment, suite à une overdose de cachets à base de plantes facilitant le sommeil, Mme Ball avait dormi trente-six heures d'affilée.

— Je vous en prie, Emma ! implora Dan. C'est ma fiancée. Ça fait une semaine qu'elle a quitté notre domicile ! Elle ne répond ni à mes appels ni à mes e-mails. J'aimerais savoir ce qui se passe.

— Je n'en ai, hélas ! aucune idée.

— Vous mentez.

— Oui, reconnut Emma. Mais ne comptez pas sur moi pour vous rapporter les confidences qu'elle m'a faites.

— Vous pouvez au moins m'éclairer un peu.

— Non !

— A-t-elle crié : « Je ne veux plus voir cet abruti » ou « Je vais lui faire vivre un enfer et ensuite on avisera » ? A ou B ?

— Ça suffit ! C'est un problème que vous devez régler ensemble.

— Elle refuse de me parler ! Je ne mange plus, je ne dors plus. Au travail, je n'arrive plus à me concentrer sur les fusions. (Il leva la visière de son casque.) Regardez mes yeux, je suis un homme brisé !

— Je ne sais pas quoi vous dire, Dan.

— Alors expliquez-lui que je ne suis plus que l'ombre de moi-même, déclara-t-il en rabattant sa visière. Que je suis rongé par le remords et que je me suis fait deux cheveux blancs. Je vous en supplie, Emma, je l'aime. Il faut qu'elle revienne.

— Entendu, Dan.

— Dites-lui que nous ne sommes pas obligés de nous marier. Je suis prêt à vivre dans le péché si elle y tient.

— D'accord.

— Et que je vais suivre des cours pour maîtriser ma colère.

Il commençait à bleuir.

— Oui, Dan.

— Jurez-le-moi.

— Je le jure. Sortez d'ici, maintenant !

Dan tituba vers la porte. Après son départ, Emma se

demanda si elle devait prévenir Jackie. Mais quelle que soit la façon dont elle lui présenterait les choses, son associée en conclurait qu'elle prenait parti. Elle renonça donc à l'appeler.

Deux bras bronzés l'enlacèrent. Une bouche tiède se plaqua contre sa nuque. Sous l'effet de surprise, elle s'agrippa au comptoir.

— Enfin seuls, murmura Lech.

— Qu'est-ce qui te prend ? s'exclama Emma.

— Je sais que tu ressens la même chose que moi. Toute la semaine, je t'ai observée en pensant à la femme pleine de fougue qui se cachait derrière des jupes et des chemisiers sages. Mais si tu préfères rester distante au magasin, ça ne me dérange pas. Dommage que Jackie soit venue s'installer chez toi. Ce n'est vraiment pas le bon moment. Enfin, ce qui compte, c'est qu'elle est absente ; plus rien ne peut nous arrêter maintenant !

Emma se dégagea.

— Arrête !

— Tu as peur qu'un client nous surprenne ? s'enquit Lech.

— Je me fiche des clients ! rugit Emma. De quel droit oses-tu te comporter avec moi comme une brute sexiste ? Comme un Neandertal !

— Qu'est-ce qui ne va pas ? lui demanda-t-il déstabilisé.

— Qu'est-ce qui ne va pas ?!

N'avait-il pas remarqué qu'elle avait évité de croiser son regard durant toute la semaine ? Que, le jour précédent, elle lui avait claqué la porte du magasin au nez ?

Il la dévisagea d'un air contrit.

— Je pensais que tu avais éprouvé autant de plaisir que moi pendant la nuit que nous avons passée ensemble, murmura-t-il.

Comment avait-elle pu coucher avec Lech ? Arracher ses vêtements ? Le laisser mettre son... ? Oh, c'était répugnant ! Il ne lui restait plus qu'à aller s'inscrire en tant que cobaye auprès d'un groupe conduisant des expériences médicales douteuses sur la mémoire afin qu'ils effacent la sienne comme celle d'une disquette.

Si encore elle avait été soûle. Mais elle n'avait bu que deux verres de vin en mangeant une pizza, nue sur son lit, et avait même léché de la sauce tomate sur le corps de Lech. Cette horrible image la hanterait jusqu'à ce qu'elle meure dans une maison de retraite, solitaire et délaissée, après avoir confectionné elle-même sa propre couronne funéraire.

— Tu es un peu gênée par ce que nous avons fait cette nuit-là, non ? avança-t-il d'un air indulgent. Ce n'est pas grave. Moi aussi.

— Vraiment ? s'étonna Emma.

La honte ne l'avait pourtant pas empêché de déambuler nu dans son appartement, ni de vider le contenu de son réfrigérateur en déclarant fièrement que l'amour lui ouvrait l'appétit.

— Oui, répondit-il. Pour être franc, je pensais avoir beaucoup d'énergie et tout connaître dans ce domaine. J'ai déjà couché avec une vingtaine de femmes – ce qui n'est pas mal à mon âge. Mais avec toi, ç'a été la révélation. Et on a fait l'amour jusqu'à cinq heures du matin !

Emma en avait la nausée.

— J'ai senti qu'il y avait quelque chose, reprit-il. Quelque chose en plus du sexe. Ce sont mes sentiments qui me gênent, en fait.

— Écoute, je suis... ravie que tu aies passé un bon moment. Pour ma part, je le regrette amèrement. Je tiens aussi à te dire que ça ne se reproduira jamais et j'aimerais que tu n'en parles à personne, d'accord ? À présent, au travail.

Elle se retourna vers le comptoir et termina la composition d'un bouquet. Lech ne bougea pas. Il empestait l'après-rasage.

— Je crois que j'ai compris, déclara-t-il. Tu es la patronne et je suis ton employé. C'est ça le problème, pas vrai ?

— Non. Je suis la patronne et toi tu es... toi !

— Alors qu'est-ce que j'ai qui ne te plaît pas ? questionna-t-il d'un air affligé.

Elle regarda son débardeur, ses cheveux ras, son tatouage, et sentit soudain un courant électrique qui la traversait. Elle l'empoigna et l'embrassa à pleine bouche.

— Des jumelles ! gémit Mme Ball. Il n'y en a jamais eu dans ma famille ni dans celle de votre père depuis trois cents ans ! Il a fallu que tu fasses ta maligne !

D'un air stoïque, Michelle scrutait le plafond. Jackie observa sa mère. Elle portait une salopette et des couettes. Plus elle vieillissait, plus elle se déguisait en gamine. Selon Michelle, elle finirait en barboteuse. De toute évidence, il s'agissait d'une régression inconsciente liée à une enfance dépourvue de soucis.

— Maman, tu as l'air fatiguée ; va te reposer, conseilla Jackie.

— Je ne peux pas dormir sans mes cachets !

— Inutile d'en réclamer, tu n'en auras pas, décréta Jackie d'une voix ferme.

— J'ai vidé le contenu du flacon dans les toilettes, informa Michelle. Elle en a avalé une poignée avec du thé. Papa l'a trouvée inanimée sur la planche à repasser.

— C'est ça, moque-toi de moi, rouspéta Mme Ball. Mais c'est la faute à qui si je n'arrive pas à dormir ? Tout ce que je veux savoir, c'est ce que tu mettras sur le certificat de naissance.

— Il conteste la paternité, confia Michelle à Jackie.

— Quoi ?

— Il prétend que le père pourrait être un autre

homme et même un autre juge. Il a sans doute raison, mais je suis quasiment certaine que c'est lui.

Mme Ball toisa Michelle comme si elle avait vu le Diable en personne. C'était pire que lorsque Mme Mooney, la voisine, avait découvert son fils, pompier de son état, affublé d'un uniforme de bonne française et muni d'une bombe de crème Chantilly.

— Que comptes-tu faire ? questionna Jackie.

— Je ne sais pas. Il a dit qu'envoyer des criminels et des gens aux mœurs immorales en prison faisait partie de son métier et qu'il ne pouvait pas se permettre que son image soit ternie par ce scandale. Il a menacé de porter plainte si je répétais à quiconque mes allégations.

— Il se croit encore au temps des Vikings ! s'exclama Jackie.

— Les Vikings, répéta Mme Ball. Ce n'est pas ça qui aurait arrêté ta sœur. Elle aurait couché avec la moitié d'entre eux !

Michelle s'esclaffa.

— Arrête, protesta Mme Ball. Ce n'est pas drôle.

Mais ses lèvres frémirent et elle se mit à rire hystériquement jusqu'à ce que Jackie lui tende un mouchoir pour qu'elle s'essuie les yeux.

— Mon Dieu, déclara Mme Ball en regardant Michelle. Heureusement que je n'ai pas perdu mon sens de l'humour. Cela dit, ne va pas t'imaginer que tu es remontée dans mon estime. Soutirer de l'argent à cet homme, quelle honte !

— J'ai raté un épisode ? s'enquit Jackie.

— Justice Fortune m'a donné cinq mille euros en liquide pour me débrouiller, expliqua Michelle.

— Et elle les a acceptés ! s'indigna Mme Ball. Elle a même déjà dépensé une partie de cet argent.

— J'avais des robes de maternité à acheter, maman. Et des habits pour bébés.

— Jackie, dis à ta sœur de demander à ce juge de faire un test de paternité, supplia Mme Ball. Autrement, ces enfants vont grandir sans père.

— Avec ou sans test, ils grandiront sans père, rétorqua Michelle.

Mme Ball fixa Jackie d'un air désespéré.

— Tu vois ? Je ferais bien d'aller lui rendre visite moi-même pour lui dire ce que j'en pense !

— Laisse tomber, j'ai déjà essayé, répondit Michelle. Il habite dans un manoir protégé par des alarmes et deux rottweilers.

— Je n'ai pas peur des rottweilers ! aboya Mme Ball.

Puis soudain, elle se mit à bâiller.

— Cette histoire a dû te secouer, maman, déclara Jackie avec diplomatie. Tu t'y feras.

— Et ta rupture avec Dan, tu crois que ça ne me secoue pas ? Alors que j'ai décongelé une dinde spécialement pour lui.

Elle avait également aligné des pelles contre le mur du garage et sorti la tondeuse à gazon.

— Nous n'avons pas rompu, assura Jackie. Nous faisons simplement une pause.

— Tu parles ! Ton couple part à vau-l'eau et tu es en train de décevoir tranquillement tout le monde, y compris toi-même.

— Tu te trompes.

— Où est passée ta bague de fiançailles, alors ? lança-t-elle, au bord des larmes.

— Je n'avais pas envie de la porter, répliqua Jackie. Écoute, je préfère marquer le coup ! Autrement, il va penser que ce qu'il a commis est légitime.

— C'est un saint, affirma Mme Ball. Il a été poussé à bout. On ne peut pas vraiment lui en vouloir.

— D'avoir planifié une agression ? s'offusqua Jackie.

— Tu aurais bien aimé le frapper, toi aussi, non ? Quand tu es revenue de Londres, nous avons tous prié et demandé à saint Francis de le faire trébucher devant un semi-remorque, tu t'en souviens ?

— J'étais très en colère à l'époque. Je me suis calmée.

— J'avais dit à ton père : « J'ignore ce qu'il lui a fait pour la mettre dans un état pareil. » Il n'avait rien répondu, bien sûr. Nous savions qu'il y avait eu des problèmes en Angleterre. Tu ne travaillais pas, il travaillait trop. Ça mène toujours à la catastrophe. Dès que je t'appelais, tu te mettais à hurler. Je pensais que vous n'étiez pas heureux, que quelque chose ne tournait pas rond dans votre couple. J'avais dit à Michelle : « Cette fois, ça doit être grave. »

En entendant son prénom, Michelle sursauta. Jackie observa sa sœur et sa mère qui la sondaient du regard avec insistance.

— La goutte a fait déborder le vase, je suppose, rétorqua Jackie d'un ton neutre.

— Quelle goutte ? insista Mme Ball. Tu ne nous as jamais expliqué.

— C'était il y a deux ans, maman ! Je ne me souviens pas de tous les détails.

La bouche en cul-de-poule, Mme Ball la toisa.

— J'essaye simplement de t'apporter un peu de soutien maternel.

— Et moi ? se plaignit Michelle. Je n'ai pas droit à ton soutien ? Alors que je suis sur le point de devenir une mère célibataire.

— Il fallait y penser avant de t'allonger sous Justice Fortune.

Elle se tourna vers Jackie et ajouta :

— Cette pause, entre toi et Dan, elle va durer combien de temps ?

— Elle a acheté sa tenue pour le mariage, informa Michelle. Mais si tu ne te remues pas, elle ne sera plus de saison et maman sera obligée d'en choisir une autre.

— Tais-toi. De toute façon, désormais, je ne peux plus porter un ensemble dont le bas et le haut sont de la même taille. Et certaines vendeuses n'aiment pas séparer les pièces.

— Très bien ! annonça Jackie excédée. Je ne sais même pas si ce mariage aura lieu.

Mme Ball porta la main à sa gorge.

— Nous avons tous nos petits défauts, Jackie. Si je devais dresser la liste de tout ce que ton père m'a fait subir depuis des années, je n'en verrais pas la fin. On t'offre une seconde chance sur un plateau, mais il n'y a que toi pour en faire un sac de nœuds.

Les joues rouges, inquiète, épuisée, elle se voûta et ferma les yeux. Après quelques instants, un curieux sifflement s'échappa de son nez.

— Elle dort ? demanda Jackie à sa sœur.

— Aucune idée. Pince-la.

— Non. Un peu de paix ne peut pas nous faire de mal.

— Alors, tu vas te réconcilier avec Dan ? Ou tu disais ça pour l'énerver ?

— J'ai l'intention de me réconcilier avec lui. Un de ces quatre.

— Quel enthousiasme, commenta Michelle.

— Maman a raison, c'est moi qui complique tout. Je me fiance avant de divorcer, je pousse Henry à refuser le divorce, et maintenant je viens de quitter Dan. C'est n'importe quoi !

— Au moins tu es vivante.

— Qu'est-ce qui te rend aussi philosophe ?

— Je ne sais pas. Je me sens heureuse. C'est peut-être hormonal.

— Heureuse ?

— C'est bizarre, non ? Et sans prendre d'ecstasy.

— Tu n'es pas inquiète à propos de Justice Fortune ?

— Je ne peux pas faire grand-chose avant la naissance des bébés. Et maman se fait déjà du mouron pour nous tous.

Michelle tapota son énorme ventre. Cette béatitude inattendue rendit Jackie envieuse. Pourquoi n'arrivait-elle pas à faire ce qu'il fallait faire ? Pourquoi devait-elle toujours tout gâcher ? Mme Ball se mit à ronfler.

— Tu crois que j'ai tendance à éviter les confrontations ? demanda Jackie. J'ai peut-être la phobie du mariage.

— Non, les gens qui veulent rester libres et sans attaches ne sont pas comme toi. N'en doute pas, je suis sortie avec suffisamment de types pour le savoir.

— Merci, soupira Jackie soulagée.

Ce n'était donc pas sa faute si elle tombait amoureuse d'hommes qui finissaient par la décevoir. À sa place, n'importe qui aurait fait sa valise.

— J'ai souvent pensé que tu visais trop haut, néanmoins, commenta Michelle.

— Pardon ?

— Tu te laisses emporter par un moment grisant et tu imagines que ça va durer toujours.

— Ce n'est pas un défaut, Michelle. C'est ce que les gens ressentent quand ils sont amoureux. Ça ne t'est jamais arrivé ; c'est pour ça que tu ne comprends pas.

— Je suis réaliste. Je n'ai pas envie d'accumuler les déceptions.

— Je n'ai pas l'impression d'accumuler les déceptions.

— Tu attends beaucoup des hommes, Jackie.

— Je devrais être moins exigeante, c'est ça ?

— Si tu l'étais, tu partirais peut-être moins souvent avec une valise.

— Tu ne sais pas de quoi tu parles, répliqua Jackie avec amertume. Quoi qu'il en soit, si j'avais voulu choisir celui qui allait briser mes illusions, Henry aurait été un parfait candidat.

— Tu lui as laissé une chance de se rattraper ?

— Bien sûr ! Plusieurs même ! Ce n'est pas ma faute s'il s'est révélé être un pauvre type.

Elle aurait tant aimé le croire. Autrement, il risquait d'apparaître moins noir aux yeux des autres. Et elle moins blanche.

— Il est encore passé hier, annonça Emma quand Jackie arriva au magasin. C'est sa troisième visite en deux jours. Tu devrais peut-être faire montre d'un peu de compassion et lui adresser la parole.

— Tu as hâte de te débarrasser de moi, c'est ça ?

— Non, grommela Emma. Je suis contente de pouvoir t'héberger.

Malgré la chaleur, elle portait un pull en coton à col roulé. Jackie s'en étonna, mais son associée lui expliqua qu'elle s'était enrhumée en jardinant.

— Pourquoi Lech porte-t-il aussi un col roulé ? s'enquit Jackie. Il t'a aidée ?

Emma rougit.

— Il n'y a pas de quoi en avoir honte, reprit Jackie.

— Si ! C'est lamentable. Je t'en supplie, ne le répète à personne. Autrement, je serai obligée de quitter Dublin.

— Tu exagères.

— Je ne comprends pas comment ça a pu se reproduire. J'ai peut-être besoin de voir un psy. Ou alors, ça fait tellement longtemps que je néglige mes désirs qu'ils ont dû se dérégler et qu'il va falloir me faire châtrer.

— Écoute, tu as rencontré un type super. Pourquoi ne te contentes-tu pas d'en profiter ?

— C'est de Lech qu'il s'agit.

Jackie acquiesça.

— Lech, insista Emma.

Comme s'il avait été sommé de se présenter, Lech poussa la porte du magasin.

— Quelle belle journée ! déclara-t-il.

Sans le regarder, Emma glissa un bouquet à livrer vers lui et ordonna :

— Hôpital St James.

— C'est l'heure de ma pause, répondit Lech d'un air blessé.

— Va boire ton café dehors, gronda Emma.

Lech jeta un œil sur Jackie et, à voix basse, il demanda à Emma :

— On pourra se voir plus tard ?

— Non ! Non, non, non !

Il saisit le bouquet et sortit d'un pas raide.

— Le pauvre, s'apitoya Jackie.

— J'aimerais modifier mes horaires de travail, annonça Emma. Si ça ne te dérange pas, je préférerais venir le matin.

Lech ne travaillait pas le matin.

— Si tu veux, accepta Jackie. Mais, à mon avis, tu devrais lui laisser une chance.

Emma changea de sujet.

— Tu as reçu un nouvel exemplaire de *Globe*.

Jackie saisit le journal et visa la poubelle.

— Tiens, voilà ce que j'en fais !

Emma observa Jackie.

— Tu ne souhaites pas prendre ta pause maintenant ? reprit Jackie.

Son associée opina du chef et sortit. Jackie se rua sur la poubelle et en sortit le quotidien. Henry n'avait pas écrit de critique. Ce qui n'était guère étonnant vu qu'il avait principalement mangé ce qu'on lui avait servi à l'hôpital. En tournant les pages, Jackie se mit à douter.

Après tout, ce qu'elle avait lu la dernière fois était peut-être simplement une stratégie publicitaire destinée à tester l'attention du public en vue de lui vendre quelque chose. Elle inspecta les petites annonces. Un nouveau poème y figurait :

Jour et nuit
Tu occupes mon esprit,
Mes rêves les plus doux,
Tu es partout.
Pour Jackie.

14

— Si vous réfutez le comportement déraisonnable, vous devez prouver que les allégations du demandeur sont fausses, déclara maître Knightly-Jones d'un air imposant. Le sont-elles, monsieur Hart ?

L'avocat au visage d'une pâleur mortelle le fixait de ses yeux gris. Henry aurait bien aimé le toiser de la même façon, mais son œil au beurre noir le gênait.

— Oui, affirma-t-il avec arrogance.

Le principal était d'avoir l'air sûr de soi, songea-t-il.

— Vous pouvez donc prouver à un juge que ce dont votre femme vous a accusé est un tissu de mensonges ?

Henry eut l'impression d'être un écolier qui s'était fait prendre alors qu'il trichait pendant un contrôle de maths. Quant à Tom, il observait son patron tel un soldat aux ordres.

— Oui ! répéta Henry avec fermeté.

Knightly-Jones poussa un petit soupir et jeta un regard malveillant à Tom, comme si, par la faute de ce dernier, il était obligé de s'occuper d'un litige dérisoire.

— La requête, ordonna-t-il.

En un éclair, Tom déposa le document et les lunettes du grand homme sur le bureau de celui-ci. Tandis que le ténor du barreau lisait en silence, même les murs semblaient retenir leur souffle.

— Vous voyez, interrompit Henry, ce qu'elle a écrit est ridicule. Si ça a mal tourné, c'est à cause d'autre chose.

— Nous pouvons uniquement nous baser sur les faits allégués pour construire notre défense, rétorqua l'avocat.

Henry opina docilement du chef.

— Commençons par la première accusation : « défaut de participation à la vie conjugale ».

— À l'époque, elle ne me l'avait pas reproché, informa Henry.

Les deux hommes le regardèrent avec sévérité.

— Si c'est faux, avez-vous réellement les arguments pour le contester ? questionna Knightly-Jones. Je vous préviens, je déteste être pris au dépourvu face à un juge.

— Oui, répondit Henry.

— Je vous écoute.

— Pardon ?

— Quels sont vos arguments ?

— Ce n'est pas à vous de les trouver ?

— Monsieur Hart. Nous avons besoin de faits, de preuves. Nous devons démentir les allégations de ses témoins. Son avocate nous a envoyé le témoignage d'une dénommée Emma Byrne. Tom ?

Tom ouvrit une chemise et lui tendit une feuille de papier.

— Ne faites pas attention aux propos d'Emma, déclara Henry. C'est la meilleure amie de Jackie. Elle raconterait n'importe quoi pour lui faire plaisir.

— Je ne peux pas arguer cela au tribunal.

Il avança la main vers un verre d'eau que Tom s'empressa de lui apporter en murmurant :

— Vous devez partir dans dix minutes.

— Oui, oui, je sais.

D'un geste de la main, Knightly-Jones le chassa comme une vulgaire mouche.

— Monsieur Hart, si vous tenez vraiment à contester les fautes invoquées par le demandeur, alors celles-ci, ainsi que vos allégations, feront l'objet d'un examen minutieux. Pour assurer votre défense, j'ai besoin de preuves, d'arguments sérieux.

Henry se sentit sous pression. Ça ne se passait jamais de cette façon dans les romans de John Grisham.

— Je peux invoquer les exigences de mon métier : critique gastronomique. Et dire que je ne pouvais pas toujours me rendre disponible quand elle claquait des doigts.

— Elle claquait des doigts ?

— Oh oui. À la fin, elle était très exigente vis-à-vis de moi.

— Pourquoi à votre avis ?

— Je ne sais pas. Elle habitait dans une jolie maison, elle adorait Londres, les mondanités, les boutiques, elle pouvait dépenser sans compter.

— Elle n'avait donc aucune raison d'être exigeante ?

Henry le toisa.

— Votre ton ne me plaît pas.

Le regard de l'avocat se durcit.

— Vous ne lui avez jamais demandé pourquoi elle n'était pas comme vous auriez souhaité qu'elle fût ?

— C'est une thérapie ? répondit Henry en s'énervant.

Knightly-Jones grimaça.

— Je vous pose simplement les questions qu'un magistrat est susceptible de vous poser, monsieur Hart. Chaque allégation va être examinée en détail et vous pourrez renoncer à compter les heures de travail que nous allons passer sur cette affaire.

Tom jeta un regard furtif sur Henry. Il semblait

presque apitoyé. Puis il se tourna vers le grand avocat et chuchota :

— Cinq minutes.

Les joues enflammées, Henry déclara :

— Allez-y. Je ne veux pas vous retenir avec des problèmes aussi insignifiants.

La morgue de Knightly-Jones s'atténua. Son visage d'ange de la mort paraissait presque chaleureux. Ce qui était encore plus inquiétant, songea Henry.

— Non, non, martela-t-il. Passons à la deuxième allégation : « manquement au devoir de secours moral ».

Henry commençait à le haïr.

— Il est très difficile de contester ce que ressent personnellement votre épouse, reprit-il. Vous comprenez ?

— Non ! tonna Henry. J'ai des arguments, je vais vous en donner ! Il est impossible de s'impliquer dans le domaine affectif avec quelqu'un qui vous prend pour Don Corleone !

Ensemble, ils le dévisagèrent d'un air stupéfait.

— Ce n'était pas moi qu'elle aimait, poursuivit Henry. C'était un autre.

— Dans ce cas, je vous conseille de réfléchir sérieusement à votre intention de réfuter les faits allégués, déclara l'avocat.

— Quoi ? Vous croyez déjà que c'est fichu ?

Knightly-Jones croisa ses mains molles et blanches sur son bureau.

— Monsieur Hart, de toute évidence, votre femme tient à divorcer. Aussi brillante que soit votre défense, aussi convaincantes que soient vos preuves, elles ne pourront changer le fait que votre épouse souhaite la dissolution du mariage.

— Avec stupeur, Henry prit conscience qu'il n'avait jamais vu les choses sous cet angle.

— Oui, c'est parfaitement clair, répondit-il abasourdi.

— Naturellement, nous suivrons vos instructions. Laissez-moi néanmoins vous avertir qu'aucun juge ne se prononcera en faveur du maintien du mariage.

— J'ai compris, merci.

La porte s'ouvrit et une secrétaire surgit dans la pièce.

— Votre chauffeur est arrivé, Maître.

Tom voleta dans la pièce comme un moineau agité. Il saisit des dossiers, des stylos et des parapluies tandis que d'autres assistants s'affairaient pour accélérer l'exode. L'un d'entre eux rangea les lunettes de l'avocat dans un étui gainé de cuir qu'il glissa ensuite à l'intérieur de la poche de la veste de ce dernier. Henry se demanda s'il fouettait aussi Knightly-Jones en privé.

— Faites-moi part de votre décision, monsieur Hart, déclara l'avocat. Nous pouvons aussi leur intenter un procès pour agression. Je serais ravi de ridiculiser cette odieuse avocate – comment s'appelle-t-elle déjà ? Vera ? Verucca ?

— Velma, rectifia Tom. Je peux m'en occuper. Moi non plus, je ne l'aime pas.

— Voyez ça avec M. Hart.

Knightly-Jones agita sa main pâle et sortit avec son bataillon de secrétaires et d'assistants. Henry se retrouva seul avec Tom.

— Si vous souhaitez leur intenter un...

— Non, coupa Henry.

— Ah. Très bien.

Tom tripota nerveusement son stylo.

— Vous trouviez que j'étais stupide, vous aussi ? s'enquit Henry.

— Moi ? répondit Tom d'un air terrifié.

— Oui. Vous.

— En fait, non. Si je voulais divorcer d'avec quelqu'un, j'aimerais bien que la personne en question essaye de m'en empêcher et se batte pour me garder.

— Je ne me battais pas pour elle, grogna Henry.

— Non, bien sûr que non. Dois-je les... prévenir ?

— Je vais m'en charger.

— C'est fini, déclara Henry à Dave. Mais je tiens à te dire que j'ai vraiment aimé cette femme. Et je n'ai pas honte de l'avouer, maintenant que c'est fini. Vraiment fini.

Henry était content de lui-même. Peut-être commençait-il à guérir ?

— Avant de la rencontrer, je ne savais pas ce que c'était qu'aimer, reprit Henry d'une voix émue. Je n'avais éprouvé que du désir envers d'autres femmes. Avec Jackie, j'ai connu l'amour mêlé au plaisir sexuel. C'est une combinaison formidable que je recommande à tout le monde.

— J'en prends bonne note, rétorqua Dave. Si jamais je dois me remarier. Ce qui est d'ailleurs fort possible vu que je devais rentrer à la maison à quatre heures pour réparer la machine à laver. Dawn va être furieuse. En plus, je suis encore bourré.

— Elle te pardonnera.

— On voit que ce n'est pas toi qui lui feras face.

Henry décapsula deux nouvelles bières. Après la journée qu'il avait passée – sa défense partie en fumée –, il le méritait bien.

— Je suis désolé pour la dernière fois, déclara-t-il. Je n'ai pas été sympa avec toi.

— Ce n'est pas grave, répondit Dave d'un ton magnanime. Peu de mes amis le sont, selon Dawn. Par ailleurs, elle t'aime beaucoup. Je ne sais pas pourquoi.

— Moi aussi, je l'aime bien.

Dave plissa les yeux.

— Tu n'as pas de vues sur elle, j'espère ? Maintenant que tu t'apprêtes à divorcer. Tu te souviens d'Andy Carroll ? Dès que sa nana l'a plaqué, il a dragué les femmes de tous ses copains. Sauf Dawn. Elle était très vexée.

— J'ignore encore si je vais accepter la requête de Jackie, décréta soudain Henry.

— Tu parles ! Jackie t'a vaincue et tu en as conscience.

— Mais je me suis battu, souligna Henry.

— C'est vrai, reconnut Dave. Tu lui as fait honneur. Elle s'en rendra compte quand elle sera moins en colère.

— Je lui annoncerai moi-même qu'elle peut divorcer. Et épouser sa brute épaisse de fiancé si elle le souhaite.

— Je suis fier de toi, déclara Dave. Te connaissant, je pensais que tu lutterais jusqu'au bout.

— Force est de reconnaître qu'elle n'a pas tort. Je ne l'ai pas soutenue moralement et je n'ai pas assez participé à la vie de couple.

— Écoute, nous sommes tous coupables de cela, apparemment. C'est étonnant qu'il n'y ait pas davantage de divorces.

— Je devrais sans doute lui dire que je suis désolé, bredouilla Henry.

À jeun, il savait qu'il n'aurait pas tenu le même discours. Mais l'autoflagellation lui plaisait assez.

— Fais-le, l'encouragea Dave. Passe-lui un coup de fil ! Présente-lui tes excuses.

— Non, marmonna Henry.

— De toute façon, il te faut la prévenir que tu ne bloqueras plus la procédure. Tu te sentiras mieux. Purifié.

— Purifié ?

— Ouais. D'après un livre de Dawn, pour pouvoir vraiment se sentir libre, s'excuser auprès de toutes les personnes qu'on a fait souffrir est indispensable.

— Au cours d'une vie entière ? s'étonna Henry.

— Je crois, oui. Enfin, pour ma part, j'ai seulement le numéro de la moitié d'entre elles.

— Il doit s'agir uniquement des femmes.

— C'est bien ce que je sous-entendais, gloussa Dave. Ne le répète pas à Dawn, hein ?

— Quoi qu'il en soit, Jackie ne va pas s'émouvoir si je l'appelle maintenant en pleurnichant que je suis désolé.

— Attends demain matin, alors, suggéra Dave.

— Non, je sais ! s'illumina Henry. Je vais lui écrire.

— Tu ne peux pas oublier cinq minutes que tu es écrivain ?

— Ce n'est pas ça ! En fait, je réfléchis mieux quand j'écris. J'arrive à exprimer ce que je ressens.

Dave bâilla. De toute évidence, il était captivé.

— Tu me permets d'appeler un taxi ?

— Quoi ? Je suis au beau milieu d'une épiphanie et tu veux m'abandonner ?

— Quelle épiphanie ?

— Je me prépare à me dévoiler à Jackie, Dave !

— Le livre de Dawn ne parlait pas de se dévoiler. Il préconisait simplement une excuse modeste. Henry, tu en es capable, non ? Pourquoi dois-tu toujours compliquer la situation ?

— Je ne complique rien, répondit-il en quête d'une feuille de papier.

— Si ! Tu gémis sans cesse à propos de ton boulot alors que, si tu le souhaitais, tu pourrais démissionner. Au lieu de divorcer comme tout le monde, tu en fais tout un cinéma. Tu adores les scènes !

— C'est faux.

— Arrête ! Ta façon d'errer comme une âme en peine, de piquer une crise dès que tu sens que ta semaine va être un peu trop calme. J'ai l'impression que tu n'as pas envie d'être heureux !

— Je veux être aussi heureux que mon prochain ! affirma Henry.

— Alors essaye de t'atteler à cette tâche parce que tu me rends dingue.

— J'ai l'intention de changer, annonça Henry avec emphase.

— Ne tarde pas trop, alors. Mon foie ne peut plus supporter ces séances de beuverie.

— Incroyable ! s'exclama Henry. Pas moyen de trouver une feuille de papier sous mon propre toit. Lève-toi, tu dois être assis sur un carnet.

— Non, grogna Dave.

Finalement, Dave sortit de sa poche une facture de téléphone qu'il tendit à son interlocuteur.

— Tu es mon témoin, déclara celui-ci en s'emparant d'un stylo. Je vais me purifier et, ensuite, me dévoiler.

— Sans moi, répondit Dave en se levant.

Henry le regarda se diriger vers la porte.

— D'après la rumeur, si tu ne reviens pas travailler la semaine prochaine, ils vont te virer, reprit Dave en se retournant. Ils comptent t'en informer par écrit, mais j'ai préféré te prévenir.

— Ça aussi, je vais m'en occuper, rétorqua Henry.

Et dire que Jackie, en cherchant à divorcer, lui avait fait prendre conscience de tout ce qui n'allait pas dans sa vie. « Quelle femme merveilleuse », songea-t-il, la larme à l'œil. Il ne la méritait pas. Et à présent, il était temps de grandir et de la laisser filer dans les bras d'un autre. Un gangster. Mais ça, il n'y pouvait pas grand-chose. En ce qui le concernait, l'expérience ferait de lui quelqu'un de meilleur.

Il termina sa bière et, avec une ferveur religieuse, commença à écrire.

Jackie et Henry avaient passé leur lune de miel à Tenerife. Lui avait trouvé ça ringard, trop cher et conservait le souvenir d'une nourriture exécrable. Elle, en revanche, avait adoré. Elle était revenue à Londres avec un joli bronzage et dix paires de claquettes. Au volant de la voiture, en s'éloignant de l'aéroport, il avait pointé un bout d'algue desséchée enroulée autour de son poignet.

— Qu'est-ce que c'est que ce truc ?

— Un porte-bonheur.

— Qui t'a coûté combien ? Dix livres ?

— Quinze, en fait. Mais la femme qui me l'a vendu semblait avoir besoin de cet argent.

Son visage anguleux était parsemé de taches de rousseur et ses cheveux frisés avaient éclairci au soleil de Tenerife.

— Je sais ce que tu penses, avait-elle ajouté.

Mais il avait simplement pensé qu'elle avait l'âme noble alors que la sienne, en comparaison, était noire. Jackie était bonne, pure, propre. Lui sentait. Sous la chaleur de Tenerife, il n'avait pas cessé de transpirer. Un soir, elle avait tenu à marcher pieds nus le long d'une plage jonchée de coquillages tranchants. Il avait passé la nuit de sa lune de miel avec une pince à épiler ! Jackie, elle, n'avait pas été blessée. Normal, elle touchait à peine le sol. Il le lui avait fait remarquer avec tact.

— Je suis Poisson, avait-elle répondu, comme si cela expliquait tout. Et toi ?

— Gémeaux.

— Ah. Je comprends mieux maintenant.

Elle était déroutante. Pour ne rien arranger, elle semblait le prendre pour un héros de roman, une sorte de croisement entre Heathcliff et M. Darcy – ce qui, bien que flatteur, demandait un travail épuisant. Tous ces sourires désinvoltes, ces attitudes énigmatiques... Il n'en pouvait plus.

Le principal, néanmoins, était qu'elle l'aimait. Et elle était si différente des glaçons sophistiqués qu'il avait l'habitude de fréquenter. Nature, Jackie ne prenait pas de grands airs. Parfois, quand elle lui souriait, il en avait le souffle coupé.

Par crainte de la décevoir, il avait donc décidé de ne rien modifier à son comportement. De ne pas lui parler du fait qu'il détestait son boulot et de ne pas lui confier qu'il trouvait que sa vie n'avait pas de sens.

Sur le siège du passager, Jackie savait ce qu'il pensait à propos du bracelet. Qu'elle s'était fait arnaquer comme une touriste typique. Il la regardait souvent comme une curiosité amusante. Le genre de personne qu'il n'avait pas l'occasion de croiser dans ses soirées mondaines, mais qui néanmoins l'intriguait. Elle s'était demandé si le mystère allait perdurer. Elle l'avait déjà surpris en train de grimacer tandis qu'elle reprenait à tue-tête le refrain d'une chanson qui passait à la radio. Hormis cela, leur lune de miel avait été parfaite ! Pas d'échéances, pas de coups de fil, pas d'agent aux cheveux décolorés. Un cocon de bonheur. Il avait essayé de jouer les ombrageux, les machos, mais il était difficile d'avoir l'air tourmenté quand on portait un chapeau sur lequel était marqué : « *Embrasse-moi vite* ». Elle le lui avait acheté sur un marché de Tenerife. Dès le troisième jour, il s'était déridé, et à la fin de la première semaine, elle avait commencé à espérer qu'il était plus ouvert. Cependant, même après plusieurs verres de mauvais vin, Henry ne s'était jamais vraiment livré. Secret, réservé, prudent, l'idée de se laisser aller semblait le terrifier. Bien entendu, elle n'avait jamais eu ce problème. Elle avait pris quatre kilos pendant sa lune de miel.

Dans sa robe d'été, elle avait appréhendé le retour à Londres. La grisaille, les soirées pendant lesquelles les gens la poussaient pour s'approcher d'Henry. Les hordes de femmes qui buvaient ses paroles et le suppliaient de lui donner l'adresse du dernier restaurant à la mode. Parfois, Jackie avait envie de leur dire qu'il y avait des choses plus importantes que la cuisine dans le monde. Mais elle ne voulait pas qu'on raconte que la femme d'Henry Hart manquait de raffinement. Ou qu'il pense qu'elle se fichait de sa carrière. Aussi avaitelle continué à sourire brillamment et à tâcher d'inviter ses amis superficiels à venir dîner chez eux. Ils ne lui plaisaient pas spécialement, mais ils s'exprimaient avec des phrases courtes et incisives, comme Henry. Et vu qu'ils faisaient partie de sa nouvelle vie, elle devait apprendre à les aimer. Ou faire semblant.

Tant qu'elle était avec Henry, rien ne la dérangeait. Parmi les Hannah, Miranda et Tanya, c'était elle qu'il avait choisie et elle n'en revenait pas. Et même s'il avait tendance à refouler ses sentiments, elle donnerait pour deux. Quand elle s'y mettait, elle arrivait à faire fondre une pierre. Dans la voiture, elle lui avait pressé la main.

— Oh, regarde. C'est Big Ben. Quelle horloge magnifique !

— Je vois Big Ben tous les jours, Jackie.

Elle avait eu l'impression qu'il la prenait pour une plouc.

— Pas moi, avait-elle bredouillé.

Henry s'en voulait. Il sentait bien qu'il l'avait blessée. Mais plus ils s'éloignaient de l'aéroport, de la lune de miel et du soleil, plus sa claustrophobie croissait. Durant quinze jours consacrés à batifoler sur les plages avec Jackie, il avait presque réussi à oublier son travail. Que devait-il lui suggérer ? De faire demi-tour et de sauter dans le prochain avion en partance pour une destination inconnue ? De retourner à Tenerife ? Même si c'était très touristique, c'était toujours mieux que Londres. Mais les clés de la maison à la main, le visage rayonnant d'optimisme, elle l'avait regardé comme si tout était normal, et il n'avait rien osé lui proposer. Pour lui, elle avait quitté Dublin. Il n'allait quand même pas lui expliquer qu'il rêvait de passer sa vie sur les plages. Elle serait rentrée chez elle en criant qu'elle avait été escroquée.

— Qu'y a-t-il, Henry ? lui avait-elle lancé.

— Je t'aime, c'est tout.

— Moi aussi, avait-elle répondu avec ferveur.

Et il s'était dit qu'avec l'amour de Jackie peu importait le reste.

Sur l'un des clichés de leur lune de miel, Henry se tenait sur une jetée et, au moment où Jackie avait pris la photo, il avait fait mine de perdre l'équilibre. Sur d'autres, il portait ses lunettes de soleil à l'envers ou trempait sa langue dans une chope de bière. Il paraissait déterminé à ne pas jouer au jeune époux romantique. Quant à Jackie, elle se pâmait sur toutes les photos. Les yeux mi-clos, les lèvres constamment humides, elle ressemblait à une publicité de vacances exotiques bon marché. Elle se demanda pourquoi elle avait emporté ce paquet de clichés ratés le soir où elle avait quitté Henry. Et choisi de remplir sa valise avec des robes du soir et des escarpins.

Quoi qu'il en fût, elle comprenait mieux la raison pour laquelle, dès le départ, son couple avait été voué à l'échec : entre un type qui ne prenait pas sa lune de miel au sérieux et une femme qui cherchait à vivre éternellement dans un fantasme de gamine de sept ans, le fossé avait été trop grand.

Pourtant, parmi les photos qu'elle contemplait, il y en avait une sur laquelle ils figuraient tous les deux. Et Henry la dévisageait comme s'il pensait qu'ils étaient vraiment faits l'un pour l'autre. Les yeux emplis de larmes, Jackie saisit une boîte de mouchoirs. En se mouchant, elle décida qu'elle brûlerait les photos. Avec du pétrole et dans un grand tonneau.

Pour comble d'insulte, elle entendit Emma et Lech gémir de plaisir dans la pièce voisine. La cloison semblait aussi épaisse que du carton.

— Vas-y, mon bébé, murmurait Lech.

Allongée sur son lit à une place, Jackie se boucha les oreilles. Elle était certaine qu'Henry n'avait aucune difficulté à s'endormir sous sa couette douillette. À Londres, elle avait fait réaménager leur chambre à coucher par un spécialiste du *feng shui*. Il se réveillerait donc frais et dispos, avec les pieds orientés vers le nord. Elle ne savait même pas dans quelle direction pointaient les siens. Probablement vers une décharge locale ou une maison de ratés.

Quant à Dan, il était certainement en train de planter des aiguilles dans une poupée aux cheveux frisés. En début de soirée, il l'avait appelée pour lui demander :

— Tu reviens quand ?

— Aucune idée.

Il n'était pas encore pardonné. Elle avait attendu qu'il la supplie, mais il avait aboyé :

— Tu penses que je vais me contenter de cette réponse ?

— C'est à cause de ce que tu as fait que je suis partie ! lui avait-elle rappelé.

— Et tu comptes m'en tenir rigueur pour toujours ?

— J'ai simplement besoin de clarifier certaines choses, d'accord ?

— Quelles choses ?

— Je n'ai pas fini de rédiger la nouvelle requête.

— Quand doit-il déposer son mémoire ?

— Dans quatre jours.

— Alors en principe, tu devrais te dépêcher. Sauf si tu as un secret à cacher.

— Moi ? Certainement pas !

— Dans ce cas, je ne sais pas de quoi tu as peur.

Du chagrin, des confrontations, de l'échec. De ce qui n'avait pas sa place dans l'univers d'une idéaliste. Elle aurait pu facilement l'accuser de lourdes fautes dans la demande de divorce. Personne ne l'en aurait blâmée. Surtout en apprenant la vérité. Et on ne l'aurait pas traitée de lâche !

De l'autre côté du mur, Lech et Emma remuaient de plus en plus en vite. Jackie avait l'impression que l'immeuble entier tremblait. Elle repoussa sa couverture et se dirigea vers la cuisine.

Elle fit bouillir de l'eau et relut le poème qu'elle avait découpé dans le journal. Henry n'était pas assez romantique pour l'avoir composé, pensa-t-elle. Combien de fois s'était-il moqué de sa candeur, de sa gentillesse ? Mais naturellement, pour le divorce, il avait banqué sur son indulgence, son aversion des conflits. Il s'était dit qu'elle n'aurait jamais le courage de soulever le véritable problème. Ce qui lui permettait d'apparaître blanc comme neige et de la faire passer pour une irresponsable qui avait laissé tomber un homme bien. Pas étonnant qu'elle n'arrive pas à terminer sa liste si elle n'écrivait pas pourquoi elle tenait réellement à divorcer.

Depuis presque deux ans, elle avait essayé de s'endurcir. Elle n'avait rien pu faire pour modifier le son de sa voix de souris, mais ses talons aiguilles et ses ongles pointus semblaient suffisamment menaçants. Quelque chose la troublait néanmoins. Pourquoi se promenait-elle encore avec les photos de sa lune de miel ? Pourquoi avait-elle accepté de se remarier avant d'avoir divorcé ? Pourquoi laissait-elle Henry esquiver la vérité et mener la danse ?

Les vibrations provoquées par les ébats de Lech et d'Emma déclenchèrent l'alarme de l'appartement situé à l'étage plus bas. Sans prêter attention au raffut, Jackie chiffonna le poème d'amour et le jeta dans la poubelle.

15

Depuis quelques semaines, Velma souffrait de démangeaisons. Elle avait remplacé sa nouvelle couette par l'ancienne, changé de marque de bain moussant, s'était mise à porter uniquement des vêtements de coton et, malgré cela, elle continuait de se gratter furieusement. Alors qu'elle se demandait s'il s'agissait d'une allergie liée à un quelconque aliment, son regard se posa sur un dossier et elle comprit enfin : Henry Hart était à l'origine de son inconfort.

Velma n'avait jamais rencontré un époux aussi rusé et cruel. Bel homme, par ailleurs. (Jackie lui avait montré une photo. Velma aimait bien voir la tête de ses adversaires. Il avait une fossette à la joue gauche.) Mais ce n'était pas ses manœuvres habiles qui exaspéraient Velma, ni le fait qu'il n'ait toujours pas déposé les armes. Ce qui la perturbait le plus, c'était qu'il ait laissé partir une femme comme Jackie. La plupart des gens qui débarquaient dans son cabinet méritaient un divorce. Elle-même n'aurait pas voulu d'eux. Grognons, mal fagotés, égocentriques, ils s'asseyaient en face d'elle et se plaignaient des infidélités de leur conjoint. Qui aurait pu blâmer ces derniers ? Personne n'avait envie de rentrer chez soi pour trouver une âme sœur renfrognée, avec pour seul réconfort la télévision, une bouteille de vin ou un paquet de biscuits entamé. Bien entendu, Velma ne leur donnait jamais son point de vue et évitait d'y penser car elle ne pouvait s'empêcher de compatir à l'égard des indésirables.

Jackie Ball n'était ni égoïste ni manipulatrice et elle ne se lamentait pas sur son sort. En vérité, Velma ne lui trouvait aucun défaut, hormis ses goûts vestimentaires douteux. Jackie était charmante et ne méritait pas d'être traitée de cette façon. Du coup, Velma en faisait une affaire personnelle. Par ailleurs, si Jackie Ball, avec sa taille de guêpe, ne plaisait pas, quel espoir restait-il à Velma ?

Elle avait envie d'écrabouiller Henry comme un insecte. Quant à ce Ian Knightly-Jones, elle se demandait si, à l'origine, il ne s'appelait pas plutôt Arthur Dash. Quoi qu'il en fût, son dédain ne l'impressionnait absolument pas. Elle se ferait un plaisir de le confronter au tribunal ! En toute honnêteté, elle préférait ne pas en arriver là. Ses cours de droit américains ne lui avaient pas enseigné à plaider devant un juge et elle ne connaissait pas bien les lois du divorce anglais.

Plus que trois jours avant qu'Henry Hart dépose son mémoire. Serait-elle censée y répondre ? Velma paniqua. À travers la fenêtre, elle aperçut Jackie Ball. Dans une minute, elle serait dans son bureau.

Quand sa cliente s'installa en face d'elle, Velma était prête.

— Naturellement, le tribunal nous enverra une photocopie de son mémoire, lança l'avocate en bluffant. Ça devrait être amusant ; je l'attends avec impatience. Ensuite, le juge fixera la date de... l'audience.

Par chance, Jackie l'interrompit :

— Velma, vous avez beaucoup travaillé sur ce dossier et je ne tiens pas à ce que cela ne serve à rien.

— Non, non.

— Je dois néanmoins vous avouer que je n'ai pas été totalement franche avec vous.

— À propos de quoi ? s'enquit Velma.

En fin de compte, sa cliente n'était pas si innocente que cela, songea-t-elle.

— Des fautes commises par Henry.

— Ah, se réjouit-elle, soulagée.

— Il me trompait, je crois, confia Jackie.

Henry essaya de se détacher de son oreiller. Son crâne pesait une tonne. Par ailleurs, quelqu'un l'avait probablement empoisonné car une envie de vomir oppressante le tenaillait. Hélas ! impossible de bouger.

Il ouvrit un œil. Au moins, il se trouvait dans sa propre chambre et pas sous un camion ni à l'intérieur d'un caisson de décompression. Sa bouche était sèche, sa langue enflée. Son sens du toucher fonctionnait encore et il perçut quelque chose entre ses bras. S'agissait-il d'une femme ? Était-il sorti la veille ? Avait-il été accosté par une étrangère ? Il en doutait ou alors elle était vraiment petite, avec un cou mais sans tête. Cependant, au point où en étaient les choses, il ne pouvait pas se permettre d'être trop difficile. Il la palpa de nouveau, sentit une étiquette et découvrit une bouteille de scotch vide. Il s'arracha du lit et courut vers la salle de bains.

Plus tard, bien plus tard, il entendit le téléphone qui sonnait. Il s'était assoupi sur la lunette des toilettes.

— Laissez-moi tranquille, gémit-il.

La sonnerie s'interrompit puis reprit. La stratégie d'Adrienne consistait à laisser des intervalles de cinq minutes entre chaque appel jusqu'à ce qu'il perde patience et finisse par décrocher. D'un ton enjoué, elle lui déclarait alors : « Je savais bien que vous étiez là ! » Néanmoins, depuis quelque temps, l'entrain d'Adrienne s'amenuisait. Henry avait annulé deux séances de photos en lui expliquant qu'il ne pouvait travailler avec des gens qui méprisaient les poulets. Les éditeurs du guide étaient furieux et Adrienne leur avait proposé un vieux cliché d'Henry du temps où il avait un rouget domestique. « Par votre faute, j'ai l'air de manquer de conscience professionnelle ! lui avait-elle reproché. Et quand allez-vous vous remettre au travail ? Franchement, j'en ai assez de m'occuper de vos affaires ! » Elle le fatiguait. Il décida qu'il allait la remercier. Si elle n'était plus son agent, elle cesserait de le harceler. Il rampa jusqu'au téléphone et décrocha.

— Henry ? (C'était Tom.) Il y a du nouveau. J'ai reçu un coup de fil ce matin et je voulais vous prévenir le plus tôt possible...

— Attendez un instant, coupa l'intéressé en se rapprochant de la salle de bains. Qui vous a appelé ?

— Velma Murphy. Elles vous accusent d'avoir commis un acte d'adultère.

Après un bref silence, Henry éclata de rire.

— D'adultère ? répéta-t-il.

— Oui.

— Pourquoi ?

— *Pourquoi ?* Selon Velma Murphy, en refusant le motif du comportement déraisonnable, vous ne leur avez pas laissé le choix.

— Mais je n'ai pas trompé Jackie.

— Ce n'est pas ce qu'elles disent.

— Elles mentent ! rugit Henry.

— Nous devons agir, déclara Tom.

— Vous ne me croyez pas ?

— Nous devons répliquer ! réaffirma Tom en s'énervant.

— Qu'en pense maître Knightly-Jones ?

Knightly-Jones réduirait en bouillie leurs fausses allégations car elles étaient grotesques ! Jackie délirait ! Quand aurait-il eu une aventure ? Avec qui ? Où ? Saisi de vertiges, Henry entendit la voix lointaine de Tom et le mot « réanimation ».

— Quoi ? s'écria-t-il.

— Il s'est évanoui hier, pendant un contre-interrogatoire. Le sténographe l'a rattrapé. Ils sont en train de lui faire un triple pontage. Mais ne vous inquiétez pas, vous êtes entre de bonnes mains avec moi.

Henry posa sa tête sur la lunette des cabinets.

— Henry ? Monsieur Hart ? Vous êtes encore là ?

— Écoutez, Tom. Je ne comprends pas. Pourquoi insistent-elles puisque j'ai renoncé à défendre mon point de vue ?

— Elles ne le savent pas encore.

— Quoi ? Vous ne leur avez pas annoncé ?

— Vous m'aviez dit que vous vous en chargeriez, répondit timidement Tom.

Henry se figea. La lettre. Il laissa glisser le téléphone dans la cuvette des toilettes et courut.

— Je ne peux pas vous la rendre, insista le postier.

— S'il vous plaît, implora Henry.

Près de la boîte aux lettres, affublé d'un pyjama et

d'un blouson, chaussé d'une vieille paire de tennis, il avait déjà attendu l'arrivée du postier pendant trente-cinq minutes sous le regard méfiant des passants.

— C'est contraire au règlement, rétorqua le fonctionnaire.

Henry eut un nouveau haut-le-cœur. Il imagina la tête de Jackie face à son radotage truffé d'excuses et de regrets. Non, c'était trop embarrassant. Il avait écrit le début au verso d'une facture de téléphone de Dave et la suite au dos d'une liste de courses. Elle découvrirait qu'il avait acheté du shampoing colorant pour homme et de nombreuses bouteilles de vin.

— Je suis malade, expliqua Henry. En fait, les médecins ne savent même pas combien de temps il me reste à vivre. C'est un courrier adressé à ma sœur. À propos de ma maladie. Elle n'est pas au courant. Je voulais l'en informer, mais ce matin j'ai appris qu'elle avait été licenciée.

Le postier commença à jeter les enveloppes dans son sac.

— Elle travaillait où ? À l'usine du Père Noël ?

— Écoutez, c'est une lettre d'ivrogne adressée à mon ex, d'accord ?

Son interlocuteur s'illumina.

— Il ne faut jamais rien poster en état d'ivresse. Ni téléphoner. On finit toujours par s'en mordre les doigts.

— C'est justement pour cette raison que j'aimerais la récupérer.

— Impossible. Je risquerais de perdre mon emploi.

— Elle m'accuse d'avoir été infidèle, confia Henry. Elle veut divorcer.

Le sourire du postier s'effaça.

— J'ai divorcé d'avec ma femme parce qu'elle me trompait. Elle m'a brisé le cœur.

— Mais je ne suis pas coupable d'adultère. C'est un mensonge !

— C'est aussi ce qu'affirmait mon épouse. Et elle se tapait mon meilleur ami. Vous devriez avoir honte.

Il toisa le perturbateur avec dégoût et continua d'entasser le courrier dans son sac. Henry se sentit révolté par l'injustice dont il était victime. Il fallait qu'il récupère la lettre. Comment avait-il pu livrer ses sentiments à une menteuse comme Jackie ? Il l'entendait déjà ricaner avec son avocate.

— La voilà ! s'écria-t-il. L'enveloppe blanche avec le petit rouge-gorge.

Le postier s'en empara.

— *Jackie Bell*, lut-il.

— *Ball*, corrigea Henry.

— Pauvre femme.

— Je ne l'ai pas trompée. Je vous l'ai dit.

— Votre écriture est lamentable, grogna le fonctionnaire. C'est quoi, là : *Irlande* ou *Islande* ? Les gens ne prennent pas la peine d'écrire lisiblement et ensuite ils se plaignent que leur courrier arrive en retard.

— Désolé. Écoutez, vous pouvez me la rendre, s'il vous plaît ?

— Non. La loi ne me l'autorise pas.

— Personne ne le saura.

L'enveloppe à la main, le postier ouvrit son sac avec indifférence.

— Cinquante livres, proposa Henry.

— Vous essayez de m'acheter ?

— Cent alors. Mais vous devez m'accompagner chez moi. Je n'ai que... cinquante pence dans ma poche.

— Vous cocufiez votre femme et vous espérez ma sympathie ? Vous proposez un pot-de-vin à un employé de l'État ? Vous savez comment on appelle les types de votre espèce ?

— Des ordures ? suggéra Henry.

— Dégagez ! Je ne vous rendrai pas cette lettre, compris ?

— Oh, regardez ! s'exclama Henry en pointant du doigt le ciel.

— Quoi ? maugréa le postier en clignant des yeux face au soleil.

Henry lui arracha l'enveloppe des mains et détala.

16

À l'approche de leur premier anniversaire de mariage, ils avaient décidé de faire le point sur leur relation. Henry avait réservé une table dans un restaurant romantique où ils pourraient parler en toute tranquillité. Pour l'occasion, il s'était même fait couper les cheveux. Le jour du grand soir, en sortant de la douche, Jackie avait remarqué que la chemise en soie qu'il avait choisie était de la même couleur que son nouvel ensemble violet. Ne tenant pas à ce qu'ils ressemblent à deux aubergines, elle était montée le rejoindre dans son bureau, au grenier, afin de lui proposer de mettre sa chemise bleu pâle – celle qu'il portait lorsqu'ils s'étaient rencontrés au *Crypt*.

Comme d'habitude, la porte de son bureau était fermée. Elle avait l'impression qu'il avait transformé le grenier en bloc opératoire et qu'il ne fallait le déranger sous aucun prétexte ! Elle le lui signalerait au cours du dîner, mais d'abord, au moment des entrées, elle commencerait par lui faire part des récriminations mineures. Son refus de monter dans la voiture quand elle conduisait, par exemple. La discussion se corserait lentement jusqu'au plat principal, puis, au moment du dessert, elle soulèverait le réel problème : pourquoi l'avait-il épousée ? Car souvent il la regardait comme si elle avait commis quelque chose d'atroce, alors qu'en réalité elle se pliait en quatre pour le satisfaire. Ce qui prouvait bien que plus on se montrait gentil, plus cette gentillesse était prise pour acquise.

Henry, aussi, aurait son mot à dire. Tant mieux. Car c'était le seul moyen d'avancer. Qu'allait-il lui reprocher ? Probablement le fait qu'elle ne remettait pas les choses à leur place. Plus spécifiquement, les épices. Et son désordre, les piles d'habits qui jonchaient le sol de leur chambre. Ses goûts en matière de décoration intérieure. Contrairement à lui, Jackie aimait le superflu. Mais malgré tout cela, elle était sûre que la soirée se terminerait bien. Et qu'après avoir vidé leur sac ils passeraient un week-end entier au lit, comme au début de leur relation.

Sur la dernière marche de l'escalier menant au grenier, elle avait rajusté sa serviette blanche de façon avantageuse et posé sa main sur la poignée de la porte. L'entendant parler à voix basse, elle avait tendu l'oreille. Il était au téléphone. À qui s'adressait-il ? s'était-elle demandé. Pourquoi chuchotait-il d'un ton cajoleur ? « Tu es merveilleuse », avait-il soudain murmuré. Deux fois. Horrifiée, Jackie s'était éloignée sans faire de bruit.

— Mon Dieu ! soupira Mme Ball, en scrutant la valise de Jackie. Je m'attends à tout maintenant. Il ne manquerait plus qu'Eamon passe un coup de fil pour annoncer qu'il a été déporté suite à des activités anti-américaines. Ou que Dylan appelle d'Afrique du Sud pour demander s'il peut se réinstaller dans son ancienne chambre. Vous allez peut-être tous revenir habiter à la maison ! Je vous avais pourtant appris à voler de vos propres ailes.

Elle jeta un œil lourd de reproches sur Michelle.

— Il n'y a que toi qui n'es jamais partie.

— Je suis enceinte, rétorqua l'intéressée d'un ton sec. J'ai besoin de ma mère en ce moment.

— Et l'argent que t'a donné le juge ?

— Ce n'était pas pour acheter un appartement. Par ailleurs, je l'ai déjà dépensé.

— Cinq mille euros ? s'exclama Mme Ball.

— As-tu une idée du prix des landaus pour jumeaux ? se plaignit Michelle. Je dois tout acheter en double.

— Ce n'est pas à moi qu'il faut dire ça. C'est au juge.

— J'ai essayé. Je lui ai laissé sept messages ; il ne m'a pas rappelée. Quoi qu'il en soit, mon gynéco m'a conseillé de ne pas m'éloigner de la personne qui va m'aider à accoucher.

— Quoi ?

— On en a parlé hier soir, maman. Pendant que tu augmentais le son de la télé.

— Je ne peux pas t'aider à accoucher ! riposta Mme Ball. Je n'y connais rien.

— Avec tous les enfants que tu as eus ? s'étonna Michelle.

— Oui, mais à cette époque on se débrouillait seules. On n'en faisait pas tout un plat.

— Il y a que toi sur qui je puisse compter, maman.

— Et ta sœur ? Pourquoi tu ne lui demandes pas puisqu'elle revient vivre ici ?

— Non, je ne reviens pas, protesta Jackie. J'ai simplement besoin d'une base opérationnelle temporaire. Je ne veux pas qu'Emma se retrouve prise entre deux feux.

Et surtout, elle en avait assez des séances de batifolage nocturne dans la chambre voisine.

— Qu'est-ce que c'est que cette histoire de base opérationnelle ? grogna Mme Ball. On dirait que tu prépares un plan de bataille.

— Exactement, confirma Jackie.

— Tu vas nous apporter des soucis supplémentaires avec cette affaire d'adultère, se lamenta Mme Ball.

— Je n'y suis pour rien, se défendit Jackie. C'est ce qui s'est passé.

— Vraiment ? Je n'arrive pas à croire qu'Henry t'ait trompée avec une autre femme. Ce n'est pas son genre.

— C'était peut-être avec un homme, suggéra Michelle.

— Non, répliqua Jackie. C'était quelqu'un du sexe féminin, j'en suis certaine.

— Henry te l'a confirmé ? s'enquit Michelle.

— Pas encore, répondit Jackie.

— Et s'il réfute tes allégations ? gémit Mme Ball. Tu tiens vraiment à exposer tout ça au grand jour ?

— Qu'est-ce que ça peut faire ? Ce n'est pas moi qui suis coupable !

— Oui, mais tu seras interrogée à propos de ta sexualité, avertit Michelle. Fréquence, problèmes, préférences, fétiches...

— Arrête, ça me rend malade, coupa Mme Ball.

— Ça ne me dérange pas, mentit Jackie.

— Que vont penser les voisins ? s'inquiéta Mme Ball.

— Ils n'en sauront rien. Ça ne va pas sortir en couverture du *Sun,* avec des photos explicites.

— Il a pris des photos ? Il est pire que ce que j'imaginais ! Tu sais, quand tu l'as épousé, j'avais dit à ton père : « J'espère qu'il ne va pas éclipser notre pauvre petite Jackie. C'est un grand critique londonien, il est plus malin qu'une brave fille qui vient du nord de

Dublin. » Nous étions fiers de toi, ma chérie, mais vous n'étiez pas au même niveau.

— Merci, maman.

— Il n'y a pas de quoi se vexer, Jackie. Nous avons enseigné à nos enfants certaines valeurs dont la fidélité. De toute évidence, nous avons échoué avec Michelle, et si c'était toi qui avais trompé ton mari, tu aurais baissé dans mon estime.

— Il y a un compliment caché dans ses propos, commenta Michelle.

M. Ball fit irruption dans la pièce. Quand il constata que l'ambiance n'était pas au beau fixe, il recula.

— Larry ! le retint Mme Ball. Tu ne connais pas la dernière ? Jackie prétend que son mari découchait. C'est pour ça qu'elle est partie.

— C'est une honte, déclara M. Ball.

Et il s'éloigna.

— Ça ne ressemble tellement pas à Henry, insista Mme Ball.

— Ça, c'est la meilleure ! éructa Jackie. Ma propre mère ne me croit pas !

— Je n'ai pas dit ça !

— Tu veux quoi ? Que je te montre des factures de téléphone détaillées ?

— Le juge te demandera d'apporter les preuves de ce que tu avances, déclara Michelle.

— Velma m'aidera, répondit Jackie d'un ton détaché, bien qu'elle ait remarqué la récente baisse de combativité de son avocate. Cette fois, je n'ai pas l'intention de fuir. Je me battrai jusqu'au bout.

— Tu es dure, Jackie.

— J'ai le sens des réalités. C'est une bonne chose, non ?

— Tu en es où avec Dan ? Il est au courant ?

— Pas encore.

— Vous allez toujours vous marier ?

— Je ne pense pas.

— Mais vous comptez rester ensemble ?

— Maman, je ne peux me débarrasser que d'un mari à la fois.

Michelle leva le nez de son magazine sur lequel un bébé posait en couverture.

— Si ce sont des garçons, tu préfères Ernie ou Bert ? lança-t-elle à sa mère.

— Les deux me plaisent, confia Mme Ball après un instant. C'est mieux que les prénoms de filles que tu avais trouvés. Qu'est-ce que c'était, déjà ?

— Cagney et Lacey.

— Oui, ce ne sont pas des prénoms féminins. La seule Cagney dont j'ai entendu parler, c'est cette détective qui joue dans... comment ça s'appelle ce feuilleton, Jackie ? Oh, ça me reviendra.

Elle se leva et se dirigea vers la cuisine pour préparer du thé. Michelle se tourna vers sa sœur.

— Tu sais, je n'ai pas couché avec Henry si ça peut te rassurer.

— Quoi ?

— Tu serais en droit de te le demander. De toute évidence, il aimait ça autant que moi. Enfin, à cette époque, je l'ignorais. Et si je l'avais appris, je ne l'aurais pas touché, même avec une perche. J'ai une règle très stricte : je ne mets pas les pattes sur les hommes mariés.

— Et le juge, alors ?

— Je parlais des maris de mes proches, de mes amies. Je tenais à ce que tu le saches, Jackie.

— Oui, merci.

Michelle s'allongea sur le canapé et plongea les doigts dans son pot de cornichons.

— Henry a eu une aventure avec qui ? s'enquit-elle. Si ce n'est pas trop pénible pour toi d'en parler.

— Aucune idée, répondit Jackie. Sans doute avec une des filles qui travaillent à *Globe*.

— Elle est merveilleuse, donc. Et elle doit avoir une jolie voix.

— Et des cheveux raides. Il aurait dû l'épouser ! De toute évidence, il n'était pas content de son choix ; autrement je ne l'aurais pas surpris en train de roucouler avec une autre au téléphone.

— Cet homme est fait pour toi, affirma Michelle.

— Quand je regardais *Coronation Street*, pendant les moments de silence, je l'entendais murmurer à travers le plafond. Il devait l'appeler trois ou quatre fois par semaine. Et moi qui croyais qu'il relisait ses critiques à voix haute !

— Quel salaud ! ajouta Michelle, compatissante.

Jackie se sentit plus légère.

— J'étais prête à tout lui pardonner. Sauf ça.

— Comment a-t-il réagi ? Par rapport à ton accusation.

— Je l'ignore. Il ne s'est pas encore manifesté.

— Tu pourrais t'en servir comme un moyen de pression. Lui dire que tu es prête à ne pas évoquer l'adultère s'il accepte la première demande.

— Non, je souhaite me battre.

— Tu sais, un divorce pénible n'aide pas à progresser, commenta Michelle. Il vaut mieux essayer le yoga ou suivre une thérapie. C'est moins cher.

Elle se redressa et posa la main sur son ventre en grimaçant.

— Michelle ? s'écria Jackie. Qu'est-ce qu'il y a ? Tu veux que j'appelle une ambulance ?

— Non ! s'exclama sa sœur, le visage illuminé. Je crois que je les ai sentis bouger.

17

Dan savait que Jackie allait le plaquer. Pas besoin d'être un génie pour s'en rendre compte. Dan n'en était pas un, mais il possédait un Q.I. de 139 et ne s'en vantait jamais. Il aurait pu devenir membre de Mensa[1], s'il avait voulu : il aurait été accepté. De toute façon, ce n'était pas cela qui aurait pu faire changer d'avis Jackie, ni autre chose. Elle avait déjà décidé.

Au niveau du rond-point situé devant lui, la route à quatre voies se terminait. Il entendait le bruit hypnotisant de ses tennis contre l'asphalte et une voix scandant : « *C'est fini, fini, fini.* »

---

1. Association internationale fondée dans le but de favoriser les contacts entre personnes possédant un Q.I. supérieur à 130. (*N.d.T.*)

Jackie l'avait appelé à l'heure du déjeuner. Elle lui avait annoncé qu'elle s'installait chez sa mère le temps de faire le point et qu'elle comptait sur sa compréhension. Elle aurait tout aussi bien pu lui hurler d'aller se faire voir à travers un porte-voix. Bien entendu, Jackie était trop gentille pour se comporter ainsi. Rongée par la culpabilité, elle réfléchissait sans doute à une solution qui lui permette de se débarrasser de lui en douceur.

Il n'y avait pas de méthode douce. Aucune explication ne pourrait le réconforter. Il l'imagina avec un sécateur à la main, prête à lui découper le cœur. Le monde était devenu bien plus sombre depuis qu'il l'avait rencontrée. Avant, il menait une vie paisible, il organisait des collectes de fonds destinées aux plus démunis, il recyclait ses déchets. Depuis, même ses partenaires de rugby le trouvaient violent. Eux, des experts en brutalités et fractures multiples ! « Vaut mieux que ça ne dépasse pas les limites du terrain », lui avait murmuré Big Connell, au club, à propos d'Henry.

Près de lui, une voiture ralentit et une vitre s'abaissa.

— Pourriez-vous m'indiquer dans quelle direction... ?

— Non ! rugit Dan en poursuivant son chemin.

Il courait depuis plus d'une heure et ruisselait de sueur. Au rond-point, au lieu de faire demi-tour, il s'engagea sur la bretelle d'accès à l'autoroute. Il se demanda ce qu'il avait bien pu faire de mal à part malmener Henry. Et si Jackie n'était pas en train de se servir de cette agression comme d'un prétexte pour le plaquer.

Au départ, peut-être avait-il trop insisté avec elle. Mais comment inviter une fille à sortir si on ne lui proposait rien ? Il avait attendu plusieurs semaines avant qu'elle cède presque à regret. Ce qui n'avait pas manqué d'aiguiser son appétit : une femme indisponible, quel défi ! Un peu comme avec les clients qui refusaient de placer leur argent dans sa banque. Après une cour assidue et la promesse ridicule de faire fructifier leur placement, ils finissaient par plier. Ce genre de comparaison le mettait mal à l'aise. Certainement parce que la colère déformait ses souvenirs. En réalité, Jackie avait dû se montrer plus entreprenante avec lui.

Qu'allait-elle lui dire quand il la reverrait ? Qu'ils étaient trop différents l'un de l'autre ? Mal assortis ? Qu'elle était une rêveuse, une idéaliste, et lui un réaliste, un pragmatique ? Que, contrairement à Dan, elle préférait les desserts aux plats principaux ?

Et alors ? Il ne l'avait pas trompée sur la marchandise. Elle savait à quoi s'attendre avant de passer sa bague de fiançailles sans conviction. Elle n'aurait tout de même pas le culot de se plaindre qu'il n'était pas assez excitant et dangereux à ses yeux ? Pour elle, il avait planifié le passage à tabac de son ex ! Et cela ne l'avait même pas épatée. Il en était fou de rage !

Sans doute lui reprocherait-elle de lire le *Sunday Sport* et de ne pas s'intéresser à l'art — ce qui signifiait les chaussures, car Jackie n'avait jamais mis les pieds dans une exposition, à sa connaissance. Elle lui dirait qu'ils ne partageaient pas le même point de vue sur le monde — simplement à cause d'une dispute au sujet de la peine de mort. Comme si l'on pouvait laisser gambader librement tous les tueurs en série ! Elle lui expliquerait qu'elle n'aimait pas le club, ni les Fiona. À cela, il ne trouverait rien à répondre : elles grimaçaient aussi quand elles la voyaient arriver avec sa démarche de catin et ses hauts talons criards. D'après la rumeur, c'était toujours cette critique qui revenait sur le tapis au cours des fêtes où Jackie et Dan n'étaient pas invités.

Il ralentit l'allure. Finalement, quand il faisait le bilan, son couple lui semblait moins harmonieux qu'il ne l'avait cru.

Elle se contenterait probablement de lui dire qu'elle était désolée et qu'elle éprouvait une grande affection à son égard. *Affection*, quel horrible mot. Pire que *gentil*. Ce que Dan était.

Soudain, la vérité l'assomma. Il représentait le type sympa qu'elle avait désespérément essayé d'aimer. Mais elle n'y était jamais arrivée. Elle ne l'avait jamais regardé comme elle regardait Henry Hart sur la vidéo de leur mariage.

Un camion le rasa à toute vitesse, l'enveloppant dans un nuage noir qu'il remarqua à peine. Que ressentait-on quand une femme posait sur vous un œil passionné ? se demanda-t-il. Une femme qui se retournerait après avoir simplement détecté votre présence. Sans qu'on ait besoin de prononcer son prénom plusieurs fois. Et qui enfilerait votre cadeau acheté lors d'un voyage d'affaires à Berlin, sans gémir que la matière est trop rugueuse pour les seins. Elle dormirait en vous étreignant toute la nuit et ne se dégagerait pas pour aller se recroqueviller contre le mur.

Une telle personne l'attendait-elle quelque part ? Un léger vertige le saisit. Il continua de courir tandis que son short lumineux réfléchissait les feux des autos matinales. Puis un véhicule pila près de lui. Une voiture de patrouille. Un policier en descendit. Dan reconnut la femme qui était venue lui rendre visite quelques semaines auparavant.

— Monsieur Lewis, commença-t-elle. Vous courez sur l'autoroute : en avez-vous conscience ?

— Pleure tout ton soûl, conseilla Emma avec générosité. Il faut que ça sorte.

— C'est déjà sorti il y a des siècles, insista Jackie. J'ai pleuré des seaux de larmes. Même en épluchant un oignon, je n'y parviendrais pas.

— Tu devrais au moins t'accorder quelques jours de congé. Le temps de te conditionner à te battre pour ce divorce. Bois du Bovril ou un breuvage énergisant.

Les insomnies de Mme Ball, qui se promenait sur le plancher grinçant en pleine nuit, n'avaient pas aidé Jackie à se reposer avant la bataille.

— Non ! s'entêta Jackie. Ici, c'est mon magasin, mon lieu de travail. Il ne va pas me le prendre !

— Il essaye de le faire ? s'enquit Emma avec prudence.

— Tu comprends ce que je veux dire. J'ai renoncé à beaucoup de choses pour ce type. Jamais, on ne m'y reprendra !

Elle attendit qu'Emma pousse un cri d'enthousiasme, mais rien ne se produisit. Cette dernière semblait fatiguée. Son visage accusait de grands cernes : elle et Lech avaient probablement eu une semaine chargée.

— Est-ce que toi et Lech... ?

— Je me défends d'en parler ! aboya Emma.

— Je t'ai raconté tout ce qui se passait entre moi et Henry.

— C'est-à-dire pas grand-chose. Une conversation téléphonique suspecte ?

— Désolée, je n'ai pas de détails croustillants à te donner, rétorqua Jackie, vexée. Je n'ai pas engagé un détective privé et je n'ai pas de photos de ses fesses en action.

— C'était peut-être sa mère au téléphone, pas sa maîtresse, suggéra Emma.

— Il ne lui murmurerait pas qu'elle est merveilleuse, protesta Jackie. Et de toute façon, je l'ai entendu à travers le plafond des dizaines de fois. Avec une voix à la fois inquiète et ardente, pleine de désir.

— Mon Dieu !

Henry ne lui avait jamais adressé la parole d'un ton anxieux, ni pressant. Parfois il manifestait quelque élan passionné, mais prenait soin de ne pas se perdre.

— Tu sauras qui c'était s'il y a comparution, avança Emma.

— Peut-être, répondit Jackie avec une indifférence remarquable.

— Oh, arrête. Tu meurs d'envie de le savoir.

— Tromper c'est tromper, peu importe avec qui.

— Je connais des épouses qui l'auraient déjà localisée et seraient allées lui rendre visite avec une poêle à frire.

— Je refuse de tomber aussi bas, répliqua Jackie avec dédain.

— C'était sans doute quelqu'un de ton entourage, déclara Emma.

— Et pas une prostituée sur le bord de la route ?

— Je pensais à une amie de la famille. Ou une collègue. Si tu y réfléchis, tu devrais trouver par toi-même.

— J'ai mieux à faire, rétorqua Jackie.

Par ailleurs, elle avait déjà mené son enquête. Dans l'avion qui la ramenait à Dublin, en sirotant des vodkas, elle avait dressé une liste de questions et procédé par élimination : quelle femme se comportait bizarrement en présence de Jackie ? passait-il beaucoup de

temps en sa compagnie ? l'appelait-elle sous un prétexte ou un autre ? essayait-elle de le coincer dans un
coin au cours d'une soirée ? avait-elle les cheveux raides ? Une seule personne correspondait au profil :
Adrienne. Et Henry la détestait.

Peut-être l'avait-il trompée avec une employée de
Globe ? songea Jackie. Ou l'une de ses ex ? On lui avait
présenté une douzaine d'entre elles au cours de différentes fêtes et elles étaient toutes remarquablement
identiques. À tel point que Jackie s'était demandé si
elle les connaissait déjà ou s'il s'agissait de nouvelles
têtes.

— Très bien ! explosa-t-elle. Je meurs d'envie de
le savoir ! Quitte à engager un détective s'il le faut !
J'adorerais fendre le crâne de cette garce à coups de
poêle et la pousser sous un bus !

— Bravo ! s'exclama Emma.

Jackie fit aussitôt machine arrière.

— Non, ce n'est pas par vengeance. Ce divorce est
une affaire sérieuse et je dois me montrer responsable
de mes actes.

— Je suppose, répliqua Emma, déçue. C'est le
genre de choses qui doivent êtres faites sur le moment.

Combien de fois Jackie avait-elle regretté sa fuite
sans dignité dans l'escalier du grenier ? Sa valise prépa-
rée à la hâte, la découverte que, le repassage n'ayant
pas été fait, il ne lui restait plus qu'à partir vêtue de sa
robe de soirée violette. Le gribouillage du mot qu'elle

lui avait laissé. L'esprit débordant de récriminations, elle avait simplement écrit : *Adieu* !, alors qu'elle aurait tant aimé ouvrir d'un coup de pied la porte de son bureau et le prendre la main dans le sac. Lui demander qui était sa maîtresse. Il se serait agenouillé devant elle en implorant son pardon. Mais elle l'aurait balayé comme une mouche en lui hurlant à la figure que c'était fini. F-I-N-I. Et tandis qu'il aurait sangloté sur le plancher du grenier, elle aurait pris le temps d'emporter les meilleurs DVD, d'appeler une limousine et de régler la course avec la carte de crédit d'Henry. C'eût été une sortie bien plus spectaculaire. Au lieu de se carapater en Irlande, comme une victime, où elle avait attendu son coup de fil.

Le premier jour, elle avait pensé que rongé par la culpabilité il n'avait pas eu la force de téléphoner. La semaine suivante, elle avait compris qu'il ne l'appellerait pas. Comme si elle était coupable. Comme si elle l'avait abandonné.

— Prends un Kleenex, proposa Emma en lui tendant une boîte de mouchoirs en papier.

— Non, ça va, répondit Jackie en en saisissant un malgré tout. Je veux simplement me débarrasser de cette affaire.

— Quand auras-tu des nouvelles de son avocat ? Il va réfuter l'adultère, j'imagine ?

— Oui. Mais cette fois, je le guette au tournant.

— Tu es viré, annonça Dave.

— Tu ne peux pas me virer, répliqua Henry.

— Ce n'est pas moi qui te vire, c'est la direction. En n'assistant pas à la réunion qui a eu lieu lundi dernier, tu as creusé ta propre tombe.

— Je sais. Pourquoi crois-tu que je suis en train de ranger mes affaires dans ce carton ?

— Mon stylo ! s'écria Dave. Je le cherche depuis des mois. Voleur !

— Prends-le. Et voici ton agrafeuse, ta réserve de biscuits... Tiens, prends aussi le reste : je n'en aurai plus besoin.

Il colla son carton dans les bras de Dave.

— N'en fais pas un drame, Henry.

— Je n'en fais pas un drame. Je suis viré. Je pars.

— Oui, mais ils essayent simplement de te faire peur. Écoute, d'après la rumeur, les critiques de Wendy intéressent beaucoup moins les lecteurs que les tiennes. Pour commencer, elle aime tout, depuis les bouibouis locaux aux restaurants quatre étoiles de Manchester. Tu as reçu un courrier abondant au journal – enfin, il y a au moins trois lettres. Les gens se plaignent de ne plus pouvoir te lire dans l'édition du dimanche.

— Je suis touché, répondit Henry.

— On m'a dit que, si tu allais pleurer auprès du directeur général, tu récupérerais ton boulot.

— Non, décréta Henry. Je pars.

— Tu affirmes toujours ça et au dernier moment tu changes d'avis.

— Cette fois, c'est la bonne.

— De quoi vas-tu vivre ? Tu y as pensé ?

— J'ai des économies, se vanta Henry.

— Tu ne m'as jamais rendu les cent livres que tu m'avais empruntées pour acheter un cadeau de Noël à ta mère.

Henry sortit son portefeuille.

— Arrête, protesta Dave.

— Non, de toute évidence, ça te ronge.

Puis Henry s'aperçut qu'il possédait seulement dix livres et ajouta :

— Je te les rendrai la semaine prochaine, d'accord ?

— Qu'est-ce qui va te donner envie de te lever le matin, Henry ? Il faut que tu travailles.

— Pourquoi ?

— Tout le monde travaille.

— Et alors ?

— Tu veux devenir clochard ?

— Je n'ai pas encore décidé. Pourquoi me regardes-tu comme si j'avais deux têtes ?

— Parce qu'aucun individu sain d'esprit ne renoncerait à une place pareille. En échange de trois heures de boulot par semaine, tu as droit au respect, au succès et à des milliers de lecteurs.

— Je peux me passer de la célébrité, déclara Henry d'un air hautain.

Il n'en était pas du tout sûr. Adrienne avait peut-être raison quand elle disait qu'il craquerait au bout de deux semaines d'anonymat et finirait par s'exhiber dans une boîte en verre suspendue au-dessus du Thames, afin d'attirer l'attention.

— Je ne te parle pas de célébrité. Je te parle de pouvoir dîner dans n'importe quel restaurant à huit heures du soir un samedi, sans réservation. Et des cadeaux ! Tu te souviens de la bouteille qu'on t'avait offerte à Noël, il y a deux ans ?

— Un margaux 1996. Un délice.

— Et des places de concert et de théâtre gratuites !

— Arrête, supplia Henry.

— Tu renonces à beaucoup de privilèges. Et je ne serais pas ton meilleur ami si je n'essayais pas de t'en dissuader.

— Tu as fait ton devoir, le rassura Henry. Tu es libéré de tes obligations. Car je sais parfaitement ce qu'il me reste à faire.

Ne serait-il pas heureux chômeur et seul avec sa chienne ? Tant pis, il irait pleurer auprès de la direction. Il s'excuserait et demanderait à reprendre sa rubrique. Sa lâcheté lui avait déjà coûté sa femme, qui mentait en l'accusant d'adultère, mais rien n'était parfait.

Il repoussa son fauteuil une dernière fois, ferma les tiroirs.

— Je suis foutu ! s'écria Henry.

— Chut, fit quelqu'un depuis une table voisine.

Mais Henry comprit que c'était vraiment la fin quand Dave lui chuchota d'un ton sinistre :

— Je te raccompagne à ta voiture.

— Ce n'est plus la mienne. C'est celle du journal. Je dois rendre les clés.

— Dans ce cas, je t'accompagne jusqu'à l'arrêt de bus. C'est quel numéro ?

— Comment veux-tu que je le sache !

Puis, avant de franchir les grandes portes électroniques, il fut forcé de remettre au réceptionniste son badge et son passe. Il ne pourrait plus pénétrer dans les bureaux comme les autres employés.

— On va faire un tour au pub ? proposa-t-il à Dave.

— Certainement pas. Dawn a besoin de mon aide pour éplucher des légumes ; elle a invité des amis à dîner. Rejoins-nous si tu t'ennuies.

— J'ai des tas de choses à faire ! rétorqua Henry sur la défensive.

Il devait promener Shirley et quelqu'un lui passerait peut-être un coup de fil dans la soirée.

— Henry, on se connaît depuis combien de temps ?

— Ne commence pas.

— Plusieurs années, n'est-ce pas ? Je n'aime pas te voir comme ça.

— Comment ?

— Vaincu.

Henry éclata de rire.

— Ce n'est pas drôle, reprit Dave. D'après Dawn, ce divorce t'a perturbé.

— Pas du tout. Dis-lui que je fais simplement un nettoyage de printemps.

— Tu vois que tu dérailles. « Nettoyage de printemps », ça ne fait pas partie de ton vocabulaire.

— C'est toi qui m'as conseillé d'agir au lieu de gémir, rappela Henry.

— D'agir en reprenant des cours de sport extrême, par exemple, ou en essayant quelque chose qui fasse monter le régime de ton moteur. Je ne te demandais pas de tout plaquer !

Cela avait été étonnamment simple. Un saut au bureau pour récupérer ses affaires, un coup de fil à Adrienne pour lui annoncer qu'il n'avait plus besoin de ses services. Il était tombé sur son répondeur. Il n'avait même pas été obligé de lui parler. Il ne savait pas pourquoi tout lui avait semblé si compliqué. Alors qu'il lui avait suffi de prendre une décision.

— Rassure-toi, personne n'y croit, avait soudain confié Dave.

— À quoi ? s'enquit Henry.

— À cette histoire d'adultère.

— Tant mieux. Je ne l'ai pas trompée.

— Je n'en doute pas, insista Dave, et je t'ai défendu du mieux que j'ai pu.

— Tu viens de me dire que personne n'y croyait !

— Tu sais comment sont les gens, répondit Dave d'un air gêné, ils adorent les potins. Ils ont placé des paris sur Mandy. En tant que maîtresse.

— Mandy ? Qui s'occupe des annonceurs ? C'est ridicule !

Il était sorti avec elle une ou deux fois avant de rencontrer Jackie.

— Au moins, elle est superbe, commenta Dave. Autant que Joanne qui travaille avec la comptable.

Henry ne connaissait même pas Joanne.

— Enfin, on peut se demander pourquoi Jackie t'accuse d'avoir eu une aventure, reprit Dave.

— Tu n'as jamais pensé qu'elle mentait ? s'irrita Henry.

— Elle n'a pas l'air d'une menteuse.

— Et moi, j'ai l'air d'avoir commis un adultère ?

— Non. Mais c'est curieux qu'elle se soit trompée.

Henry non plus ne comprenait pas. Fou de rage, en passant son agenda au peigne fin, il s'était rendu compte que tous ses rendez-vous étaient notés. Quand il ne se rendait pas au journal, il était chez lui, au grenier, au-dessus de Jackie. Occupé à travailler sur sa collection secrète. En fait, il ne trouvait rien qui puisse justifier son accusation, à moins qu'elle le soupçonne de s'envoyer la marchande de journaux en dix minutes, le dimanche matin, quand il allait acheter le journal. Il s'était demandé si elle avait mal interprété un mot ou

un regard, si, durant son sommeil, il avait crié le prénom d'une femme ou des obscénités. Quoi qu'il en
fût, le méchant de l'histoire, c'était lui, dorénavant.
Même s'il n'avait jamais posé les yeux sur une autre
femme ! Et Jackie passait désormais pour une sainte aux
yeux des autres. Elle aurait imputé à Henry n'importe
quelle faute tant elle était pressée d'épouser un voyou.

Il y avait aussi une autre possibilité : il s'était montré
tellement revêche, réservé et malheureux à son égard,
qu'elle avait dû penser qu'il sortait avec quelqu'un
d'autre.

— Voilà mon bus ! s'écria-t-il.

Il n'avait pas pris les transports en commun depuis
dix-sept ans et espérait que ceux-ci s'étaient moder-
nisés car il n'avait pas de monnaie pour acheter son
ticket, seulement une carte de crédit.

— Quand as-tu rendez-vous avec ton avocat ? s'enquit Dave.

— Demain.

— Tu veux que je t'accompagne ?

— Pourquoi ?

— Au cas où tu aurais besoin d'un témoin. Pour la
défense. Je suis prêt à déclarer qu'Hannah n'était pas ta
maîtresse.

— Je verrai, répondit Henry en montant dans le
bus.

— Ni Joanne ! cria Dave.

18

Je vais démissionner, annonça Lech.

Il portait une veste en cuir aux manches relevées qui lui donnait des allures de figurant de *Deux Flics à Miami*.

— Quoi ? fit Jackie.

— J'aimerais partir vendredi si c'est possible.

— Vous retournez en Pologne ?

— Non. La pizzeria m'a proposé de m'engager à plein temps.

— Je pensais que vous étiez content de travailler avec nous.

— Oui, mais il vaut mieux que je parte.

Il avait l'air déterminé et profondément meurtri. Qu'avait-il pu se passer ?

— C'est à cause de mauvaises conditions professionnelles ? questionna Jackie.

— Non. C'est à cause d'une de mes patronnes.

— Je croyais que vous vous entendiez bien avec Emma. Elle m'a dit que vous partagiez beaucoup de temps ensemble depuis mon départ.

Emma ne lui avait fait aucune confidence, mais Lech opina du chef.

— Oui, je vis chez elle en ce moment.

— Vraiment ? s'extasia Jackie d'une voix enjouée. C'est formidable, Lech !

— Non ! tonna-t-il. Elle m'oblige à entrer par la sortie de secours ! Je ne peux plus supporter d'être traité de cette façon. Aucun homme ne le tolérerait !

Jackie décida de prendre la défense d'Emma.

— Elle aime séparer sa vie privée de sa vie professionnelle, c'est tout.

— Elle ne m'adresse pas la parole quand elle est au magasin.

— Ne le prenez pas trop à cœur.

— Elle ne me regarde même pas.

— Moi non plus, vous savez. Parfois, elle est dans sa bulle.

— Soyons francs, objecta Lech énervé. Il n'y a qu'une seule chose qui l'intéresse. Le reste, elle s'en fout !

— Elle a peut-être peur d'exprimer ce qu'elle ressent, avança Jackie.

— Ou alors, elle ne ressent rien. C'est possible, non ?

— Et vous ?

— Je suis fou amoureux d'elle, déclara Lech.

La déclaration étonna Jackie, mais Lech n'était pas quelqu'un d'ambigu. D'un air rêveur, il ajouta :

— Dès le début, j'ai su que je n'avais jamais rencontré une femme comme elle. Sous ses apparences de nonne, c'est un volcan. Elle est irrésistible.

— Hum, fit Jackie. Avez-vous essayé de le lui dire ?

— Quand je commence à lui dévoiler mes sentiments, elle arrache mes vêtements et me force à lui faire l'amour.

— Je comprends. Vous devriez peut-être discuter de la situation autre part que dans sa chambre à coucher. Au restaurant, par exemple.

— Elle refuse d'être vue en public avec moi, répondit-il avec dédain.

— Alors il faut lui en parler.

Lech semblait démoralisé.

— Je ne veux pas d'une femme à qui je fais honte. Je mérite mieux que ça.

— Vous avez raison, approuva Jackie. Mais vous ne pouvez pas laisser tomber aussi facilement.

— Je suis un homme attirant, déclara Lech en levant le menton. Je finirai bien par trouver quelqu'un d'autre.

— Permettez-moi au moins de lui donner mon point de vue.

— Non, ce n'est pas la peine d'essayer de la

convaincre que je suis fait pour elle. C'est à elle de s'en rendre compte.

Il saisit des couronnes mortuaires et jeta un regard triste sur Jackie.

— Je sais ce que vous ressentez, ajouta-t-il. Avoir aimé une personne et la perdre, c'est tragique, non ?

Il s'éclipsa en laissant Jackie décontenancée. Elle qui avait été résolue à se débarrasser d'Henry. Au cours des trois derniers jours, elle avait porté ses plus hauts talons, ses jupes les plus voyantes et Velma l'avait appelée pour lui annoncer : « Ça y est ! Cette fois, on leur a fait peur ! » Cela lui paraissait déprimant à présent.

— Il est parti ? murmura Emma en surgissant de la réserve.

— Je croyais que tu étais sortie déjeuner, répondit Jackie d'un ton sec.

— Il va vraiment démissionner ?

— Oui. Apparemment, c'est une histoire d'amour sans retour.

— Je ne voulais pas qu'il tombe amoureux de moi, répliqua Emma d'un air de défi. Je ne lui ai jamais laissé imaginer qu'il y avait autre chose que le sexe entre nous. Je supposais qu'il avait compris.

— Comment sais-tu ce qu'il a compris si tu ne l'écoutes pas ?

— Lech en fait des tonnes quand il s'agit de ses sentiments. Ce mois-ci, je lui plais ; le mois prochain, ce sera une autre.

— Je ne pense pas, Emma.

— Nous n'allons pas nous marier, bredouilla Emma troublée. Il est gentil, sexy ; mais tu me vois en train de me mettre en ménage avec lui ?

— Ça serait mignon. Tes chaussures de grand-mère alignées près de ses tennis blancs.

— Arrête ! s'écria Emma atterrée. Pourquoi ne peut-il pas se comporter normalement ?

— Comment cela ?

— Oh, ne fais pas ta naïve. Aucune de tes amies ne voudrait sortir avec Lech.

Au même instant, Lech fit ronfler le moteur de sa voiture. Une musique tonitruante s'en échappa et il passa la main à travers la vitre pour les saluer. Au cas où elles ne l'auraient pas remarqué, il klaxonna et s'éloigna sur les chapeaux de roues.

Emma se tourna vers Jackie.

— Très bien, déclara celle-ci ; il manque un peu de finesse, c'est vrai. Mais il est sympa.

Emma secoua la tête.

— Ce n'était qu'une aventure, d'accord ? Maintenant, c'est fini. Je suis contente qu'il s'en aille, je ne voulais pas lui donner de faux espoirs.

— Et que comptes-tu faire pour assouvir tes désirs ? rugit Jackie.

— Tu es d'une humeur massacrante, constata Emma, surprise. Toi qui avais l'air si heureuse de te défaire d'Henry.

— Je ne peux pas sauter de joie toute la journée, se défendit Jackie.

— C'est probablement ton rendez-vous avec Dan qui te préoccupe.

— Oui, parce que, moi, je n'ai rien à cacher.

— Ne sois pas méchante. Et de toute façon, nous sommes différents, moi et Lech. Nous ne sommes pas fiancés comme toi et Dan.

Jackie en était malade. Dire qu'elle l'aurait épousé si Henry avait accepté de divorcer sans broncher. Grâce à lui, elle avait évité de s'apercevoir trop tard qu'elle ne voulait pas gâcher sa vie en restant assise sur un tabouret du club en compagnie des Fiona.

— Je vais briser le cœur de Dan, murmura Jackie.

— Au moins, il arrêtera de passer ici et de faire peur aux clients en braillant sous son casque, se réjouit Emma. Cela dit, je ne l'ai pas vu depuis une semaine. Il a dû pressentir quelque chose. Si tu le laissais mariner encore une dizaine de jours, il se calmerait certainement.

— Ce n'est pas parce que tu traites les hommes comme des chiens que tout le monde doit suivre ton exemple ! Non, je vais faire ça avec tact.

— Alors annonce-lui la nouvelle au restaurant, conseilla Emma. Il n'osera pas faire de scène.

— Tu es vraiment un monstre, Emma.

Jackie regardait Fabien qui leur servait du vin.

— Mademoiselle, déclara-t-il d'un ton enjoué. Et bientôt madame, non ?

— C'est ça ; merci, Fabien.

— Il y a longtemps que vous n'êtes pas venus : vous devez être débordés par les préparatifs du mariage ? insista le garçon.

— Oui, grommela Dan.

Fabien déplia leurs serviettes avec un sourire complice et leur présenta les cartes.

— Merci, intervint Jackie en toisant Fabien jusqu'à ce qu'il s'en aille.

Elle observa furtivement Dan et le trouva moins chaleureux que d'habitude. Mais elle n'avait pas répondu à un seul de ses coups de fil et avait refusé de le voir quand il était passé au magasin. Cela aurait rendu n'importe qui furieux.

— Emma m'a dit que tu divorçais pour cause d'adultère, maintenant ?

— Oui. J'avais l'intention de t'en parler, mais... c'était trop douloureux.

Dan haussa un sourcil.

— Vraiment ?

— Il m'a trompée, Dan.

Elle n'en avait toujours pas la preuve et elle espérait que Dan ne lui demanderait pas de détails. La simple mention du prénom d'Henry le faisait réagir au quart de tour :

— Quel salaud ! En plus, il te cocufiait. Il ne mérite pas un divorce. C'est une punition trop douce. Il faut le pendre par les testicules. Ou le castrer !

Puis Jackie se rendit compte que la colère de Dan sonnait faux.

— Je peux lui renvoyer ma bande, proposa-t-il.

— C'est très gentil à toi, mais je ne tiens pas à te créer des ennuis.

— Très bien, répondit-il avec indifférence.

— La procédure devrait aller plus vite.

— Tant mieux.

Il fut un temps où il aurait hurlé de joie, constata Jackie troublée.

— Bien sûr, connaissant Henry, il va probablement contester mes allégations.

— Sans doute, répondit Dan d'un air imperturbable.

— Ce qui risque de durer des mois, des années peut-être.

— Je croyais que ça serait rapide.

— Ah, donc tu écoutais ? affirma-t-elle d'un ton sarcastique. L'ennui ne t'a pas encore fossilisé ?

— Qu'est-ce qui te prend, Jackie ?

— Rien. Je pensais simplement dîner avec mon fiancé et discuter de l'organisation de notre mariage.

« Mon Dieu ! » songea-t-elle affolée. Elle ne tenait pas du tout à aborder ce sujet – comment allait-elle rattraper le coup ?

— Enfin, de toute évidence, ça ne t'intéresse pas, reprit-elle d'un ton hostile.

Elle pourrait peut-être lui confier qu'elle ne supportait plus son apathie. Ou sa taille de géant. Bien sûr, c'était minable ; mais avait-elle le choix ?

La tête entre les mains, Dan poussa un grognement animal qui attira le regard des gens attablés autour d'eux.

— Jackie, je ne sais pas comment te dire ça, murmura-t-il.

En un éclair, elle comprit.

— Dan, je...

— Nous devrions rompre, assena-t-il.

Un silence tomba. Toute la salle du restaurant les observait. Humiliée, abandonnée, elle parvint à lui décocher un sourire.

— Très bien !

Puis elle scruta la carte et s'exclama gaiement :

— Oh, tu as vu, il y a du saumon en plat du jour !

— Jackie, déclara Dan d'un ton solennel, je suis vraiment désolé.

— Je t'en prie.

— J'aurais préféré te l'annoncer ailleurs qu'au restaurant, mais tu insistais tellement...

— Ce n'est pas grave.

Elle eut envie de partir en invoquant une migraine, mais elle ne voulait pas lui montrer son dépit. En son

for intérieur, elle se maudissait. Soulagé d'avoir effectué sa sale besogne, Dan la regarda avec compassion.

— Ça va ?

Elle opina du chef en souriant.

— Tu n'es pas obligée de garder la tête haute. Si tu
te laisses aller, personne ne le remarquera.

— Pourquoi devrais-je fondre en larmes ? répliqua-
t-elle d'un air menaçant. Si tu tiens à le savoir, je suis
davantage surprise que blessée.

Incrédule, Dan déclara :

— J'avais l'intention de te présenter les choses de
façon moins abrupte. Je voulais te proposer de ne plus
parler du mariage jusqu'à ce que ton divorce soit prononcé. Mais entre nous, ça ne risque pas d'arriver de
si tôt.

Il rit. Comme si tout allait bien. Comme s'ils étaient
devenus de vieux amis.

— Que sous-entends-tu ? s'enquit-elle froidement.
Que je souhaite rester mariée à Henry ?

— Vous êtes encore très attachés l'un à l'autre,
insista Dan.

— Le mariage crée des liens solides, profonds. Ce
n'est pas pareil quand on est simplement fiancés.

— Tu aurais dû rompre proprement avec lui il y a
un an et demi, tu aurais fait moins de dégâts autour de
toi.

— Tu as raison, reconnut Jackie. J'aurais dû.

Un nouveau silence se fit. Elle se mit à réfléchir à un prétexte pour s'éclipser. Dan la devança.

— Vu les circonstances, je crois que je vais partir, déclara-t-il. Si ça ne t'ennuie pas.

— Vas-y !

— Je peux rester si tu préfères.

— Vas-y !

Dan se leva. Heureusement, il évita de lui demander s'ils pouvaient demeurer amis.

— Bonne chance avec Henry.

— Merci. La procédure devrait avancer comme sur des roulettes, à présent.

— Que tu divorces ou pas, du moment que ça s'arrange entre vous, c'est le principal.

Comme s'il existait encore une alternative. Après son départ, Jackie se redressa fièrement et songea à ce qui l'attendait : dîner seule au restaurant sous le regard apitoyé des autres ; ne plus jamais pouvoir commander un plat à partager.

— Fabien ! cria-t-elle. Un autre verre de vin, s'il vous plaît !

Autant en profiter.

À six heures moins cinq, Henry se tenait face à Tom. Dans le bureau d'apparat de maître Knightly-Jones, le débutant saisit une feuille de papier et Henry vit qu'il faisait de son mieux pour ne pas trembler.

— Votre complice n'est pas mentionnée dans sa

requête en divorce, bien qu'en général quelqu'un soit nommé dans ce genre de circonstance. Vous n'avez pas vécu plus de six mois avec votre épouse après les allégations de...

— D'adultère ! s'agaça Henry. Dites-le. Autrement, nous allons y passer la nuit.

Henry s'était rendu compte que l'adultère était très mal perçu par les gens. Au lieu d'imaginer de belles femmes, des moments grisants, des fusions passionnelles, ils se figuraient des types malpropres, des chambres d'hôtels miteuses. Les braqueurs de banques et les hooligans bénéficiaient d'une meilleure presse. Sans parler de ce pyromane déchaîné qui avait agi dans un accès de colère. Non, l'adultère, c'était le summum de l'ignominie.

— Peut-on poursuivre ? grommela Henry.

— Bien sûr, bégaya Tom en rougissant. Écoutez, quand vous aurez un moment, j'aimerais bien que vous lisiez ce que j'ai rédigé.

Il lui tendit un épais manuscrit.

— Tom, sans vouloir vous vexer, je ne lis pas les œuvres des autres. Ni les scénarios ni les projets de restaurants. Mais si vous cherchez un agent, je peux vous introduire auprès de la mienne. Adrienne Jacobs. Enfin, mon ex-agent. Elle est en quête d'un bon roman à suspense médico-légal.

— Ce n'est pas un livre, s'offusqua Tom. C'est une stratégie. Pour votre divorce.

— Épaisse autant que ça ?

— Il y a aussi des arguments, des recherches, informa Tom avec entrain. Afin de bien construire notre défense.

— Des recherches ? répéta Henry en feuilletant le document. « *Tammy Winthrop contre Bernard Pike.* » Vous vous êtes trompé de document, je crois.

— Non, non. C'est une sélection d'anciens dossiers. Le divorce de M. Pike a été le plus pénible. Sa femme exigeait la maison, la voiture, le bateau, un compte en banque en Suisse et une pension alimentaire. Grâce à maître Knightly-Jones, nous avons gagné, même si, après le règlement du coût de la procédure, M. Pike ne possédait plus que son bateau. Et encore, la coque de celui-ci était percée. Vous trouverez d'autres exemples d'affaires similaires à la vôtre sur les pages suivantes.

Henry le dévisagea en silence.

— À la fin, tout dépend des humeurs du juge, confia Tom. Il vaut mieux qu'il soit bien luné, le jour de l'audience. Espérons que le vôtre le sera !

Henry reposa le manuscrit sur le bureau.

— Vous avez beaucoup travaillé, commenta-t-il.

— Oh, je n'étais pas seul, expliqua Tom avec modestie. J'ai fait appel à deux assistants et à un de nos associés principaux. Yvonne l'a tapé. Je ne voulais pas que vous vous sentiez lésé, vu que maître Knightly-Jones ne pourra pas vous représenter.

Et il s'illumina.

— Mais j'ai l'intention d'accepter sa requête, expliqua Henry.

Le visage de Tom s'affaissa. Puis, au bord des larmes, il regarda l'épais dossier.

— Je ne tiens pas à réfuter ses accusations, reprit Henry.

— Même si elles sont fausses ?

— Elles le sont, affirma Henry avec emphase.

— Je ne comprends pas ! protesta Tom. Vous n'étiez d'accord avec rien, vous êtes le client le plus contrariant du cabinet.

Sans doute. Mais au début, Henry avait quelque chose à gagner. À quoi bon retenir une femme qui dorénavant le rejetait ? Une femme qu'il avait honte d'avoir déçue.

— Désolé, Tom. Pour moi, cette affaire est classée. Laissez-moi signer la demande.

Tom la fit glisser vers lui.

— Vous pouvez prendre un autre avocat, si vous le souhaitez. L'un de nos associés.

— Non, ce n'est pas à cause de vous, répondit Henry avec sympathie. Appelez-les. Dites-leur que nous ne voulons plus entendre parler d'elles.

Il signa la requête et la rendit à Tom. Puis il marcha jusqu'à la porte et sortit, sans femme, sans agent, sans carrière, sans responsabilités. Libre comme l'air !

Sans voiture aussi. Tant pis, il rentrerait en bus.

19

Depuis une semaine, la nouvelle vendeuse de la boulangerie regardait Velma d'un air de reproche, comme si elle prenait trop de place dans la file d'attente, et Velma, intimidée, achetait dorénavant ses beignets ailleurs. L'autre boulangère se trouvait loin de son cabinet et ses beignets étaient moins bons. De plus, en chemin, Velma avait cassé le talon de sa chaussure. Elle était en train de le recoller quand Tom Eagleton la joignit sur son portable et lui annonça qu'Henry Hart n'allait pas se défendre.

— Quoi ? aboya-t-elle, certaine d'avoir mal entendu.

— Il accepte le divorce, confirma Eagleton.

Velma dissimula sa joie. Une heure plus tôt, elle avait pensé engager un avocat supplémentaire pour sortir

Jackie Ball du bourbier juridique dans lequel elle s'était enlisée. Elle avait contacté des services juridiques en Angleterre à propos de la nouvelle requête en divorce et son interlocuteur lui avait expliqué sèchement qu'elle devait d'abord déclarer par écrit qu'elle renonçait à la première. La capitulation d'Henry Hart tombait à point nommé. Mais pourquoi Knightly-Jones n'avait-il pas pris la peine de le lui annoncer lui-même ? songea-t-elle aussitôt. Était-elle insignifiante au point qu'il ne puisse s'arracher à la lecture de son courrier sans intérêt ou à la plaidoirie d'une affaire de redevance télé ? Méritait-elle qu'on lui refourgue un débutant ?

— Ah, c'est très noble de sa part ! rugit Velma. Après tout ce cirque !

À l'autre bout de la ligne, elle entendit un silence apeuré. Eagleton cherchait un dossier et le fit tomber. Sentant que ça allait prendre un certain temps, Velma posa ses pieds sur son bureau et ouvrit un paquet de chips.

Bien sûr, elle augmenterait son taux horaire et réclamerait cent livres de l'heure. Elle n'aimait pas profiter de la misère des autres, mais ce Henry était riche. Elle lui imputerait une partie de ses honoraires. Et certains frais afin de pouvoir prendre une semaine de vacances quand l'affaire serait réglée. En Écosse, peut-être. Ou dans les pays scandinaves. Un endroit froid où les touristes ne se promènent pas en short. Elle serait seule, mais ce n'était pas nouveau.

— Notre client accepte de partager le coût de la procédure équitablement, déclara Eagleton. J'ai une lettre de lui sous les yeux.

— Jackie Ball ne s'attendait pas à supporter les frais d'acte d'une deuxième requête, rétorqua Velma.

— Personne ne lui a demandé d'en rédiger une autre.

— Votre client n'était pas satisfait de la première, il ne lui a pas laissé le choix !

— Elle n'a pas respecté le délai de vingt-huit jours durant lequel nous devions déposer notre mémoire.

— Comme si cela aurait pu changer la situation.

— Et...

— Je ne veux pas le savoir !

Elle entendit soudain un bip-bip. La mauviette avait eu le culot de lui raccrocher au nez ! Elle ralluma son téléphone mobile et composa le numéro de son correspondant. Comme d'habitude, la secrétaire la fit patienter vingt minutes avant de lui passer Eagleton.

— Nous avons été coupés, déclara Velma.

Il se tut.

— Pour en revenir aux frais, reprit-elle.

— Ceux de la deuxième requête ne sont pas à notre charge, rétorqua-t-il avec une étonnante fermeté.

— Même certains ? roucoula Velma. Votre client a les moyens. Vous devez lui soutirer une petite fortune.

— Mademoiselle Murphy...

— Combien prenez-vous de l'heure ? Cent livres ?

— Cela ne vous regarde pas.

— Allons, entre confrères, on peut échanger certaines informations.

— Bien plus que cent. Et votre manie de ne pas laisser les gens terminer leurs phrases est fort déplaisante !

— Vraiment ? J'aimerais parler à maître Knightly-Jones.

— Il a pris sa retraite.

— Quoi ?

— Durant une opération à cœur ouvert, il a vu surgir une lumière blanche au bout d'un tunnel. Il a décidé de vivre autrement.

— Donc je me retrouve coincée avec vous ? commenta-t-elle d'un ton badin.

Elle rougit puis gronda :

— La répartition des frais ne me convient pas.

— À moi non plus.

— Comment allons-nous résoudre ce problème ?

— Je passerai à Dublin après-demain. Nous pourrions nous voir quelque part. Si vous êtes d'accord. Vous êtes peut-être trop occupée ?

— Je peux trouver un moment entre deux rendez-vous, répondit-elle, tout en sachant pertinemment qu'elle n'attendait personne.

Il lui donna l'adresse d'un café et ils fixèrent l'heure d'un rendez-vous. Au moment de raccrocher, il ajouta :

— Attendez ! Vous êtes comment ?

— Pardon ?

— Afin que je puisse vous reconnaître.

— J'aurai un journal à la main.

— Comme tout le monde, s'esclaffa-t-il.

— Je serai en rose. Non, en noir.

— Je suis très grand, confia-t-il timidement.

« Super ! pensa Velma. Un autre monstre. »

— Vous mesurez combien ?

— Un mètre quatre-vingt-dix.

— Ce n'est rien ! Je mesure un mètre quatre-vingt-deux. Et je suis grosse.

— Très bien, articula-t-il.

— Très grosse.

— Entendu, répliqua-t-il sans surprise. À mardi.

— Ce sont d'excellentes nouvelles ! s'exclama Jackie.

— Sans doute, grommela Mme Ball.

Elle affichait une mine sinistre depuis que son beau-fils lui avait glissé entre les doigts. Qui allait semer des graines pour ses parterres de fleurs ? Et le mur n'était qu'à moitié construit. Elle ne pouvait même pas demander à son mari de le terminer : il était incapable de tracer un trait droit.

— Je n'en reviens pas ! déclara Michelle depuis le canapé qui commençait à prendre la forme de ses fesses. Je n'aurais jamais cru qu'Henry renoncerait aussi facilement.

Il avait capitulé. Broyé comme le biscuit aux céréales que Michelle venait d'engloutir. Jackie aurait dû s'en sentir soulagée. Il n'y aurait pas de comparution au tribunal, ni de révélations sur sa vie privée. Plus de délais et des frais légers. L'ombre au tableau, néanmoins, était le fait que, par sa décision, il semblait reconnaître son infidélité. Alors que Jackie, de son côté, se mettait à en douter !

Non, de toute évidence, c'était par culpabilité qu'il avait renoncé à se défendre.

— Enfin, maintenant, je peux passer à autre chose, assura bravement Jackie.

— À quoi ? s'enquit Mme Ball.

Jackie réfléchit.

— Tu n'as plus de mariage à organiser, reprit sa mère.

— Je sais.

— Tu devrais peut-être commencer à chercher un appartement à louer. Le chauffe-eau va finir par se détraquer si vous continuez à prendre des douches matin, midi et soir, toi et ta sœur !

— Déménager est une priorité, répondit Jackie d'une voix douce. Et j'ai de nouveaux projets à propos de Flower Power. J'ai l'intention d'ouvrir une autre succursale.

— Quoi ? s'exclama Mme Ball avec inquiétude.

— Emma est partante. Nous devons simplement jeter un œil sur nos bénéfices.

Avec le départ de Lech, elle aurait besoin de s'occuper. Jackie aussi : elles travailleraient deux fois plus et passeraient au pub le vendredi soir. À quarante-cinq ans, Jackie se pencherait sur le chiffre d'affaires des douze succursales de Flower Power en songeant sérieusement à devenir une multinationale. Devant un feu de cheminée, elle contemplerait le passé d'un air joyeux, une troupe d'enfants bien élevés à ses pieds — les siens si tout allait bien. Quand le souvenir d'Henry lui traverserait l'esprit, elle laisserait échapper un rire cristallin et confierait aux chers petits : « Ne faites pas attention à moi ! Je pensais à quelqu'un que j'ai connu. » Un sale type. Ce jour arriverait, elle le savait. Mais en attendant, elle avait envie de ramper jusqu'au lit rose à une place de sa chambre.

Pour faire bonne figure, elle affirma :

— Tout va donc pour le mieux.

Mais Mme Ball ne l'écoutait pas. Elle regardait par la fenêtre en tripotant nerveusement sur son bandeau.

— Qui vient nous rendre visite ? Pourvu que ça ne soit pas encore un témoin de Jéhovah.

Vu la luxueuse Mercedes bleu sombre aux vitres opaques qui approchait, Jackie en doutait. M. Ball les rejoignit.

— Ça vaut dans les cent vingt mille livres, commenta-t-il.

— Qu'est-ce qu'ils nous veulent ? s'enquit sa femme.

Depuis la fenêtre, ils observèrent la voiture qui s'arrêtait devant leur maison. L'espace d'un instant, Jackie crut que c'était Henry. Elle s'empressa de chasser cette pensée ridicule. Michelle contemplait la Mercedes sans bouger du canapé. Mme Ball pinça le bras de Jackie.

— Regarde, la portière s'ouvre ! C'est un homme. Il a l'air âgé. Il a de belles chaussures. Son costume est très bien coupé, tu ne trouves pas, Jackie ? Mais il est chauve. Et il fait une de ces têtes ; on dirait qu'il a avalé un citron. Ce ne serait pas l'inspecteur des impôts, par hasard ? Nous n'avons jamais déclaré les cinq cents euros de notre compte en banque à l'île de Man.

— Mon Dieu ! s'exclama Michelle en fixant l'inconnu qui s'approchait. C'est Monsieur Fessée.

À cinq heures moins cinq, Emma lissa son chemisier brun. Elle transpirait plus qu'à l'accoutumée. Sans doute était-ce lié au départ de Lech. Elle avait déjà préparé sa paie qui comprenait une prime généreuse, ainsi qu'une lettre de recommandation dithyrambique. Dans une enveloppe séparée, elle avait glissé la croix et la chaîne qu'il avait oubliées sur le porte-savon. Elle ne tenait pas à ce qu'il la contacte afin de passer les chercher. Non, pour le salut de tous, elle voulait rompre avec lui le plus proprement possible.

Emma essaya de se concentrer sur la couronne

qu'elle confectionnait mais ses doigts s'affairaient avec maladresse. La clochette située au-dessus de la porte du magasin tinta. Sans lever les yeux, elle sut que c'était Lech : chaque pore de sa peau le reconnaissait. Elle ne lui prêta attention que lorsqu'il la rejoignit près du comptoir. Il portait des lunettes noires.

— Bonjour, lança-t-elle d'un ton aimable.

— Emma.

Elle lui tendit les enveloppes et lui réclama les clés du magasin. Il fouilla dans la poche de son jean moulant et les lui remit.

— Je n'ai pas celles de ton appartement.

— Je sais, répondit-elle.

— Je n'en avais pas besoin vu que je passais par l'escalier de secours.

— Oui, bredouilla Emma, qui n'avait pas envie de se justifier à ce propos. Jackie n'a pas pu venir, mais elle te souhaite une bonne continuation.

Derrière ses lunettes noires, Lech l'observait en silence.

— Donc, il ne me reste plus qu'à te remercier, ajouta-t-elle.

— Pour mes services multiples.

— C'est bas !

— Forcément, tu n'arrêtes pas de me rabaisser.

Emma soupira.

— Je pensais qu'on pourrait se quitter en restant amis.

— Menteuse. Tu espères ne plus jamais me revoir et tu comptes me remplacer par un nouveau gigolo.

— C'est faux !

Par ailleurs, Lech était plus âgé qu'elle. Il ôta ses lunettes d'un geste brusque et lui jeta un air de martyr.

— Cette nuit, je t'ai regardée pendant que tu dormais. Je me suis demandé si pour toi j'étais simplement un autre José, ou Andrea, ou Vladimir.

— Je ne sais pas quoi dire, Lech.

— Trouve quelque chose qui me donne envie de rester.

Emma hésita. Il fourra les enveloppes dans sa poche et se tourna vers la porte.

— Adieu, dit-il.

Elle saisit la couronne, écouta le bruit de ses pas puis celui de la clochette, et soudain elle jeta son ouvrage et hurla :

— Lech !

— Emma ?

Elle s'élança vers lui, le cloua contre la porte et ils s'embrassèrent avec fougue tandis que la clochette tintait gaiement au-dessus de leurs têtes.

— Allons dans la réserve, haleta Emma, les narines enivrées par l'odeur d'après-rasage bon marché de Lech.

— Quoi ?

— On n'aura qu'à s'allonger sur le grand plateau de

dahlias qui est arrivé hier. On ne peut pas faire ça devant les clients.

Il la repoussa.

— C'est incroyable. Rien n'a changé !

— Lech, s'il te plaît...

Mais il partit. À travers la vitre, elle ne le quitta pas des yeux tandis qu'il montait dans sa voiture. Sans même lui lancer un dernier regard, il démarra en trombe et disparut.

Justice Gerard Fortune déclara que le *crumble* aux pommes de Mme Ball était encore meilleur que celui de sa mère.

— Vous êtes venu ici pour parler de l'avenir de ma fille, pas de mes talents de pâtissière, gronda Mme Ball.

— Vous avez raison, répondit-il en dévisageant furtivement Michelle.

— Pourquoi me fixes-tu de cette façon ? s'enquit la sœur de Jackie. C'est parce que je suis habillée que tu as du mal à me reconnaître ?

— Michelle ! s'écria Mme Ball.

— C'est vrai. Il me regarde bizarrement depuis qu'il a franchi la porte. Ne compte pas sur moi pour te sauter dessus, d'accord ? Une fois m'a suffi.

Mme Ball leva les yeux au ciel. Jackie observait la scène avec intérêt. Au moins, cela lui permettait d'oublier temporairement Henry.

— Cette voiture consomme beaucoup ? questionna M. Ball.

— J'ignore ce qui t'amène, reprit Michelle. Enfin, si tu es venu pour me proposer davantage d'argent en échange de mon silence, je n'y vois aucun inconvénient.

— Je n'essaye pas de t'acheter ! s'indigna le juge.

— Non ? Alors tu as l'intention de me menacer de nouveau ? Tu as apporté une assignation ?

— Tu as une très mauvaise opinion de moi, Michelle.

— Vous ne pouvez tout de même pas le lui reprocher ! le tança Mme Ball. Vous n'avez pas répondu à un seul de mes appels ! Je vous ai même envoyé une échographie des bébés dans l'espoir de vous faire prendre conscience de la gravité de la situation !

— Maman ! s'exclama Michelle atterrée.

— Il fallait bien sortir de l'impasse, justifia Mme Ball en se tournant vers son mari.

Mais celui-ci, au lieu de la soutenir, scrutait la Mercedes à travers la fenêtre.

— Vous n'êtes pas le premier avec qui elle a couché et vous ne serez pas le dernier, ironisa-t-elle. Mais quand ma fille m'a affirmé que vous étiez le père des jumelles, je l'ai crue. Et si vous n'assumez pas vos responsabilités, vous êtes un lâche !

Elle s'interrompit quand son bandeau tomba dans son assiette de *crumble*. Le juge semblait affligé.

— Je veux les assumer, déclara-t-il. Mais je suis marié. J'incarne la loi. C'est une situation délicate.

— Ben tiens ! riposta Michelle. Quoi qu'il en soit, tu as dit ce que tu avais à dire et tu peux remonter dans ta voiture maintenant. Je te préviendrai quand j'aurai accouché. N'oublie pas de m'envoyer un chèque tous les mois.

— Elle penche, commenta M. Ball. Vous avez fait examiner les pneus arrière récemment ?

— Pourriez-vous nous laisser un moment seuls, Michelle et moi ? demanda le magistrat.

Mme Ball croisa les bras.

— Sûrement pas. On sait ce qui se passe quand on vous laisse seul avec ma fille.

— J'aimerais simplement lui parler de l'avenir de nos enfants ! implora le magistrat.

— Très bien, déclara Michelle. Mais Jackie reste. Elle est en train de divorcer et elle est aussi féroce qu'un pitbull – pas vrai, Jackie ?

L'interpellée le toisa avec animosité. Il se recroquevilla en léchant ses lèvres rouges et fissurées. Comment sa sœur avait-elle pu coucher avec lui ? Elle avait dû forcer sur l'ecstasy cette nuit-là.

M. Ball quitta la pièce d'un pas précipité.

— Surveille bien ses mains, conseilla Mme Ball à Jackie. Si celles-ci s'égarent, crie.

Et elle s'éloigna. Assise comme un arbitre entre Michelle et le visiteur, Jackie se sentit soudain mal à l'aise. Sa propre vie était loin d'être un exemple ; elle afficha néanmoins un air condescendant.

— Michelle, commença le juge. Contrairement à ce que tu penses, je suis venu t'expliquer que je suis navré de ce qui s'est passé. Je me suis défilé face à mes responsabilités. En fait, je me suis comporté de façon abominable ! Et aujourd'hui, j'aimerais rattraper le temps perdu.

— Combien me proposes-tu ? demanda Michelle.

— Je ne parle pas d'argent Je parle de paternité. Je veux subvenir aux besoins affectifs et financiers de ce bébé.

Ça sonnait faux. Jackie décida de lui octroyer le bénéfice du doute, mais de toute évidence Michelle partageait son scepticisme.

— *Ces jumelles*, corrigea Michelle. Et en échange de quoi ?

— De rien. Pourquoi est-il si étrange que je désire être le père de mes propres enfants ?

— Parce que tu en as déjà quatre, répondit Michelle.

— Ils sont grands, maintenant. Et je ne les aime pas. Mais avec toi, une deuxième chance me sourit. Je ne commettrai pas les mêmes erreurs, cette fois. Michelle, tu es la mère de mes jumelles. Tu n'as pas eu droit au respect que tu méritais. Regardez-moi ce ventre rebondi, épanoui, et les merveilleux poussins qui y sont nichés !

— Touche pas ! aboya Michelle. Et ta réputation ? Tu n'as pas peur de devenir la risée du palais ?

Le juge resta stoïque.

— Oui, ma réputation en sera quelque peu entachée. Mais elle a toujours été immaculée jusqu'ici.

— Parce que tu ne t'es jamais fait pincer, avança Michelle. Et ta femme ? Comment réagit-elle ?

— Bien sûr, ça lui a fait un choc. Mais nous en avons parlé et elle m'a pardonné. Elle aussi tient à ce que j'assume mon rôle de père.

— Ça doit être une sainte, déclara Michelle.

— Je ne suis pas entièrement un goujat. Je pensais que ma proposition te plairait et que, dans un an, nous pourrions trouver quelqu'un qui s'occupe des enfants si tu avais envie de retourner à l'Université.

— Elle était en dernière année de droit, l'informa Jackie.

— C'est cela, répondit le magistrat. Michelle, laisse-moi prendre les choses en main et je paierai pour tout : une jeune fille au pair, une nourrice, ce que tu veux.

— Et en retour, qu'attends-tu de moi ? s'enquit Michelle avec méfiance. Car le sexe, c'est terminé, autant que ça soit bien clair !

Le juge poussa un soupir d'impatience.

— Je fais ça pour les bébés, c'est tout. Je désire faire partie de leur vie.

Michelle croisa le regard de Jackie. Celle-ci haussa les épaules. On ne pouvait pas reprocher à un homme de vouloir s'occuper de sa progéniture. Ne pas tenir compte des droits du père eût été égoïste et excessif de la part de Michelle.

— Entendu, déclara-t-elle.

— Merci ! Merci ! Tu n'imagines pas à quel point c'est important pour moi.

— Pas si vite. Nous devons d'abord établir certaines choses par écrit. Le droit de visite, par exemple, et les détails financiers.

— Est-ce vraiment nécessaire ? demanda l'intéressé d'un air accablé. Nous sommes de futurs parents ! J'avais l'intention de passer plus de temps avec toi pendant ta grossesse. Je pourrais même rester ce soir, si tu le souhaitais aussi.

— Ici ? s'étonna Michelle.

— Sur le canapé. Si tu es d'accord.

Michelle et Jackie échangèrent un regard perplexe. Puis M. Ball apparut à la fenêtre et annonça d'un ton joyeux :

— Bonne nouvelle ! Vos pneus sont en bon état. La voiture penche à cause de tous les bagages qui se trouvent dans le coffre.

Michelle bondit sur le juge qui avait blêmi.

— Ta femme t'a jeté dehors, c'est ça ?

— Non, je...

— Et tu es venu ramper jusqu'ici en espérant que la chance serait avec toi ! accusa Michelle. Tu te fiches des bébés !

— Non, je désire vraiment faire partie de leur vie !

— Je t'autoriserai à les voir quand ils seront nés. Maintenant, file.

— Je n'ai nulle part où aller ! protesta-t-il. Que tu le veuilles ou pas, nous sommes dans le même bain.

— Pas du tout. Je me débrouille très bien seule.

— C'est ta faute ! vitupéra-t-il. Pourquoi m'as-tu harcelé au téléphone ? Pourquoi ta mère m'a-t-elle envoyé une écographie dans une enveloppe que ma femme a ouverte ? Pourquoi ne m'as-tu pas fichu la paix ?

Jackie et Michelle l'observèrent avec une fascination horrifiée. Il semblait au bord de la crise de nerfs.

— J'aurais dû t'assigner en justice dès le début ! poursuivit-il. Ces enfants ne sont probablement même pas les miens ! Oh, tu es très connue au palais ; sais-tu comment on te surnomme ?

— Pas devant les petits, protesta Michelle.

— Pardon. Mais ne crois pas que tu vas t'en sortir indemne.

— Partez ! ordonna une voix près de la porte.

Ils se retournèrent. Armé d'une perceuse électrique, M. Ball regardait le magistrat. Sans doute s'était-il indigné en entendant leur conversation par la fenêtre. Il braqua son outil vers Justice Fortune et appuya sur la gâchette. Au son strident, le juge éructa :

— Je vous en prie !

— Ne m'obligez pas à m'en servir, avertit M. Ball.

Justice Fortune saisit son manteau et déguerpit. Quelques instants plus tard, ils entendirent le ronflement du moteur de la Mercedes. Mme Ball arriva dans la cuisine en trombe.

— Qu'est-ce que tu fabriques avec cette perceuse ? piailla-t-elle. Où est le juge ?

Sans lui répondre, M. Ball baissa son outil, fit un signe de tête à Michelle et sortit.

Jackie monta se coucher. À dix heures du soir, elle estimait que la soirée était terminée. Elle songea au juge, et des pensées très négatives à l'égard des hommes prirent aussitôt le relais. Henry faisait partie du lot. Il devait être ravi d'avoir réussi à se soustraire à une comparution au tribunal et aux débats. De cette façon, elle ne pourrait ni le confronter, ni le questionner, ni l'insulter, ni lui cracher au visage. C'était un lâche, décida Jackie. Prêt à se défendre quand c'était à son avantage, mais manquant de courage dès que le projecteur éclairait ses torts. Il ne s'en tirerait pas aussi facilement.

Jackie repoussa sa couette. Tout le monde dormait, excepté Mme Ball qui se promenait dans le jardin en chemise de nuit. Cette dernière avait entendu dire qu'en écoutant le hululement des chouettes on pouvait sombrer dans le sommeil plus facilement.

Vêtue de sa robe de chambre, Jackie descendit au salon. Afin que sa mère ne vienne pas l'importuner, elle ferma la porte de la cuisine qui donnait sur le jar-din. Elle chercha une bouteille d'alcool en guise de fortifiant, mais ne trouva que des potages instantanés aux légumes. Armée d'une tasse de soupe fumante, elle décrocha le téléphone. Si elle tombait sur son répon-deur, elle raccrocherait.

Elle composa son numéro. Après plusieurs sonne-ries, Henry répondit.

— Allô ? demanda-t-il d'une voix pantelante.

Elle avait probablement interrompu une séance de jambes en l'air.

— C'est Jackie.

— Ah.

— Je ne te dérange pas, j'espère ?

— Non, non. J'étais au grenier, dans mon bureau.

Au grenier ! La scène du crime. Faisait-il exprès de la provoquer ?

— Mon avocate m'a appris que tu ne réfutais pas mes accusations, assena-t-elle d'un ton glacial.

— C'est exact. Tu dois être contente.

— Pas du tout.

— Tu sais, Jackie, déclara-t-il irrité, je n'ai pas envie que tu sois malheureuse. Tu es en train d'obtenir ton divorce en employant des moyens douteux et tu vas pouvoir épouser ton voyou. Alors quel est le pro-blème ?

— Comment ça « douteux » ? Il s'agit de faits !

— Quels faits ? À ma connaissance, il n'y en a aucun.

— Tu m'as trompée !

— Je n'ai couché avec personne pendant que nous étions mariés et ce jusqu'à ce que tu mettes les voiles le soir de notre anniversaire de mariage.

— Tu me prends pour une idiote ?

— Non, répondit calmement Henry. Et je ne comprends pas pourquoi tu m'appelles puisque tu es si sûre de ce que tu avances.

— Tu as reconnu tes torts sur les papiers du divorce !

— J'accepte la séparation. Je ne reconnais rien du tout.

— Je pensais que pour une fois tu serais franc avec moi, se plaignit Jackie avec amertume. J'ai tout faux.

— C'est drôle, se moqua-t-il. Il y a un mois, la vérité ne t'intéressait absolument pas. Tu cherchais simplement à te débarrasser de moi le plus vite possible afin de te remarier.

Elle ne pouvait pas lui confier qu'elle avait rompu avec Dan, songea-t-elle avec embarras.

— Écoute, Henry, il ne s'agit pas d'une compétition. Nous savons tous deux que c'est fini, nous n'avons plus rien à gagner. Alors pourquoi ne pas faire preuve de maturité, de sincérité ?

— Je ne vais quand même pas reconnaître quelque chose que je n'ai pas commis. Tu plaisantes.

— Je t'ai entendu quand tu étais au grenier ! s'emporta Jackie. Au téléphone, tu lui chuchotais : « Tu es merveilleuse. Merveilleuse. » Deux fois !

Un silence se fit. Enfin, elle le tenait. Il ne pouvait plus nier.

— Je vois, réalisa-t-il.

— C'est tout ce que tu trouves à répondre ? Tu ne regrettes rien ?

— Il n'y a plus de téléphone au grenier depuis longtemps, Jackie. Tu ne te souviens pas du jour où je l'avais cassé en le jetant contre le mur ?

— Quoi ?

— Pourquoi penses-tu que je suis en train de me geler en bas, dans le couloir ?

Jackie chancela. C'était comme si le sol se dérobait sous ses pieds.

— C'était ton portable alors ?

— Et qu'est-ce que tu m'as entendu murmurer déjà ?

— Cela n'a plus d'importance, répliqua Jackie.

— Oh si ! C'est ma réputation qui est en jeu.

Il se fichait de ce qu'elle avait pu ressentir. Comme toujours, il ne se préoccupait que de lui-même !

— Tu n'as même pas rapporté des propos exacts, poursuivit-il. En fait, il s'agissait de « merveilleusement merveilleuse ».

— Après mon départ, tu ne m'as même pas passé un coup de fil pour savoir si j'étais vivante !

— Je sais. Je suis désolé.

— Moi aussi. Au revoir, Henry.

— Attends, Jackie. Je peux t'expliquer ce qui a eu lieu.

— À quoi bon ? Ce n'est pas ça qui va changer quelque chose.

Elle coupa la communication.

Après un instant, elle perçut un bruit provenant de la cuisine. Elle ouvrit la porte qui donnait sur l'extérieur. Mme Ball entra, les joues bleuies par le froid.

— Ne fais pas attention à moi, je viens simplement chercher mon cardigan.

Elle observa Jackie et ajouta :

— Viens faire un tour dans le jardin si tu veux. Avec un peu de chance, si la nuit est silencieuse, nous entendrons une chouette. Ça te calmera.

— Tu as raison.

Jackie passa son bras sous celui de sa mère et elles ressortirent.

Une semaine plus tard, elle reçut un exemplaire de *Globe* et s'empressa d'examiner les petites annonces :

Tu es parfaitement parfaite ;
C'est loin d'être mon cas.
Tu es merveilleusement merveilleuse ;
Ce que je ne suis pas.
Tu es glorieusement glorieuse ;

Un jour, je le serai aussi.
Tu es magnifiquement magnifique
Et mienne, à la folie.
Pour Jackie, le jour de notre premier anniversaire de
mariage.

20

— J'aimerais commander une couronne, annonça une femme au téléphone.

— Certainement, répondit Jackie. C'est notre spécialité. Et comme nous ne sommes ouverts que depuis ce matin et que vous êtes notre première cliente, nous vous l'offrons.

Elle regretta aussitôt sa générosité. Par ailleurs, c'était d'assez mauvais goût puisqu'il s'agissait d'obsèques.

Mais la femme était ravie.

— Merci ! Je vous ferai de la pub auprès de mes amis.

— Ce serait gentil, déclara Jackie d'un ton modeste.

D'un air sombre, elle saisit un stylo et demanda :

— Quel genre de composition souhaitez-vous ? Un

mélange d'œillets et de roses blanches – c'est un prix moyen – ou une couronne de notre collection ? Elle est plus chère, mais elle est subtilement composée de lys, de chrysanthèmes et de mufliers.

Jackie avait voulu la baptiser « Alors, tu as trépassé », mais cela avait déplu à Emma qui n'avait aucun sens de l'humour.

— Je vais choisir la seconde puisque c'est gratuit ! conclut la femme, toute contente.

En songeant que le défunt avait dû être un proche de sa cliente, la compassion de Jackie redoubla.

— Très bien.

Elle transmit la commande à Emma qui se mit aussitôt au travail d'un air sinistre.

— Voulez-vous ajouter un message ? s'enquit Jackie.

— Oui. Pourriez-vous mettre : « *Dommage que tu ne sois pas mort* » ?

« Super, pensa Jackie. Une excentrique. » Néanmoins, le jour de l'ouverture du nouveau Flower Power, ce n'était pas de bon augure.

— Il saura qui la lui envoie, reprit la femme.

C'était tentant. Elles avaient désespérément besoin de se faire connaître et une couronne gratuite leur apporterait peut-être de nombreux clients. Par acquit de conscience, Jackie se réfréna.

— Nous ne livrons pas de couronnes mortuaires à des gens qui ne sont pas cliniquement morts.

Emma lâcha les fleurs et se laissa choir sur une chaise.

— Vraiment ? s'étonna la cliente.

— Oui.

— Dans ce cas, je les livrerai moi-même.

Jackie répéta à Emma ce que la femme venait de proposer.

— Certainement pas, répliqua Emma.

Jackie la regarda avec insistance.

— C'est une question d'éthique, renchérit son associée.

— Il va bien falloir nous constituer une clientèle si nous voulons rembourser notre emprunt.

Mais dans le récepteur, Jackie déclara :

— Désolée, nous ne pouvons pas. Toutefois, si jamais vous avez besoin d'une couronne à des fins légitimes, j'espère que vous ferez appel à nous.

L'interlocutrice raccrocha. Jackie se tourna vers Emma.

— Bravo ! Tu viens d'éconduire notre première cliente.

— Il y en aura d'autres, la rassura Emma.

Elle pouvait se permettre de jouer les décontractées. Elle ne s'était guère investie dans le nouveau magasin de Flower Power. Elle avait déboursé une partie du capital, mais Jackie avait rédigé le dossier du projet, obtenu un prêt auprès d'une banque, trouvé le lieu – une ancienne maroquinerie baptisée Miss Leather.

Elle avait ensuite découvert une fuite dans la toiture et appris que l'ex-propriétaire avait déménagé après avoir perdu la moitié de son stock suite aux dégâts des eaux. Jackie avait passé un mois à essayer de convaincre différents entrepreneurs de rénover les lieux. Depuis l'ouverture du magasin, hormis un homme venu demander la nouvelle adresse de Miss Leather, personne n'était entré.

— J'espère que nous n'avons pas commis une erreur ! se lamenta Jackie.

— J'ai tenté de te prévenir, rétorqua Emma. Je t'avais expliqué qu'il existait d'autres moyens pour oublier Henry. Tu aurais pu te soûler tous les soirs, par exemple. Ou passer une nuit avec un inconnu. Ou te faire tatouer. Au lieu de m'écouter, tu as préféré ouvrir un autre magasin.

— Pardonne-moi d'être quelqu'un de constructif, répondit Jackie avec dédain. Et de toute façon, j'ai tiré un trait sur Henry. C'est pour moi que je fais ça. Afin de me prouver que je peux réussir sans lui.

— À t'entendre, on croirait que tu sors d'un groupe de soutien de divorcées, s'irrita Emma. C'est vraiment agaçant.

Son associée était jalouse, pensa Jackie. Les gens n'aimaient pas voir les autres sortir indemnes d'une histoire d'amour qui avait mal tourné.

Après avoir lu le poème d'Henry, Jackie avait attendu qu'il l'appelle. Au bout d'une semaine, elle s'était fait une raison : il était trop tard pour rattraper quoi que ce fût. La procédure du divorce avait suivi son cours, et grâce aux excellents rapports que Velma entretenait avec Tom, il n'y avait eu aucun accroc. Il ne restait plus qu'un dernier document à déposer au greffe du tribunal et l'affaire serait classée. Velma avait demandé à Jackie de passer le signer, mais l'intéressée, débordée, ne cessait de différer le rendez-vous.

— Tu sais, déclara fièrement celle-ci, si je renonçais aux hommes, je pourrais ouvrir des Flower Power partout à Dublin ! Plus rien ne m'arrêterait.

— Tu ne tiendras pas le coup sans un homme, assena Emma d'un air sombre.

Elle était vraiment décourageante en ce moment.

— Depuis que j'ai rompu avec Dan, je ne suis sortie avec personne.

— Tu n'en as pas ressenti le besoin. Tu as croisé uniquement des employés de banque et des entrepreneurs, mais quand tu rencontreras un type aux yeux rêveurs et au cœur sensible, tu craqueras.

— Non ! s'offusqua Jackie, vexée que sa métamorphose ne soit pas prise au sérieux. Tu crois que je n'ai rien appris au cours des deux années écoulées ? Tu crois que je vais me jeter dans les bras du premier ténébreux venu ? Désormais, la personne la plus importante dans ma vie, c'est moi !

Emma soupira.

— Quand vas-tu te remettre de ce divorce et redevenir toi-même ?

— C'est toi qui as un problème, rétorqua Jackie.
Tu es dépressive depuis que Lech est parti. Tu devrais
commencer à chercher un nouveau petit ami.

— Je ne suis pas dépressive ! rugit Emma. Je n'ai
jamais été aussi heureuse. J'ai chantonné l'autre jour
– mon voisin m'a entendue. Je me suis remise de cette
rupture. Et j'ai bien remarqué que tu avais essayé d'engager ce Phil pour me faire plaisir.

Le jour précédent, Jackie avait convoqué le Phil en
question afin de remplacer Lech. Il était mignon, gentil, mais possédait une opinion sur tout et n'hésitait pas
à la donner. À la fin de l'entretien, après l'avoir écouté
disserter sur la politique et la légalisation du cannabis,
Jackie et Emma avaient été prises de migraines.

— Je m'en sors très bien seule, poursuivit Emma.
Et j'aimerais que tu cesses de te mêler de ma vie privée.

Jackie n'insista pas.

— Nous devrions accrocher des ballons dehors afin
de signaler aux gens que nous sommes ouverts, proposa-t-elle.

— Durant une minute, tu avais l'air presque normale, commenta Emma. Tu n'arrêtes pas de t'agiter
comme si tu étais sous amphétamines.

— Je refuse de me laisser abattre, décréta Jackie en
s'éloignant pour aller gonfler les ballons.

— Velma a encore appelé ! cria Emma.

— Tu es anxieuse ? s'enquit gentiment Michelle, une semaine plus tard.

— Non, répondit Jackie.

— Tu as le droit de l'être.

— Je sais. Je ne le suis pas.

— Il s'agit simplement de signer l'assignation en divorce, c'est tout.

Elles déjeunaient dans un restaurant huppé situé près du cabinet de Velma. « La Cène », avait plaisanté Michelle.

— Tu n'étais pas obligée de m'accompagner, déclara Jackie. Je ne vais pas fondre en larmes.

— J'en ai assez de regarder l'émission d'Oprah, vautrée sur le canapé. Hier, elle interviewait des Américaines enceintes blanches et pauvres ; ça m'a déprimée.

En les voyant arriver, le maître d'hôtel leur avait aussitôt attribué une table pour quatre personnes autour de laquelle se trouvaient de larges banquettes.

— Quoi qu'il en soit, je voulais simplement m'assurer que tu n'allais pas faire machine arrière, reprit Michelle.

— Ça fait six mois que j'essaye de divorcer. Aujourd'hui, c'est l'étape finale et ça me soulage.

— Au moins, il n'a pas été infidèle.

— C'est ce que tout le monde me dit ! s'exclama Jackie. Je devrais lui en être reconnaissante, peut-être ?!

— Ne te fâche pas, gémit Michelle.

— De toute façon, ce n'était qu'un détail, décréta Jackie.

— Quoi ?

— Puisqu'il se comportait comme s'il me trompait, et moi comme si je le soupçonnais d'avoir une aventure.

Michelle réfléchit.

— C'est le manque de confiance qui posait problème, non ?

— Exactement ! s'exclama Jackie en opinant du chef.

Depuis qu'elle avait changé de coiffure, elle ne sentait plus ses cheveux bouger autour d'elle. Mais c'était différent. Elle avait l'impression de faire peau neuve. Et bientôt, elle serait libre ! Michelle ne put s'empêcher de jouer les rabat-joie.

— Vous ne pourriez pas tâcher de repartir sur de nouvelles bases ? suggéra-t-elle. Maintenant que tu sais qu'il ne t'a pas trompée ?

— Ce n'est pas aussi simple que cela.

— Pourquoi ?

Tout était tellement noir et blanc aux yeux de Michelle ! Ce n'était pas elle qui avait langui sur le sofa, vêtue d'une nuisette, soir après soir, pendant qu'Henry marmonnait, enfermé au grenier. Apparemment, il s'y cachait pour lui écrire des poèmes torrides emplis de sentiments qu'il n'avait pas le courage de lui confier en face. Elle qui rêvait de romance ! Par sa faute, Jackie avait vécu par procuration en regardant les étreintes passionnées du personnel médical des séries télévisées !

— Tu cherches à me dissuader de divorcer ? se plaignit-elle.

— Pas du tout. Je déteste Henry. Par ailleurs, tu t'amuseras davantage si tu es célibataire. En fait, c'est ton détachement qui m'étonne.

— Écoute, je suis prête, d'accord ?

— Très bien, répondit Michelle en jetant sa serviette d'un geste brusque.

Puis elle baissa les yeux et grommela. Un liquide coulait le long de ses jambes nues.

— Tu as renversé un verre ? s'enquit sa sœur.

— Non. Et toi ?

Jackie secoua la tête.

— Je suis désolée, reprit Michelle. Peut-être qu'en croisant les jambes je parviendrais à faire patienter les jumelles jusqu'à la fin de ton rendez-vous avec Velma.

— Ne sois pas ridicule, répondit Jackie dont le cœur battait à tout rompre. Il faut que tu ailles à l'hôpital.

Elle ne pouvait même pas prévenir Mme Ball : celle-ci se trouvait sur un terrain de golf. Quelqu'un lui avait conseillé de pratiquer ce sport afin de se détendre, mais de nouveaux soucis concernant l'esthétique de sa tenue de golfeuse l'avaient angoissée davantage.

— Rien ne presse, répliqua Michelle. Je n'ai pas

encore de contractions. Nous avons le temps de prendre un dessert.

— Non ! insista Jackie en faisant signe au maître d'hôtel. Je vais lui donner l'ordre d'appeler une ambulance.

Mais ce dernier rechigna et proposa de faire venir un taxi ou même un fiacre.

— Pourrais-je avoir un récipient pour le fluide ? réclama Michelle. À l'hôpital, ils m'ont demandé d'essayer d'en apporter. Une tasse à café suffirait.

Il s'éloigna à grands pas vers l'accueil.

— Je ne recommanderai ce restaurant à personne ! annonça Jackie.

— Tu as l'air de meilleure humeur, constata Michelle.

— C'est parce que tu es sur le point d'accoucher.

— Et tu vas pouvoir différer ton rendez-vous avec Velma.

— Je n'y pensais même pas.

— C'est vrai que je me sens bizarre, confia Michelle. Je vais être maman, c'est incroyable.

Le maître d'hôtel réapparut.

— Je suis désolé : ils m'ont d'abord dit qu'aucun fiacre n'était disponible avant une demi-heure, et quand je leur ai expliqué qu'une femme était sur le point d'accoucher, ils m'ont répondu qu'il fallait compter un délai plus long – au moins deux heures. Vous pouvez toujours attendre ici, si vous voulez.

Michelle crispa soudain une main sur son ventre.

— Il faut que je sorte tout de suite ! gémit-elle.

— Je vais prévenir une ambulance, déclara le maître d'hôtel à regret.

— Attendez, dit Jackie.

Emma allait la tuer, mais la personne la mieux qualifiée pour traverser la ville en trombe en évitant les embouteillages, c'était Lech.

— Jackie !

Lech gara sa limousine en klaxonnant et se pencha par la vitre fumée.

Elle le reconnut à peine. Son costume, sa cravate et ses lunettes de soleil lui donnaient l'air d'un homme d'affaires désinvolte.

— Je croyais que tu avais appelé un livreur de pizzas, commenta Michelle, un morceau de cheese-cake à la main.

— Chut ! fit Jackie.

Lech descendit de son véhicule.

— Vous voulez que je vous dépose à l'hôpital ?

— Nous avons peur de salir la voiture, bredouilla Jackie.

— Non, ne vous en faites pas.

— Je m'assiérai sur un journal, déclara Michelle.

— Inutile, rétorqua Lech.

L'intérieur crème et immaculé de la limousine sentait le

cuir neuf. Michelle monta à l'arrière. Jackie s'installa près de Lech.

— C'est mieux que ma Ford, non ? commenta-t-il.

— Vous nous rendez un immense service, roucoula Jackie.

— C'est normal, nous sommes amis. Par ailleurs, j'étais dans le coin.

Il passa la première et rejoignit le flot de la circulation. Les autres voitures s'écartèrent aussitôt pour le laisser passer.

— Ma réussite les intimide, expliqua-t-il à Jackie.

Elle se tourna vers sa sœur.

— Ça va ?

— Je viens de découvrir un minibar, jubila Michelle. Avec des cacahuètes. Et des barres au chocolat suisse !

À l'autre bout de la limousine, sa sœur se mit à grignoter.

— Et vous, Lech, comment allez-vous ? demanda Jackie.

— Comme vous pouvez le constater, très bien.

— Vous n'êtes plus livreur ?

— D'une certaine façon, si, répondit-il mystérieusement. Mais je ne livre plus de pizzas. L'odeur, c'était ce qu'il y avait de pire ! Même après des dizaines de douches, je la sentais encore. Il n'y a rien de tel pour repousser les femmes. Mais je me suis fait des amis à la pizzeria. Des relations. J'ai rencontré des gens qui connaissaient d'autres gens et j'ai pris du galon.

Il appuya sur plusieurs boutons situés sur le tableau de bord. Les vitres se baissèrent, le volume de la radio augmenta et l'appuie-tête de Jackie s'inclina.

— C'est mieux comme ça ? s'enquit-il poliment.

— Oui, merci.

Puis elle s'agrippa aux rebords de son siège tandis que Lech grillait un feu rouge en insultant un conducteur qui klaxonnait.

— Je suis contente que ça marche pour vous, Lech.

— Et vous, Jackie ?

— Moi ? Oh, ça se déroule très bien. Avec Emma, nous venons d'ouvrir une deuxième succursale.

— Félicitations. Et vous vous êtes fait couper les cheveux.

— Oui, dit-elle, un sourire aux lèvres.

Elle attendit un compliment qui n'arriva pas et regretta d'avoir écouté les conseils de son coiffeur.

— Où en êtes-vous avec Henry ? reprit-il.

— Nous essayons toujours de divorcer, gloussa-t-elle. Ça devrait se régler bientôt.

— C'est peut-être une bonne idée après tout.

— Absolument. Ensuite, on pourra passer à autre chose.

— Comment va Emma ? demanda enfin Lech d'un ton détaché.

— Très bien aussi ! s'exclama Jackie.

— Vraiment ?

— Enfin, elle a un peu grossi, se reprit Jackie qui ne voulait pas lui donner l'impression qu'Emma l'avait oublié. Elle se console en mangeant.

Lech regardait droit devant lui en silence.

— Vous nous manquez beaucoup, ajouta Jackie.

— Les choses changent.

— Je suppose.

Soudain, alors que Jackie commençait à penser qu'il ne se souciait plus de son ex-petite amie, il déclara d'un ton pressant :

— Vous lui rapporterez que vous m'avez rencontré, j'espère ?

— Je n'y manquerai pas.

— Et que je conduis une limousine. Il n'y en a que cinq comme celle-ci en Irlande. Dites-le-lui. Et mon costume, c'est un Armani.

Jackie poussa des murmures admiratifs.

— Elle n'aurait plus honte de moi si elle me fréquentait encore, commenta-t-il avec amertume.

— Pourquoi ne passez-vous pas la voir, Lech ? Elle va bientôt aller déjeuner.

— Non, répliqua-t-il en empruntant une rue en sens interdit.

Il gagna l'hôpital en un temps record et se gara dans un espace réservé aux ambulances. Jackie fit signe à un brancardier. Avec quelques difficultés, ils installèrent Michelle sur un fauteuil roulant.

— Je vais rester coincée, gémit-elle tandis que le brancardier s'éloignait en la poussant.

Jackie posa la main sur le bras de Lech.

— Merci.

— De rien. Bonne chance à votre sœur.

Elle rejoignit Michelle et se retourna quand elle entendit Lech qui klaxonnait.

— N'oubliez pas de dire à Emma que je suis devenu quelqu'un d'important, d'accord ?

21

Après avoir rempli des papiers au service des admissions, Jackie apprit que Michelle avait commencé à avoir des contractions devant le distributeur de friandises situé au deuxième étage. Cette dernière avait été aussitôt emmenée en salle d'accouchement où une équipe de médecins l'examinaient. Jackie voulut la suivre, mais une infirmière lui bloqua le passage.

— Je suis sa sœur ! s'offusqua Jackie. Vous voyez bien que je lui ressemble, non ?

— Ce n'est pas sur son visage qu'ils sont penchés, en ce moment.

— Dites-moi au moins si elle va bien.

— Le temps de me renseigner auprès des médecins. En attendant, allez donc vous asseoir avec votre père.

M. Ball était déjà là ? s'étonna Jackie. Elle les avait appelés depuis la limousine alors qu'ils se trouvaient sur un terrain de golf. Comment avaient-ils fait pour arriver aussi vite ?

Elle jeta un œil alentour et ne repéra qu'un seul homme. Malgré la chaleur, il était noyé dans un immense pardessus et chaussé d'un chapeau. Il portait des lunettes de soleil. Quand il remarqua Jackie, il plaça un journal devant son nez.

Elle fondit sur lui. D'un geste, elle balaya la feuille de chou qui dissimulait sa figure.

— Justice Gerard Fortune ! s'exclama-t-elle.

— Chut ! fit-il.

— Comment osez-vous vous faire passer pour mon père ?! rugit Jackie.

— Ne criez pas, supplia-t-il. Personne ne sait que je suis ici.

Jackie croisa les bras sur sa poitrine.

— Vous avez changé de refrain. Je croyais que vous vouliez assumer vos responsabilités parentales et aider Michelle à élever les enfants.

Une infirmière lui jeta un regard intrigué. Il rabattit son chapeau sur ses yeux.

— Oui, répondit-il. À ma manière.

— C'est-à-dire ?

— La situation s'est légèrement compliquée, balbutia-t-il. Ma femme a accepté que je revienne vivre avec elle.

— Elle est au courant de votre présence ici ?

— Non, reconnut-il.

— Vous êtes vraiment un lâche !

— Tout à fait. Mais au moins, je suis venu avec mon carnet de chèques et je veille au confort de Michelle. J'ai payé afin qu'elle puisse avoir une chambre privée.

— Ce qui vous arrange pour les visites, fit remarquer Jackie. Vous passerez davantage inaperçu.

— Certes.

— Vous devriez filer, vous n'avez rien à faire ici. Je ne sais même pas comment vous avez appris qu'elle était sur le point d'accoucher !

— Elle m'a téléphoné. Nous restons en contact, figurez-vous.

Jackie avait entendu sa sœur grommeler à l'arrière de la limousine, mais elle avait pensé qu'elle lisait à voix haute la liste des ingrédients d'une barre au chocolat suisse. Face au juge, elle se sentit soudain déstabilisée.

— Tiens, voilà le reste de la troupe du cirque, annonça-t-il.

Dans le couloir, Mme Ball se précipitait vers eux. M. Ball suivait, traînant derrière lui des clubs de golf. Justice Fortune afficha une expression résignée.

— Vous ! cria Mme Ball.

Elle était vêtue d'un pantalon d'un blanc aveuglant

et une visière surplombait son front. Le soleil se cachait pourtant depuis deux mois.

— M. et Mme Ball, déclara le juge. Ravi de vous revoir.

— Où est-elle ? glapit la vieille dame.

— En salle d'accouchement, répondit-il poliment. Aux dernières nouvelles, elle s'est dilatée de quatre centimètres.

— Comment osez-vous parler de ma fille de cette façon ? aboya-t-elle.

— Pardon ?

— N'avez-vous aucun respect ?

Un cri perçant leur parvint. Mme Ball blêmit.

— C'était Michelle ?

— Non, assura Justice Fortune.

— Qu'en savez-vous ? répliqua-t-elle.

Puis elle rougit et ajouta :

— Quel dépravé !

— Madame, avoir eu des rapports sexuels consensuels avec votre fille ne fait pas de moi un dépravé.

— Ma pauvre Michelle, se lamenta-t-elle. Jackie, qu'allons-nous faire s'il y a un problème ?

— Il n'y en aura pas, maman.

— On ne sait jamais, dramatisa Mme Ball en fouillant dans son sac à main.

Agitant un paquet de mouchoirs comme si celui-ci pouvait être d'une grande utilité, elle déclara :

— J'y vais.

Jackie regarda sa mère qui s'approchait d'un pas assuré des doubles portes de la salle et la rattrapa de justesse.

— Tu ne peux pas entrer, maman.

— C'est moi qui suis censée la soutenir pendant l'accouchement. Je suis partie en plein milieu de mon cours de golf exprès pour ça !

— Je t'en félicite. Mais pour l'instant, il faut laisser les médecins faire leur travail.

— Je veux simplement l'aider !

— Ce n'est pas en t'inquiétant que tu vas y parvenir, s'interposa M. Ball.

— Oh ! fit-elle. Monsieur fait son coq depuis l'incident de la perceuse. Regardez-le. Il joue les machos, maintenant !

L'intéressé se tourna vers Jackie, espérant son soutien. Mais personne ne l'avait jamais défendu. Elle se tut.

— Écoute-toi ! riposta-t-il. Tu es déjà en train de faire peur à tout le monde en prédisant que ça va mal tourner !

— Bravo, murmura le juge.

— C'est une possibilité ! éructa Mme Ball.

— Tu te fais toujours du mouron pour rien, répondit son époux.

Mais Mme Ball n'avait pas sacrifié quarante-deux années de sa vie à se ronger les sangs pour se laisser écraser aussi facilement par un homme qui avait passé la sienne davantage au garage qu'au salon.

— Et toi, tu t'es déjà fait du souci ? gronda-t-elle d'une voix tremblante. Sais-tu ce que c'est, au moins ? Tu m'as laissée élever les enfants seule ! Tu ne t'es jamais préoccupé de savoir s'ils risquaient d'attraper des poux à l'école. Et quand Dylan mouillait son slip en classe et que nous voulions l'envoyer chez un spécialiste...

— Il faisait simplement ce que les garçons font à cet âge, coupa M. Ball. Il n'était pas perturbé.

Mme Ball prit des airs de martyre.

— Ah, il fallait que tu choisisses cet exemple afin de m'humilier !

— C'est toi qui l'as choisi, lui fit-il remarquer.

— Je ne t'ai pas vu surgir avec une perceuse le jour où les gosses nous ont annoncé qu'ils abandonnaient leurs études.

— Et ce n'est pas ton anxiété qui les en a dissuadés que je sache ?

— Au moins, ça prouvait que je tenais à eux. Tu crois qu'ils n'ont pas remarqué que tu n'avais rien à dire quand quelque chose d'important les concernait ?

M. Ball se figea.

— Alors ? reprit son épouse, les mains sur les hanches.

— Si je m'étais mis à m'inquiéter aussi, nous aurions fini à l'asile.

— Si tu t'étais inquiété un peu plus, j'aurais pu m'inquiéter un peu moins ! rugit Mme Ball. Je regrette d'être moins courageuse que Jackie. Elle, au moins, elle refuse de se contenter de quelque chose, faute de mieux. Si j'avais l'instinct de survie, j'aurais demandé le divorce depuis longtemps.

Elle n'avait jamais été aussi élogieuse à l'égard de Jackie. M. Ball pâlit.

— Pas de contestation ? lui demanda le juge.

— Pas pour l'instant, répondit-il d'un air contrit.

— Dans ce cas, je propose une récapitulation.

Mme Ball opina du chef. D'une main tremblante, elle désigna la salle d'accouchement.

— Notre fille sans mari et sans diplôme est en train de donner naissance prématurément à des jumelles. Si vous vous souciez d'eux, ne serait-ce qu'un peu, je vous conseille de rester. Parce que, moi, j'en ai déjà fait assez comme ça, je rentre à la maison.

Elle tourna les talons et s'éloigna dans le couloir d'un pas raide. Stupéfaits, ils ne remarquèrent même pas la sage-femme qui s'approchait d'eux.

— Michelle va bien, annonça-t-elle. La personne qui veut l'aider peut entrer.

— Elle n'est pas là, soupira Jackie au bout d'un moment.

— Quelqu'un d'autre veut la remplacer ? proposa la sage-femme.

— Je m'en charge, déclara bravement M. Ball en remontant les manches de sa chemise.

— Vous êtes ?

— Son père.

La sage-femme dévisagea le juge d'un air perplexe. Il se recroquevilla en silence. Jackie le fusilla du regard puis se tourna vers M. Ball.

— Sans vouloir te vexer, papa, Michelle sera plus à l'aise avec une femme.

— Tu crois ? Tu diras à ta mère que je me suis porté volontaire, alors, d'accord ? Et je vais attendre ici, je n'irai pas chercher un café.

— Votre sœur est très courageuse, confia la sage-femme à Jackie. C'est toujours plus difficile d'accoucher seule.

— Je suis le père biologique des bébés, intervint soudain le juge. C'est à moi de l'aider !

Il se dissimula davantage sous son chapeau et pénétra dans la salle d'accouchement.

Henry cherchait un mot qui rime avec *maman*. Il venait de terminer quatre cartes d'anniversaire et se débrouillait plutôt bien. Certes, il ne remporterait pas un prix de poésie, mais les cartes lui permettaient de régler une partie des factures. Les moins importantes. Le taux d'intérêt de son emprunt-logement avait considérablement augmenté depuis qu'il devait à Jackie la somme représentant la moitié de leur bien immobilier. N'étant plus salarié, sa situation financière se dégradait de jour en jour et une pancarte portant l'inscription « *À vendre* » était plantée devant la maison.

Alarmé, son banquier l'avait convoqué afin de lui suggérer de déménager. Probablement dans un studio des quartiers pauvres de Londres où il se ferait agresser régulièrement en allant chercher son litre de lait. Un réduit où les animaux domestiques seraient interdits.

— Ne t'en fais pas, lança-t-il à Shirley. Je ne te laisserai pas tomber.

Mais la chienne le scrutait comme si elle ne tenait pas à rester avec lui. À force de l'entendre fredonner en souriant, elle était sans doute déstabilisée. Curieusement, sa bonne humeur l'avait rendue craintive.

Henry termina sa carte d'anniversaire et jeta un œil sur la lettre qu'il avait reçue. Pour une fois, c'était une réponse positive. Enfin, presque :

Nous ne sommes pas convaincus par le poème intitulé Cœur mutilé *et nous pensons que le recueil, dans son ensemble, est trop angoissant. Toutefois, si vous souhaitez le réviser, nous sommes prêts à envisager de l'éditer, à condition qu'il corresponde à notre ligne éditoriale et que notre programmation nous le permette.*

La sonnerie du téléphone retentit. Henry décida qu'il n'aurait pas de téléphone dans son futur studio. Il se conterait de pigeons voyageurs. Il décrocha.

— Allô ?

— Henry ? C'est Adrienne !

— Je n'ai plus besoin de vos services. Je vous l'ai annoncé il y a des mois.

— Je prends simplement des nouvelles en tant qu'amie. Au cas où vous feriez une dépression nerveuse.

La voix de son ex-agent lui semblait pleine d'espoir.

— Je suis heureux, Adrienne.

— Vous avez trop de talent pour vous satisfaire du bonheur.

— La Terre réussit à tourner sans moi, rétorqua-t-il.

— Mais votre ironie nous manque, insista-t-elle.

— Je ne suis plus votre client.

— Mes auteurs sont comme mes enfants, je ne peux pas les laisser partir.

Henry eut un haut-le-cœur.

— Très bien, reprit-elle. *Globe* ne vous convenait pas. L'équipe n'appréciait pas assez votre travail et votre démission est tout à fait légitime.

Pour finir, Henry s'était fait virer, mais si Adrienne voulait réécrire l'Histoire, cela ne regardait qu'elle.

— Il ne faut pas vous laisser abattre par une mauvaise expérience. Le *Herald* serait ravi de vous engager. Je pourrais m'occuper des négociations et...

— Ça sonne à ma porte, coupa Henry.

— Prenez le temps d'y réfléchir. Nous aurons l'occasion d'en reparler la semaine prochaine.

— Pourquoi la semaine prochaine ?

— Ne me dites pas que vous avez oublié la soirée de promotion de votre guide ? le tança Adrienne.

— Je n'y assisterai probablement pas, confia Henry en toute franchise.

— Trois cents invitations ont été envoyées, l'informa Adrienne d'un ton ferme. Je passerai vous chercher. Essayez de vous habiller correctement. Et croisez les doigts à propos des gens de la télé. Ils attendent de voir si le livre se vend bien avant de décider.

— Quels gens de la télé ?

— Désolée, il faut que je file !

Elle raccrocha. Si elle s'imaginait qu'elle allait le forcer à réintégrer le monde des médias, elle se fourrait le doigt dans l'œil. Car il avait enfin trouvé sa place et il était heureux. Même Dave ne le reconnaissait pas. Afin de faire des économies de chauffage, Henry s'était laissé pousser la barbe. Certes, ça lui tenait chaud, mais ce n'était guère pratique à entretenir. Il avait même déniché des morceaux d'aliments moisis parmi ses longs poils soyeux. Par ailleurs, les femmes n'aimaient pas les barbus peu soignés et il n'avait pas envie qu'on le prenne pour un type bizarre ou un musicien folklorique. Il la raserait pour la soirée de promotion, décidat-il. S'il y assistait. Après tout, si trois cents personnes se présentaient, nul ne s'ennuierait sans lui. Il pourrait très bien se rendre à la campagne ce jour-là et prétendre par la suite qu'il avait oublié. Le voyage lui inspirerait peut-être quelques vers sur la nature.

Les poètes manquaient de considération. Surtout en ces temps de consumérisme effréné et de spéculation foncière. C'était ce qu'il avait expliqué à Dave. Celui-ci n'avait pas compris. Il n'avait pas lu un poème depuis l'obtention de son certificat d'études secondaires et s'était rembruni quand Henry lui avait tendu l'un de ses alexandrins.

— Il faut que je le retienne par cœur ?

— Quoi ? Non.

— Que veux-tu que j'en fasse, alors ?

— Lis-le. Simplement par plaisir.

Dave l'avait regardé comme s'il s'agissait d'une mauvaise plaisanterie. Les cartes d'anniversaire l'avaient épaté, néanmoins.

— Tu arrives à écrire ce genre de truc, c'est dingue ! Et ça rime, en plus. Tu en fais aussi des cyniques ?

Henry s'était dit qu'il présenterait son recueil à Dave quand ce dernier serait prêt. Pour l'instant, son ex-collègue n'avait pas l'esprit encore assez ouvert et semblait intimidé par la poésie. Tout ce travail pour accomplir quelque chose qui le dépassait, avait-il l'air de penser, comme beaucoup de gens face à un film sous-titré ou à un documentaire compliqué de la BBC.

Henry avait découvert la poésie au cours de son adolescence et commencé à composer des vers lorsqu'il était devenu critique. Après avoir épousé Jackie, ses poèmes, qu'il écrivait enfermé au grenier, étaient devenus tellement érotiques qu'il n'osait pas les relire.

Gêné, il n'en avait jamais parlé à Jackie bien qu'elle fût sa muse. Au moins, dorénavant, il n'était plus obligé de se cacher pour donner libre cours à sa prose : il avait avoué ce qu'il aimait faire. Finis le monde du mensonge et des fausses apparences !

— Cette vie me satisfait pleinement, avait-il déclaré à Dave, alors qu'ils buvaient des bières, assis dans le jardin.

— Tant mieux. Il ne te manque plus qu'une femme.

— Pour l'instant, je n'en ai pas besoin. Je viens d'entrer dans la phase la plus créative de mon existence et je ne tiens pas à ce que le boulet de la vie domestique entrave mon élan.

— Si tu le dis, avait répondu Dave qui était justement venu le voir afin d'échapper à son épouse.

En silence, ils avaient écouté le chant des oiseaux. « Le paradis », avait songé Henry.

— Où en est le divorce ? s'était enquis Dave.

— Tu tiens vraiment à tout gâcher ? Tu ne peux pas te contenter d'écouter les oiseaux ?

— Désolé.

— C'est magnifique ! Écoute les rouges-gorges !

— Tu es pompeux depuis que tu es devenu poète, lui avait reproché Dave. À une époque, si tu avais reçu des excréments sur la tête, tu n'aurais pas su dire de quel piaf ils provenaient.

Henry s'était tu.

— Écoute, avait repris Dave, Dawn m'attend, elle va me tuer si je ne lui rapporte pas des détails croustillants au sujet du divorce.

— Le procédure avance comme sur des roulettes. Bientôt, je serai un homme libre. Santé !

Dave avait levé sa bière, mais leurs bouteilles s'étaient entrechoquées gauchement et les oiseaux avaient cessé de chanter.

— Elle va se remarier dès que ça sera réglé, je suppose ?

— Sans doute, avait rétorqué Henry avec une indifférence remarquable. Moi aussi, d'ailleurs.

— Toi ? Avec qui ?

— Aucune idée. Je vais forcément rencontrer quelqu'un. Je suis encore jeune.

— Tu as une barbe et tu n'as pas de vrai boulot. Auteur de cartes postales d'anniversaire, c'est moins sexy que critique gastronomique aux yeux des femmes. Tu es fauché et tu seras à la rue dans quelques semaines. Et pour couronner le tout, tu as grossi.

— Va te faire voir.

— Quant à Jackie, elle est superbe, elle m'a toujours fait penser à Kate Bush. Tu le savais ? Et il paraît qu'elle a ouvert une succursale de son magasin.

— Quoi ?

— Dawn en a entendu parler grâce à la meilleure amie de la belle-sœur de sa cousine. Elle travaille avec des fleuristes. C'est elle qui nous avait informés de l'existence de la première boutique, tu t'en souviens ?

« La plus grande pipelette d'Europe », songea Henry en opinant du chef.

— Dawn m'avait demandé de ne pas te le dire pour ne pas t'énerver.

— Tu ne l'as pas écoutée, avait souligné Henry d'un ton sarcastique. De toute façon, je m'en fiche. Cela ne m'agace absolument pas.

Et il avait fixé les arbres d'un air inspiré afin de masquer sa déception. Une succursale ! Comment trouvait-elle la force de se lancer dans le commerce au milieu d'un divorce ? Lui qui s'était imaginé qu'elle traversait une période d'introspection et de changements profonds. Erreur ! Jackie préférait vendre des sentiments bon marché sous forme de fleurs aux masses, voilà ce qui se passait !

Mais lui aussi avait changé. Il était devenu sentimental et allumait des bougies parfumées le soir. Était-il possible que leurs personnalités se soient interverties ? Dans un an, allait-il sangloter devant des séries télévisées et porter d'étranges escarpins ?

— Tu as l'air absent, avait commenté Dave. Tu as un poème en tête ?

— Ça va !

— Désolé. Je n'aurais pas dû évoquer la succursale.

— Non, ce n'est pas grave. Je lui souhaite bonne chance.

— Même si elle t'a accusé à tort de l'avoir trompée ? s'était étonné Dave.

— C'était un malentendu, avait répondu Henry, magnanime. J'ai tourné la page.

— Foutaises. Je n'ai jamais vu quelqu'un d'aussi amer que toi suite à une rupture.

— On finit par se lasser de l'amertume. Et aujourd'hui, je suis prêt à reconnaître que c'était en grande partie ma faute.

— Vraiment ? Et tu vas l'expliquer à Jackie ?

— Pourquoi ?

— *Pourquoi ?* Parce que... Non, tu as raison. À quoi bon ? Vous êtes divorcés.

— Presque, avait corrigé Henry, déçu que Dan n'essaye pas de le convaincre qu'il restait encore une chance. (Ce qui était ridicule, bien sûr.) Enfin, de toute façon, je sais ce qu'elle ressent.

Les poèmes dans le journal n'avaient déclenché aucune réaction. Peut-être s'en était-elle servi pour allumer un feu ou s'essuyer les pieds. Ou se moquer de lui en les montrant à ses amies. Il était également possible qu'elle ne les ait pas vus. Mais six mois auparavant, elle lui avait écrit qu'elle lisait ses critiques. Au bas de la lettre, il avait gratté le Tipp-Ex avec un couteau, et saisi sa chance. Par le biais des poèmes, il avait pu lui expliquer à sa manière qu'il l'aimait encore, malgré tout.

Le soir de son départ, il aurait dû courir après elle,

la retenir. Mais quand il était sorti du grenier, ses vers à la main, elle avait déjà disparu. Il ne restait plus que les empreintes de ses pieds humides et un immense désordre dans la chambre à coucher. Puis, sur la table de la cuisine, il avait trouvé son mot, tracé à l'eyeliner : *Adieu*. Cela lui avait semblé léger, presque joyeux, comme si une vie plus exaltante l'attendait ailleurs. Et quand il avait découvert qu'elle avait filé parée de ses plus beaux atours, il s'était décomposé. « Laisse tomber », s'était-il dit, assommé par la douleur.

Que se serait-il passé s'il était allé la chercher ? se demanda-t-il.

22

— J'ai tellement mal que je ne pourrai jamais me redresser, se plaignit Michelle. Je vais être obligée de marcher toute ma vie comme le Bossu de Notre-Dame et mes filles auront honte de moi. Dès l'âge de dix ans, elles m'abandonneront, et quand je serai vieille, personne ne s'occupera de ma pomme.

— Ne compte pas sur moi, rétorqua Mme Ball. Je serai en Espagne.

Michelle l'avait accusée de lui avoir coupé l'herbe sous le pied pour s'acheter un appartement dans une maison de retraite. Le logement était actuellement en construction. Après la naissance des jumelles – prénommées Sabrina et Jill à l'instar des héroïnes de *Drôles de Dames* –, Mme Ball avait annoncé qu'elle avait été séduite par une brochure sur laquelle figurait une femme du troisième âge paisiblement endormie sur une chaise longue au bord d'un bassin. La maison de retraite portait un nom espagnol magnifique que personne n'arrivait à prononcer, mais qui traduit signifiait « Le Lieu où flétrir et mourir ».

— Il y a un supermarché et un salon de coiffure ! avait-elle précisé avec jubilation.

Et même un cimetière situé derrière le mur de la piscine. Cependant, Mme Ball n'envisageait pas de trépasser. L'achat de l'appartement symbolisait simplement sa façon de riposter avant que le reste de ses enfants revienne vivre sous son toit. Dylan avait rompu avec sa petite amie – une femme mariée – et Eamon avait parlé de faire découvrir à ses rejetons la terre de leurs origines.

— Qu'ils n'espèrent pas que je les prenne en charge ! avait déclaré Mme Ball.

Depuis que son mari lui avait reproché d'être trop angoissée, elle avait rajeuni de dix ans. Elle avait confié à Jackie que, lorsqu'elle serait en Espagne, son unique souci serait d'arriver à la piscine la première le matin. Bien sûr, pour le salut des jumelles qui n'avaient que deux semaines, elle retarderait un peu son départ. Mais grâce à Michelle qui s'était gavée durant sa grossesse, les nourrissons potelés pesaient chacun quatre kilos. Dès qu'ils pourraient s'asseoir sans tomber, elle ferait ses bagages et irait lézarder au soleil, avait-elle décrété.

Le seul problème était l'alimentation. Selon une amie à elle qui avait passé des vacances là-bas, les Espagnols se nourrissaient essentiellement de tortillas et avaient la manie de vous proposer des olives en toute occasion. Quant aux épiceries, elles contenaient des saucisses géantes moisies et des produits inconnus. Pour ne pas mourir de faim, on lui avait vivement conseillé d'apporter des tranches de poitrine fumée et du thé. Mais M. Ball serait dans son élément puisque la maison de retraite projetait de faire construire un terrain de golf. Toutefois, la semaine précédente, il avait annoncé qu'il ignorait s'il passerait beaucoup de temps en Espagne car les jumelles avaient besoin de leur papi. Il envisageait même de ne pas y aller !

Bien entendu, elle n'en croyait pas un mot. Aucun homme ne s'intéressait aux bébés. Sous peu, il se lasserait de s'en occuper et retournerait à sa perceuse.

— Je ne sais pas, déclara Jackie. Ça a l'air de lui plaire. Regarde-le !

Il venait de caler Sabrina correctement contre son épaule.

— Elle a faim, dit-il à Michelle. Et Jill aussi, je crois. Par ailleurs, j'ai examiné les rougeurs dont tu m'as parlé. C'est simplement une irritation liée à la couche.

Mme Ball grogna avec mécontentement.

— Merci, papa, répondit Michelle.

Elle saisit ses filles, les coinça sous ses coudes et leur donna la tétée.

— Les deux en même temps, commenta Jackie épatée.

— Eh oui, mais mes seins ne seront plus jamais comme avant, rétorqua Michelle d'un air radieux.

— Tu devrais essayer le biberon, conseilla M. Ball. Comme ça, la nuit, nous pourrons te relayer.

Mme Ball le fusilla du regard.

— Je suggérais ça seulement pour moi, la rassura-t-il.

— Je ne compterais pas sur lui, murmura Mme Ball à Michelle. Et tant que tu les nourris au sein, au moins, tu ne penses pas à boire ou à te droguer.

— Je n'ai pas l'intention de reprendre des drogues ni de me soûler.

— Tu affirmes ça maintenant parce que tu es encore sous l'effet de la péridurale ! Sans parler de la dose d'anesthésiant qu'ils t'avaient administrée avant. Crois-moi, tu es sur une pente glissante !

Michelle l'ignora et se pencha sur ses filles, la mine réjouie. M. Ball contemplait la scène d'un air ému. Comme elle avait de la chance d'être mère, songea Jackie. Dorénavant, sa sœur avait sa propre petite famille. Elle appartenait à quelqu'un. Jackie se sentait plutôt légère ces jours-ci. Comme si seuls deux magasins la maintenaient ancrée. Certains soirs, quand elle fermait la succursale, elle avait l'impression que sa vie ne commencerait pas avant le jour suivant. Ce qui était stupide. Elle avait des amies, et à présent elle était la tante de nièces adorables. Elle s'était même inscrite à un cours de salsa afin de pouvoir s'acheter de nouvelles chaussures.

Parfois, elle se demandait si elle manquerait vraiment à quelqu'un quand elle serait morte. Au moment où sa voiture ferait une embardée et finirait dans le fossé en pleine nuit, par exemple.

Bien sûr, des gens la regretteraient. Mais pas comme si elle avait été le centre de leur monde. Jackie était le centre du monde de personne, désormais. Pas qu'elle eût été celui de Dan. Et encore moins celui d'Henry qui ne s'intéressait qu'à son propre nombril. En même temps, elle ne s'était jamais sentie aussi vivante que durant leur mariage. N'était-ce pas rageant ? Leur divorce touchait à sa fin et elle pensait sans cesse à lui.

— Ça va ? s'enquit Michelle.

— Moi ? répondit Jackie. Super !

— Les bébés ne te cassent pas les oreilles ?

— Non. De toute façon, je compte aller m'installer ailleurs. Maintenant que je suis célibataire.

— Célibataire, mais pas encore divorcée, précisa Michelle.

— Pardon ?

— Ne joue pas les innocentes. Velma Murphy a appelé hier. Tu n'as pas repris rendez-vous avec elle.

— Oh ! fit Jackie. Et moi qui croyais que tes jumelles t'avaient rendue béate. Tu trompes bien ton monde.

— *Être mère* ne signifie pas « perdre la moitié de son

cerveau ». Enfin, si tu parviens à te débarrasser d'Henry et que tu en trouves un autre, je te recommande d'essayer la maternité.

Elle posa Sabrina sur les genoux de Jackie.

— Elle ne ressemble pas du tout à Monsieur Fessée, s'émerveilla Jackie.

— Je sais, renchérit Michelle. Parfois je me demande si c'est lui le père.

— Alors il faut que tu lui dises !

— Pourquoi ? Il s'est enfin résigné à accepter la situation, sans parler de l'argent qu'il m'envoie. Non, en fait, je me sens bien, seule avec mes bébés, pendant que le juge reste sur la touche. Je suis ravie d'avoir mes deux poussins à aimer.

« Et moi, je n'ai personne ! » eut envie de hurler Jackie.

— Qu'est-ce qui t'arrête, par rapport au divorce ? reprit Michelle.

— Je t'en prie ! J'ai été débordée avec le nouveau magasin !

— Il te reste simplement un document à signer.

— Très bien, reconnut Jackie. Je fais un blocage. C'est le côté définitif qui m'effraie. Je finirai par m'y faire.

— Vous êtes séparés depuis deux ans. Ne me dis pas que tu viens de le remarquer. Est-ce que tu l'aimes encore ?

— Non, gloussa Jackie. Je l'ai quitté au cas où tu aurais oublié.

— À cause d'une aventure qu'il n'a jamais eue.

— Pas seulement, se rebiffa Jackie. Il y avait d'autres problèmes.

— Insolubles ? insista Michelle.

— Je crois.

— Même si vous vous aimez ?

— Ce n'est pas le cas.

— Il t'a quand même écrit des poèmes à l'eau de rose. Moi, ça me ferait vomir, mais toi, tu adores ça.

— Si c'est ce qu'il ressent, pourquoi ne me l'a-t-il jamais déclaré de vive voix ? Pourquoi les fait-il paraître anonymement dans un journal au moment où nous divorçons ?

— Il avait peut-être besoin que tu l'apprennes.

— De toute façon, ça n'a plus d'importance puisque de toute évidence ce n'est plus ce qu'il éprouve à mon égard.

— Qu'en sais-tu ?

Jackie n'avait pas vu de nouveaux poèmes dans *Globe* et elle vérifiait chaque semaine. Dimanche, elle avait remarqué une critique dithyrambique au sujet d'un guide gastronomique dont il était l'auteur. Pas étonnant qu'il n'ait pas le temps de penser à elle : il était bien trop occupé par sa carrière.

— Parce que nous sommes en train de divorcer, Michelle, répondit-elle. Et malgré sa jolie prose, il ne fait rien pour m'en empêcher.

— C'est vrai que c'est un problème.

— Quand nous étions ensemble, j'ai passé ma vie à essayer de deviner ce qu'il ressentait. J'en ai assez.

— Tu ne peux pas aller le voir pour en discuter ?

— Non.

— C'est ta dernière chance, prévint Michelle.

C'était tentant. Mais que se passerait-il si en sonnant à sa porte une Pénélope blonde ou une Mandy lui ouvrait ? Henry était un homme très attirant en apparence ; les remplaçantes ne manqueraient pas de se bousculer au portillon. Il attendait peut-être la fin de la procédure avec empressement afin de pouvoir se remarier. Ou alors ses poèmes étaient sincères et il lui demanderait de rester. Mais pourquoi irait-elle le voir ? Ne lui avait-elle pas déjà assez couru après comme ça ? N'avait-elle pas renoncé à tout pour le suivre ? S'il souhaitait qu'ils se réconcilient, c'était à lui de venir la chercher. Et en deux ans, il ne l'avait pas suggéré.

— Tu as raison, répondit-elle à Michelle.

— Tu vas y aller ?

— À propos de traîner les pieds, je voulais dire.

— Ne fais rien d'irréfléchi !

— Je ferai ce que j'ai à faire, répondit Jackie d'une voix lasse.

Mme Ball leur annonça qu'une voiture venait de se garer devant la maison.

— C'est probablement Gerard, déclara Michelle.

Leurs rapports s'étaient civilisés. Il passait plusieurs fois par semaine, en fin de journée, après avoir condamné des meurtriers et des extorqueurs de fonds. Il jouait avec les bébés, changeait une couche ou deux pendant que Michelle lui préparait du thé. Ce soir, ils devaient discuter de l'école maternelle privée dans laquelle ils allaient envoyer les jumelles. Aux frais du juge, naturellement. Même sa femme s'était décrispée et l'avait laissé inscrire son nom sur le certificat de naissance des filles de Michelle. Et les collègues de Gerard n'avaient créé aucun scandale quand la nouvelle avait éclaté au grand jour. Un certain Justice West, âgé d'environ soixante-dix ans, était venu leur rendre visite pour leur montrer les photos de son propre fils illégitime. Gerard avait conseillé à Michelle de terminer ses études de droit et déclaré qu'il allait trouver une jeune fille au pair. Ce à quoi Mme Ball avait répondu d'un ton railleur qu'elle n'en doutait pas. Mais Michelle avait déclaré qu'elle ne voulait pas terminer ses études, qu'elle préférait ne plus jamais voir un triple verre de vodka, et qu'élever ses enfants à la maison lui convenait.

— Ce n'est pas la voiture de Gerard, s'inquiéta Mme Ball en regardant à travers les rideaux. Oh, mon Dieu !

Elle se tourna vers Jackie et ajouta :
— C'est Dan !

C'était comme le retour du fils prodigue. Mme Ball sortit une tarte aux poires du congélateur, même après que Dan eut insisté qu'il n'allait pas tarder à partir. Elle demanda discrètement à M. Ball de placer la tondeuse à gazon près du véhicule de Dan, au cas où ce dernier aurait souhaité aller faire un tour dans le jardin.

Dans la cuisine, elle ordonna à Jackie :

— Recoiffe-toi. Et n'oublie pas de lui parler de ton nouveau magasin. Et du fait que tu es une femme riche, maintenant. J'ai demandé à Michelle de lui glisser un mot au sujet du divorce.

— Quoi ?

— Pour lui faire comprendre que c'est bouclé. Que tu n'attends plus que le jugement définitif pour être une femme libre.

Elle frémissait d'excitation. Elle ouvrit le réfrigérateur.

— Tu penses qu'on peut boire la bouteille de champagne qu'on avait ouverte pour fêter la naissance des jumelles ? Il en reste assez, je suppose.

— Tu comptes fêter quoi ? s'enquit Jackie d'un air soupçonneux.

— Tu sais pourquoi il est là, non ?

— Éclaire-moi.

— Pour te donner une deuxième chance.

— Oh, maman !

— Et ne me raconte pas que tu voulais rompre avec lui et qu'il t'a devancée ! Personne ne le croit. Remercie plutôt ta bonne étoile qu'il ait recouvré la raison.

— Arrête.

— En tout cas, il s'est bien habillé. Et il sent l'après-rasage.

— Il est probablement venu me rapporter des affaires, avança Jackie. Ou me demander de lui rendre sa bague.

— Sûrement pas, décréta Mme Ball. Il est tendu, ça se voit.

Elle lui offrit une part de tarte.

— Tiens, elle est encore gelée par endroits, mais quand l'atmosphère se réchauffera, elle se dégivrera.

— Je n'arrive pas à réaliser que tu me dises ça.

Mme Ball gloussa.

— D'accord, c'est désespéré. Écoute, peu m'importe que vous vous rabibochiez ou pas. Au moins, ça nous occupe.

Puis elle poussa Jackie vers le salon en murmurant :

— Et surtout, n'évoque pas Henry.

Michelle montrait ses jumelles à Dan.

— À cet âge, ils ne coûtent pas très cher, déclarait-elle. Ils ne pensent qu'à trois choses : manger, dormir, déféquer.

— Intéressant, répondit Dan. Enfin, on ne sait jamais. Bientôt, j'aurai peut-être les miens.

Et il sonda Jackie du regard. Sa mère pouvait-elle avoir raison ?

— Michelle ! piailla Mme Ball depuis la cuisine. Téléphone !

D'un air gêné, elle scruta l'appareil qui était en fait

posé devant eux, soupira, et quitta la pièce avec ses deux filles. Un sourire narquois aux lèvres, Jackie observa Dan.

— Ma mère prétend que tu tiens à être seul avec moi. Elle s'imagine que tu cherches à me reconquérir.

— Ce n'est pas le cas, répondit-il à son tour en souriant.

— Je te crois, dit-elle.

Elle aurait adoré qu'il la supplie afin de pouvoir le repousser.

— Désolé, Jackie. Je ne voulais pas te faire davantage de mal.

— Je te sers de la tarte ?

— Oui, j'adore les pâtisseries de ta mère.

Jackie lui coupa une part minuscule.

— Comment vont les Fiona ?

— Bien, merci.

— Et les autres ? Taig, Big Connell ?

Elle ne se souvenait pas de tous les prénoms. À quoi bon faire un effort puisqu'il ne se prosternait même pas à ses pieds ?

— Ça va.

Il n'avait pas envie de discuter de son entourage, apparemment. Il termina son dessert et s'éclaircit la gorge.

— Jackie, je préfère que tu l'apprennes par ma bouche que par celle de quelqu'un d'autre.

Emplie d'épouvante, elle le toisa avec un sourire serein.

— Je vais me remarier, annonça-t-il.

La gifle !

— Félicitations.

Mme Ball apporterait son champagne éventé, mais pour porter un toast en l'honneur d'un autre événement.

— Tu es sincère ? répondit Dan.

— Absolument.

— Ça ne te froisse pas ?

Jackie secoua la tête. Mais maintenant qu'elle y pensait, elle aurait préféré l'apprendre par une autre personne. Au mieux quelqu'un qui se serait fait un plaisir de médire sur la décision hâtive et vouée à l'échec de Dan. Néanmoins, elle était obligée de digérer la nouvelle face à lui, avec la tarte aux poires de sa mère, sans avertissement.

— Qui est la chanceuse ? s'enquit-elle d'un ton sardonique.

— Yvonne Toomey, s'illumina-t-il.

— Je n'ai pas eu le plaisir de la...

— Si ! coupa-t-il. Tu l'as déjà croisée. C'est la policière qui était passée à la maison à propos de l'agression d'Henry.

L'indifférence avec laquelle il venait de prononcer le mot « Henry » l'irrita au plus haut point. Et dire que c'était le même homme qui avait organisé son passage à tabac ! Dan était un type superficiel, décida Jackie.

— Je vois. Est-ce qu'elle porte son uniforme pour te faire plaisir ?

— Quand elle rentre du travail, elle l'a forcément sur elle.

Il comprit ensuite ce qu'elle sous-entendait et lui jeta un regard meurtri.

— Le grand jour aura lieu quand ? s'enquit-elle plus gentiment.

— En avril. Tu peux venir si tu veux. Ou est-ce une proposition stupide ?

— C'est déplacé, assura Jackie.

— Désolé, répondit-il d'une voix humble.

— N'en parlons plus, Dan. Je suis heureuse pour toi, d'accord ? Ce mariage me semble simplement un peu précipité, c'est tout.

Elle regretta aussitôt sa remarque.

— Je sais ! s'écria-t-il. Je l'ai dit à Yvonne. Je lui ai conseillé d'attendre, de vérifier que nous étions vraiment faits l'un pour l'autre. Mais elle m'a menacé de m'arrêter si je ne la demandais pas en mariage.

Il rougit. Jackie se sentit mal à l'aise.

— J'espère que tout se passera bien pour toi, conclut-elle, les yeux rivés sur la porte.

Mais au lieu de se lever, il se pencha en avant avec empressement.

— Nous avons tant de points communs, Jackie.

Courir, par exemple. Yvonne est très sportive – elle a dépassé un voleur la semaine dernière – et elle est membre d'un club nautique. Nous passons nos week-ends à gambader dans la nature au lever du jour.

— Charmant, murmura Jackie en jetant un œil sur sa montre.

— Nous nous préparons pour le marathon de Londres. Au départ, nous pensions que cela allait perturber nos projets de mariage. Yvonne a alors eu une idée géniale ! Elle a suggéré de nous unir juste après le marathon comme si nous étions en train de courir vers nos noces...

Les yeux de Dan s'embuèrent et Jackie remarqua qu'il avait enfin trouvé l'âme sœur. La femme de ses rêves. Une femme avec qui transpirer en portant des survêtements assortis et élever des enfants musclés en plein air.

— Bonne chance, Dan.

— Merci, répondit-il en se levant. J'ai rendez-vous avec Yvonne. Nous allons annoncer la nouvelle à ses parents.

Jackie opina du chef.

— Ma mère sera ravie de te raccompagner à la porte, je suis sûre.

— Tu diras à Henry que je suis désolé qu'il se soit fait casser la gueule.

— Qu'est-ce qui te fait supposer que je suis en contact avec Henry ?

— Pardon, je croyais...

— Tu croyais quoi ? Qu'après notre rupture je ne prendrais pas la peine de divorcer ?

— Tu es divorcée ?

— Presque, reconnut-elle.

— Je te souhaite le meilleur, Jackie.

Pourquoi ne lui tapotait-il pas le dos avec compassion en lui certifiant qu'en temps et en heure elle rencontrerait un homme aussi triste, et solitaire, et désespéré qu'elle ?

— Merci, Dan, articula Jackie.

— Parce que tu le mérites, affirma-t-il avec ferveur.

— Tu vas être en retard. Les parents d'Yvonne t'attendent.

Il blêmit, consulta sa montre et s'élança vers la porte en gémissant.

23

Depuis quatre mois, Velma se trouvait au centre d'un conflit d'intérêts. D'un côté, Jackie Ball avait fait appel à ses services pour se débarrasser d'Henry Hart ; de l'autre, Velma passait des week-ends torrides en compagnie de l'avocat de ce dernier. Elle avait consulté le site Internet de son cours de droit, mais n'avait pas trouvé de circonstances atténuantes ou de clause dérogatoire pouvant s'appliquer à sa situation. Et sa propre conscience ne lui octroyait aucun répit. Force était de constater que coucher avec la partie adverse était inacceptable. Tom était d'accord. « Je pourrais me faire virer », avait-il murmuré au creux de son cou tandis que ses genoux cagneux s'enfonçaient dans ceux, grassouillets, de Velma. Elle, de toute évidence, ne risquait pas d'être renvoyée ; il mettait donc sa propre carrière en jeu afin de la rendre heureuse. Il l'appelait Pêche et la comparait à un fruit mûr à la peau très douce. Il lui disait qu'elle sentait le miel et que sa voix lui donnait la chair de poule. Et qu'il dormait mal quand il n'était pas avec elle.

— Je ne suis pas naïve ! avait-elle aboyé, au début, méfiante face à l'extravagance des déclarations de Tom.

Mais elle avait reconnu dans sa voix un sérieux qui ne trompait pas.

Elle l'avait d'abord autorisé à venir la voir un week-end sur deux. Il réservait une chambre au *Holiday Inn.* Ils se promenaient le long du canal, dînaient au restaurant pendant que Velma le dévorait des yeux tout en conversant de droit. Elle le trouvait pertinent, sincère, normal, bien que manquant légèrement d'amour-propre. Un soir, elle l'avait invité à son domicile. Il n'avait rien manifesté de bizarre, il l'avait simplement entourée de ses grands bras ; et depuis tout s'était passé pour le mieux pour elle.

À présent, la seule chose qui leur faisait obstacle était Jackie Ball. En cet instant, elle se tenait assise en face de Velma, qui la maudissait déjà d'avoir retardé inutilement la procédure durant cinq semaines.

— J'ai cru que vous aviez la trouille, déclara l'avocate.

— Moi ? Non, j'ai simplement été débordée avec le nouveau magasin.

— Ça marche bien ? s'enquit poliment Velma sans être dupe.

— Très bien. Contre toute attente, après un lent départ, nous sommes désormais submergées.

— Tant mieux, commenta Velma en écoutant à peine.

Elle détenait le bon document, la D36, et sa facture était prête. Grisée à l'idée de se défaire de sa cliente, elle déclara :

— Alors c'est l'étape finale ? Voici l'assignation en divorce.

Afin de ne pas effaroucher Jackie, à l'instar des vendeurs des *Burger King*, elle ajouta une note de gaieté dans sa voix.

— Comme je vous l'avais expliqué, la phase provisoire est une sorte de test pour vérifier que le divorce vous convient. Ce qui, bien sûr, est le cas ; autrement vous ne seriez pas allée aussi loin ! Maintenant, pour être légalement divorcée, vous, le requérant, devez signez cet acte.

— Entendu, répondit Jackie d'un ton calme.

Velma éprouva un vif soulagement. Après tout, Jackie Ball semblait heureuse de se débarrasser d'Henry Hart. Selon Tom, Hart était un type bien, mais cela, Velma ne pouvait le confier à sa cliente. Elle était d'ailleurs terrifiée à l'idée de laisser échapper une confidence. Elle avait hâte de boucler l'affaire afin de pouvoir batifoler avec Tom sans culpabiliser. Celui-ci lui avait demandé de tout avouer à Jackie, de lui expliquer qu'elle ne pouvait plus la représenter. Facile à dire quand on travaillait dans un grand cabinet de Londres ! Velma, contrairement à lui, avait besoin de l'argent de Jackie.

— Où dois-je signer ? s'enquit cette dernière.

— Ici. Mais d'abord, lisez l'assignation.

— Je suis sûre qu'il n'y a aucun problème, répondit Jackie en apposant sa signature au bas de la D36.

Velma se sentait de mieux en mieux. Tom devait venir la rejoindre dans la soirée. À l'aéroport, elle pourrait l'attendre à l'arrivée au lieu de se cacher au troisième étage du parking.

— Une bonne chose de faite, déclara Velma en souriant. Parfois, les gens ont tendance à se rappeler des qualités de leur ex au dernier moment. Même si celui-ci a cassé les portes de leur patio lors d'une dispute ou refusé de s'abaisser à travailler. J'ai reçu une femme qui pleurait parce qu'elle se souvenait que son ex la faisait hurler de rire quand il imitait Bruce Forsyth.

Velma secoua la tête d'un air dégoûté et ajouta :

— Moi, ma devise, c'est : « Qui a été un salaud le sera de nouveau. »

— Henry n'est pas un salaud, répliqua Jackie.

Velma comprit qu'elle avait été trop loin.

— Non, bien sûr, s'empressa-t-elle de rectifier en déposant sa facture devant Jackie. La TVA est comprise.

Mais Jackie y prêta à peine attention. Pas que cela eût gêné Velma. Elle n'avait pas habilement gonflé ses frais, comme le suggérait son cours de droit américain.

Jackie sortit son chéquier. L'avocate réfléchit brièvement à un commentaire encourageant.

— On se reverra le jour de votre mariage ! déclarat-elle avec entrain.

— J'ai rompu avec Dan.

— Vraiment ?

En fait, Velma n'était pas surprise.

Elle avait même parié que Jackie repasserait dans son cabinet au bout de deux ans d'union conjugale avec lui.

— Oui, j'aurais dû vous prévenir. Comme vous pouvez le constater, je n'ai pas de chance avec les hommes.

— Vous êtes la plus charmante de mes clientes, s'enflamma Velma. Vous méritez quelqu'un de bien. Je suis sûre que votre âme sœur vous attend quelque part.

Jackie la dévisagea d'un air sceptique.

— C'est tout ?

— C'est tout, conclut Velma.

En sortant du cabinet de Velma, Jackie se demanda si elle devait rire ou pleurer. Elle se sentait perdue. Elle avait envie d'aller se soûler mais c'était plutôt l'heure du thé. Elle se figea sur le trottoir tandis que le vent la décoiffait.

— Mon Dieu ! gloussa Dave en brandissant un tee-shirt sur lequel une photo d'un groupe de sportifs en rollers était imprimée. C'est à toi ?

Henry le lui arracha des mains.

— Ça ne date pas d'hier, d'accord ? Écoute, occupe-toi des livres qui sont sur l'étagère au lieu de passer en revue mes habits.

Dave s'était déjà moqué de la collection de pulls brodés de rennes ou de bonshommes de neige qu'Henry avait portés au cours de Noël passés.

— Tu as trop de trucs ! se plaignit Dave. Tu n'as pas profité de ce déménagement pour en jeter ?

Au vu des piles de sacs et de cartons entassés dans le couloir, la réponse était évidente. Les déménageurs devaient arriver à dix heures et il ne serait jamais prêt à temps. Même après avoir appelé Dave et Dawn à la rescousse. Celle-ci s'affairait en bas, dans la cuisine. Elle avait remarqué que la pièce n'avait pas été nettoyée depuis des lustres mais ne s'en était pas plainte. Elle lui avait simplement demandé si ça allait. Comme si déménager représentait un pas important. Il avait vécu dix ans dans une maison superbe, mais il serait tout aussi heureux à l'intérieur d'un studio sans caractère situé aux confins de la ville. Et Shirley serait ravie de fréquenter le chenil en attendant de trouver une solution plus adéquate. Ça lui ferait des vacances.

— Du porno ! jubila Dave, penché sur l'étagère.

Il examinait les débris de la vie des autres tel un vautour. Néanmoins, ce qu'il regardait d'un air émoustillé contenait peut-être un poème.

— C'est érotique, rétorqua Henry en lui prenant le livre qu'il déposa dans un carton.

— Je ne porte pas de jugement, déclara Dave avec compassion. Après le départ de Jackie, tu as dû en avoir besoin.

— Tu ne pouvais pas t'empêcher de parler d'elle, reprocha Henry qui depuis l'aube n'avait cessé de penser à Jackie en empilant ses affaires.

Que devait-il en faire ? Les emporter alors que son déménagement symbolisait un nouveau départ ? Hormis certaines tenues, ses habits ne méritaient pas la poubelle. Il eût même été trop gentil à l'égard de l'humanité de jeter au feu ce qu'il avait déniché sous le lit : une boucle d'oreille formée de deux dés miniatures accrochés à une chaîne dorée.

— Tu ne veux pas prendre ses robes ? supplia Henry.

— Non.

— Tu as de la place dans ton garage.

— Il est plein.

— Au grenier alors ?

— Non ! Dawn serait furieuse. Elle refuse que je m'en mêle.

— Ne lui dis pas.

— Et si elle découvre des sacs emplis de vêtements de femme ? Elle va me mettre dehors !

— Elle saura qu'ils appartiennent à Jackie. Certains sont inoubliables, crois-moi.

— Si elle a réussi à s'en passer pendant deux ans, ils ne vont pas lui manquer, argua Dave. Elle ne tient probablement pas à les récupérer.

Il évita de lui rappeler qu'elle allait se remarier dès qu'elle serait divorcée. D'un ton radouci, il regarda Henry et ajouta :

— Ça va ?

— J'aimerais bien qu'on arrête de me poser cette question ! J'ai un livre qui fait partie des cinq premiers best-sellers non fictionnels ; alors, oui, merci.

« Numéro trois cette semaine, numéro un la semaine prochaine ! » avait affirmé Adrienne. Comme si elle pouvait le prédire. Il ne lui transmettrait pas sa nouvelle adresse.

— La direction veut que tu reviennes, annonça Dave.

— J'en suis certain.

Henry était déjà au courant par Adrienne. Et il éprouva un immense plaisir en répondant à Dave :

— Dis-leur d'aller se faire voir ! Je suis un poète, maintenant.

— On commence à le savoir. Tiens, ça rime. Moi aussi, je compose.

— Continue de remplir les cartons, ordonna Henry.

— Tu pourrais travailler à *Globe* en tant qu'invité ?

— Je n'ai pas le temps.

Il était submergé par la rédaction des cartes de la Saint-Valentin. Il était très mal payé et songeait à changer d'entreprise – essayer Hallmark, peut-être ! Et la révision de son recueil de poésies se présentait à merveille. Son éditeur souhaitait que le ton général soit drôle et léger. Il avait flatté Henry en lui confiant qu'ainsi il deviendrait l'une des voix les plus fraîches de la poésie d'aujourd'hui, si toutefois il ne sombrait pas dans la complaisance.

— *Le Guide complet de l'autohypnose*, murmura Dave.

— C'est à Jackie, informa Henry.

— Ouais. Tu le veux ?

— Jette-le, répondit Henry sans hésiter.

Dave s'exécuta.

— J'ai fini, déclara-t-il.

Ils regardèrent alentour.

— Ça fait vide, non ? commenta Dave.

— C'est parce que c'*est* vide, martela Henry.

— On dit que les maisons ont une mémoire, qu'on peut deviner ce qui s'y est passé à l'atmosphère qui y règne. Tu le savais ? Je serais curieux d'apprendre si les gens qui vont s'installer ici le sentiront.

— Personne n'a été assassiné, rétorqua Henry. Il y a simplement eu une rupture entre moi et Jackie. Si personne n'emménageait dans un endroit où un couple a rompu, Londres regorgerait d'appartements vacants !

— Très bien, calme-toi !

Dawn surgit sur le seuil de la chambre. Elle toisa Dave d'un air sévère.

— Tu ne peux pas t'empêcher de faire des gaffes ?

— Non, geignit Dave, je...

— Le camion est arrivé, coupa-t-elle. Va aider les déménageurs à le charger.

Dave fila docilement. Dawn se tourna vers Henry.

— Ne me demande pas si je vais bien, anticipa-t-il.

Elle sourit.

— Contrairement à Dave, je pense que toi et Jackie avez passé de bons moments dans cette maison.

— Merci, bredouilla-t-il, stupidement ému.

— Par ailleurs, il faudrait te débarrasser du frigo : il est couvert de moisissures qui ne partent pas. Tu es quand même un chef diplômé !

— Désolé.

— Je m'en occuperai, promit-elle.

Il la regarda s'éloigner. Une femme attentionnée, pleine de sens pratique ! Cet idiot de Dave ne se rendait pas compte de sa chance.

Henry non plus ne s'en était pas rendu compte. Lui aussi avait eu une femme merveilleuse sous le nez tandis qu'il était occupé à chercher qui il était vraiment. Et maintenant qu'il l'avait enfin découvert, elle était avec un autre.

De toute façon, elle n'aurait pas voulu d'un poète fauché, abandonné par ses amis avec un empressement blessant. Un type sans maison ni voiture, qui se cuisine des lentilles en période de vache maigre ?

Il était encore pas mal, se consola-t-il. Il pouvait continuer à séduire pendant un an ou deux. S'il ne buvait pas trop.

— Henry ! brailla Dave depuis l'escalier. Les déménageurs veulent savoir si le manteau de cheminée se détache ou s'il est cassé ?

— J'arrive ! répondit Henry.

Il jeta un dernier coup d'œil dans la pièce. Les meilleurs moments de son mariage avaient eu lieu à l'intérieur de cette chambre, au milieu du grand lit. Si les maisons possédaient une mémoire, comme disait Dave, ou abritaient des fantômes, alors il aurait dû entendre le rire de Jackie (les disputes s'étaient toujours déroulées en bas). Il tendit l'oreille en percevant un bruit aigu et cristallin. Son portable !

— Allô ?

— Henry ? C'est Tom.

Son avocat chuchotait presque.

— Je sais que vous êtes en train de déménager et je ne vais pas vous retenir longtemps. Je voulais simplement vous prévenir que Velma... euh... Quel est son nom, déjà ?

— Murphy.

— C'est ça. Elle m'a appelée. L'assignation en divorce a été signée ce matin. « Pas trop tôt », me suis-je permis de lui faire remarquer. Elles auraient dû déposer ces papiers depuis des semaines. Quoi qu'il en soit, dans quelques jours, vous serez libre !

Si vite ? Il avait supposé que les rouages de la justice fonctionnaient plus lentement.

— Fantastique, déclara Henry d'un ton plat. Merci, Tom.

— Je pensais que la nouvelle vous ferait plaisir.

Comment pouvait-il imaginer cela ? songea Henry furieux. Il n'avait pas harcelé Tom au téléphone à propos du divorce. Il ne s'était pas promené en souriant d'un air réjoui alors que la procédure arrivait à son terme. Et cela faisait quatre mois que son avocat n'avait pas vu sa tête !

— Vous allez...

— Ne demandez pas comment je me porte ou je raccroche.

Après un bref silence de stupeur, Tom murmura :

— Très bien.

Henry se maîtrisa. Ce n'était pas le moment de s'en prendre à Tom vu qu'il n'avait pas de quoi le payer. Dommage qu'il n'y ait pas deux Saint-Valentin.

— C'est tout ? s'enquit-il. Il n'y a plus rien à faire ?

— Non. Je vous remercie d'avoir été mon premier client.

— Pas de problème.

— Vous ne voulez pas poursuivre en justice l'ex de Jackie Ball ? Il est encore temps. Ça me permettrait de m'entraîner à plaider face à un juge.

— Non. Vous avez parlé d'un ex ?

— Oui. Dan Lewis.

— Je connais son nom. J'ignorais qu'ils n'étaient plus ensemble.

Il attendit que Tom lui rétorque qu'il s'était trompé, qu'il mélangeait tout. Il n'en fit rien.

— Je l'ai appris ce matin, confirma l'avocat. Je vous enverrai notre facture à la fin du mois.

— Entendu.

Après avoir raccroché, il se tint un instant immobile. Puis il saisit sa veste et sortit son portefeuille. Dave surgit près de lui, un marteau à la main.

— Je n'arrive pas à déloger le manteau de cheminée du mur.

— Écoute, je vais te laisser t'occuper du déménagement, annonça Henry en s'examinant dans un miroir.

Sa barbe avait repoussé, mais il n'avait pas le temps de se raser. Et l'odeur de ses aisselles n'était guère engageante.

— Quoi ! paniqua Dave.

— Remets les clés du nouvel appartement aux gars qui sont en bas ; ils se débrouilleront.

— Tu pars ?

— Oui. Tu as de l'argent sur toi ?

— Quelques billets de cent – j'en ai besoin pour...

— Merci, ça me suffira.

— Henry ! Qu'est-ce qui se passe ?

Henry l'étreignit.

— Tu es le meilleur, Dave.

Puis il le repoussa et sortit précipitamment.

24

Emma avait repassé le plus austère de ses chemisiers et le portait avec un pantalon marron et des chaussures plates assorties. Aucun cheveu ne dépassait de sa coupe au carré. Son cœur battait calmement. Elle aurait terrifié Morticia Adams.

À onze heures pile, la clochette tinta. Elle leva le nez de son livre de comptes. Lech se tenait devant elle. Vêtu d'un costume, d'une cravate, il la dévisageait d'un air sombre.

— Tu es en retard, déclara-t-elle.

— Non, rétorqua Lech en regardant sa Rolex, tu avais dit « onze heures ».

— Moins cinq, lui rappela-t-elle. Juste avant ma pause-café.

— Quoi ? Tu ne m'accordes que cinq minutes ?

— Quatre.

— Tu es vraiment incroyable. Tu m'as sonné à minuit hier soir pour m'ordonner de venir au magasin...

— Je t'ai demandé de passer, coupa-t-elle. Tu n'étais pas obligé d'accepter.

— Et maintenant tu m'annonces que tu n'as que cinq minutes à me consacrer ! Désolé, Emma, ça me prend plus longtemps que ça.

— Oh ! rougit-elle.

— Tu veux que je te prenne où ? Sur le comptoir ? Dans la réserve ? Chez toi ?

— Lech, c'est pour discuter que je souhaitais te voir.

— Pour discuter. C'est une première !

Elle ne releva pas.

— En tant qu'amie.

— Depuis quand es-tu mon amie ? explosa-t-il. Les amis restent en contact, prennent des nouvelles, s'entraident, se soutiennent moralement. Toi, tout ce que tu as su faire, c'est me saigner à blanc !

— Je suis navrée, Lech. Peut-être que, si j'avais été davantage ton amie, tu ne serais pas devenu ce que tu es.

Il l'observa d'un air perplexe.

— Comment ça ?

— Regarde-toi.

— Qu'est-ce que j'ai ? demanda-t-il en inspectant furtivement sa braguette.

— Ta limousine, ton costume, tes lunettes de soleil... qu'est-ce qu'il t'est arrivé, Lech ?

— J'ai un nouveau travail, répondit-il en bombant le torse.

— Quel genre ?

— Un boulot en or.

— Tu livres des marchandises ?

Il opina du chef.

— Quoi, au juste ? insista-t-elle.

— Ça ne te concerne pas, rétorqua-t-il.

— Écoute, Lech. Je sais exactement dans quoi tu as mis les pieds. Dès que Jackie m'en a parlé, j'ai deviné. Un livreur de fleurs ou de pizzas ne se retrouve pas au volant d'une limo en quatre mois. À moins qu'il ne vende de la drogue. Tu es un dealer, c'est ça ?

— Un dealer ? répéta-t-il avec étonnement.

Mais à force d'avoir affaire à la police, il savait jouer les innocents, songea Emma.

— Avoue-le.

— Certainement pas.

— C'est tout ce que tu trouves à dire pour ta défense ?

Il se rétracta sous son costume. Quel manque de courage. Elle eut l'impression que les espoirs qu'elle avait nourris à son égard – même s'il n'y en avait aucun – volaient en éclats.

— Tu frimes moins, maintenant, reprit-elle. Alors qu'est-ce que tu fais ? L'aller-retour entre Dublin et Varsovie ? Avec de la cocaïne cachée dans tes bottes ?

— Non.

— De l'héroïne ? (Elle espérait qu'il n'allait pas l'obliger à décliner d'autres drogues car elle n'était pas versée dans ce domaine.)

Lech ne répondit pas.

— Toi qui es si bavard d'habitude, tu es bien silencieux.

— Je réfléchis. Je me demande s'il vaut mieux que tu me prennes pour un dealer ou que tu saches quel est mon boulot.

— C'est la vérité qui m'intéresse.

— En fait, je voulais essayer de t'épater en laissant croire à Jackie que je n'étais plus livreur mais homme d'affaires. Parce que, de toute évidence, je n'étais pas assez bien pour toi. Tu cherches un homme raffiné, un riche. Et je pensais qu'avec mon nouveau travail je me rapprocherais davantage de ce que tu attends.

Il la fixa droit dans les yeux et ajouta :

— La limousine ne m'appartient pas. C'est celle de mon patron.

— Tu es chauffeur ? s'enquit Emma.

— C'est ça. Donc, tu vois, je suis encore livreur. Ma marchandise est le propriétaire des magasins de la chaîne Pound Universe. La classe, non ? Ma Rolex, c'est une fausse. Elle provient de l'une de ses vingt-deux boutiques. Ça t'amuse, hein ? Tu vas pouvoir dire à Jackie : « Ah, ça, c'est Lech tout craché ! »

— Lech...

— Non, coupa-t-il en levant une main. Maintenant que je me suis humilié devant toi une dernière fois, je m'en vais. Tu ne me reverras jamais.

Il boutonna sa veste d'un air grave et lui fit un signe de tête courtois. Puis il tourna les talons et avança vers la porte. En le regardant s'éloigner, Emma agonisait. Engagée dans une bataille contre sa raison, elle planta ses ongles dans le comptoir.

— J'avais peur que tu te fasses descendre ! cria-t-elle.

Lech s'arrêta.

— Ou poignarder. Ou que tu te retrouves avec un bras en moins enfoncé dans la gorge. Je lis les journaux, je sais ce qui arrive aux dealers quand ils commettent une erreur.

Il se retourna d'un air surpris et elle regretta aussitôt ses propos.

— Enfin, c'est sans importance, désormais. Puisque tu es chauffeur. Alors bonne journée.

— Tu tiens à moi, déclara-t-il.

— Pas vraiment.

— Tu étais inquiète.

— C'est vrai, mais il n'y a pas de quoi en faire toute une histoire !

— Ma petite Emma.

Elle protesta, mais quand il l'enlaça, elle plaqua son visage contre son costume Armani. Aussi faux que sa montre, s'aperçut-elle. Par bonheur, il sentait encore l'après-rasage bon marché. Après ce que Jackie lui avait rapporté, Emma avait pensé, à regret, que Lech avait sans doute perdu ses manières de brute, sa spontanéité. Qu'il ne commettait plus de fautes de goût et qu'il allait attirer des femmes bien plus séduisantes qu'elle. Qu'en quelques semaines il l'oublierait. Dieu merci, il n'avait pas changé !

— C'est seulement le sexe, grogna-t-elle contre son torse. Il n'y a rien d'autre entre nous.

— Non, murmura-t-il avec entrain.

— Nous n'allons pas nous marier.

— Pas encore, répondit-il. Je ne t'ai pas présenté ma famille.

— Quoi ?

— Je vais t'emmener en Pologne. Mes parents voulaient que j'épouse une Polonaise, alors ne te fâche pas s'ils estiment que je fais un mauvais choix. On finira par les convaincre qu'ils se trompent.

Emma était certaine qu'il la faisait marcher pour se venger. Néanmoins, elle afficha une expression très sérieuse.

— On ferme le magasin cinq minutes ? proposa-t-il.

— Dix, surenchérit-elle.

Henry avait réussi à trouver une place sur le vol Heathrow-Dublin à un prix exorbitant. Coincé entre un type qui empestait l'ail et une femme qui n'avait cesse de se signer, Henry tourna la tête vers l'hôtesse de l'air.

— Un magazine, monsieur ? proposa-t-elle.

— À moins que vous en ayez un qui vende du courage, non merci.

Sa plaisanterie tomba à plat. Il se sentit aussi embarrassé que lorsqu'il avait acheté son billet d'avion.

— Un aller simple ? lui avait demandé l'agent de voyage.

— C'est-à-dire que... c'est compliqué...

— Pardon ?

Tout dépendait si sa femme, ou plutôt son ex-femme, comprendrait le sens de sa visite impromptue et l'entourerait de ses cuisses laiteuses en lui déclarant : « Reste pour toujours, chéri ! »

— Un retour, s'il vous plaît.

— Pour quelle date ?

— Probablement aujourd'hui.

Puis, à la hauteur du portique de sécurité, on l'avait questionné à propos du but de son voyage et du fait qu'il n'avait pas de bagage.

— J'ai un rendez-vous d'affaires, avait-il menti.

— Avec quelle société ?

Il s'était apprêté à rétorquer «IBM » ou « la Banque centrale ». Puis il avait remarqué qu'il portait des sandales.

— Très bien, avait-il avoué. En vérité, je suis encore amoureux de mon ex-femme et j'aimerais savoir si une réconciliation est possible.

Après avoir échangé un regard, les deux masto-
dontes de la sécurité l'avaient laissé passer en mar-
monnant :

— Vas-y, vieux, bonne chance.

Près des portes d'embarquement, il s'était finalement
demandé quel genre de mouche avait bien pu le piquer
pour partir au beau milieu de son déménagement, mû
par l'obsession de rejoindre celle qui venait de divorcer
d'avec lui le matin même. Et avec joie, sans doute ! À
son arrivée, il la surprendrait certainement en compagnie d'une douzaine d'hystériques éméchées, occupées
à brûler son effigie en hurlant : « À bas les hommes ! »

Et à présent, il était piégé dans un avion qui volait
vers une femme qui le détestait. Il visiterait un musée,
décida-t-il. Ou il resterait à l'aéroport en attendant
l'heure de son retour. Il trouverait bien quelque chose
à grignoter dans les poubelles et les gens laissaient toujours des journaux sur les banquettes. Il expliquerait à
Dave et à Dawn qu'il souffrait d'amnésie, probablement suite à un traumatisme lié au déménagement, et
qu'il n'avait aucun souvenir de ce qui s'était passé ce
jour-là.

Par ailleurs, il lui restait encore la poésie, se consola-
t-il. Il pourrait passer de longues années solitaire à
écrire des odes à Jackie, lesquelles seraient éventuelle-
ment publiées et intitulées *Odes à Tammy,* de façon à
ne pas éveiller les soupçons. « Vous êtes priés d'attacher

vos ceintures », croassa la voix du commandant de bord.

Génial. L'avion allait s'écraser. Jackie n'aurait pas dû prendre la peine de divorcer ; au cours des trois prochaines semaines, on repêcherait des morceaux de lui dans la mer.

Mais non. Le commandant les informa qu'ils étaient sur le point d'atterrir à Dublin. Henry n'était pas sûr d'avoir de quoi s'acheter un café à l'aéroport. Avec une consommation, il pourrait tenir sept heures. Dans sa poche, il dénicha quatre-vingt-sept pence et une boucle d'oreille composée de deux dés appartenant à Jackie – il avait dû la placer là par distraction en oubliant de la jeter. Deux 6 identiques lui faisaient face. Jackie y aurait vu un signe. Lui savait que cela ne signifiait rien, mais après tout, c'était le fait d'avoir pris ses désirs pour des réalités qui l'avait conduit jusqu'ici : alors pourquoi ne pas laisser des accessoires de mode le guider jusqu'au bout du chemin ?

Jackie regardait la rediffusion d'un téléfilm mélodramatique. La tragédie convenait parfaitement à son humeur ces jours-ci.

— *Désolé, elle ne va pas s'en sortir.*

— *Docteur Raymondo, n'aviez-vous pas réussi à extraire les balles ?*

— *Si, mais je ne peux rien faire pour sa blessure au crâne.*

— *Il faut qu'elle vive ! Nous avons sept enfants.*

Un autre médecin pénétra dans la salle.

— *Docteur Raymondo, elle est en train de mourir !*

« Je sais exactement ce qu'elle ressent, pensa Jackie en sanglotant. Hormis les balles, la blessure au crâne et les sept gosses, bien sûr. »

Il était quatorze heures. Derrière les rideaux tirés, elle terminait un pot de glace posé sur ses genoux. Par chance, elle portait un large pantalon de survêtement qui pourrait certainement contenir la barre de chocolat qu'elle comptait manger ensuite.

Elle avait appelé Emma pour la prévenir qu'elle ne viendrait pas travailler mais elle était tombée sur le répondeur. Sans doute Emma était-elle allée aider Daphné, la nouvelle fleuriste de la deuxième succursale. Jackie se moucha le nez puis engloutit la dernière cuillerée de glace. Vraiment ! Au lieu de pleurer en regardant le docteur Raymondo faire un massage cardiaque à une pauvre créature étendue sur une table d'opération maculée de sang, elle ferait mieux de repeindre la ville en rouge !

— Elle s'en est sortie ? s'enquit soudain Michelle.

— Non, hoqueta Jackie. Excuse-moi.

— C'est une réaction typique, commenta gentiment Michelle. Après ton divorce, tu vas t'identifier à toutes sortes de victimes, d'exclus et de ratés.

— Santé !

— Et si tu ne retrouves pas de mari, si tu finis seule

et sans enfants, je te prêterai les jumelles. Tu pourras être une sorte de mère de substitution pour elles.

Jackie sécha ses larmes d'un air maussade. La maison semblait envahie par les jumelles. Des grenouillères séchaient au-dessus des radiateurs et la pestilence des couches s'échappait de toutes les poubelles. Chaque nuit, dès qu'un bébé braillait, il réveillait l'autre. Il fallait ensuite les nourrir, les recoucher – ce qui prenait au moins une heure –, les changer, les remettre dans leur lit, jusqu'à ce que l'une d'elles décide qu'elle avait faim et que le cycle recommence.

— Donne-moi un morceau de ta barre au chocolat, ordonna Michelle.

— Non.

— Allez ! Les petites me pompent trois mille calories par jour. Je ne suis plus que l'ombre de moi-même. Où sont passés mes seins ? Tu les as vus ?

— Toutes les deux heures.

— On dirait des chaussettes lestées par des pierres. Je ne vais plus pouvoir plaire aux hommes.

— Je croyais que tu n'en voulais pas.

— Je te l'accorde. Ce n'est pas ton cas.

— Si, je n'en veux pas non plus, répondit Jackie d'une voix molle.

Elle avait divorcé d'avec le seul qui ait vraiment compté dans sa vie. Oh, elle s'en remettrait. D'ici à quelques décennies, peut-être. Et ses poèmes la réchaufferaient, la nuit. Ce n'était pas si mauvais que cela quand on y réfléchissait.

M. Ball fit irruption dans le salon. Il était affublé du tablier de son épouse et un torchon décorait son épaule. Il ne lui manquait plus que le bandeau de Mme Ball pour compléter la métamorphose.

Il avait même cessé de jouer au golf. Depuis qu'il avait réussi à envoyer deux balles dans le même trou, il prétendait ne plus savoir où aller. Mais nul n'était dupe : tout le monde remarquait qu'il n'aimait pas s'éloigner des jumelles. Eamon, aux États-Unis, avait confié que M. Ball n'avait jamais manifesté autant d'intérêt à l'égard de ses propres enfants. Fier de ses tempes blanchies par les soucis, leur père s'était mis à lire *Le Guide complet des maladies infantiles dangereuses*. Et dire qu'il avait fallu quarante ans à Mme Ball pour accepter de partager avec lui d'aussi précieuses informations. « Quelle égoïste ! grommelait-il souvent. Elle ne mérite pas une retraite en Espagne. »

— Sabrina est très agitée, reprocha-t-il à Michelle. Elle cherche à tirer les cheveux de Jill.

— Papa, elle n'a que cinq semaines. Elle ignore encore qu'elle possède des mains.

— Il n'est jamais trop tôt pour commencer à les discipliner, conseilla-t-il en la suivant tandis qu'elle quittait le salon.

Mme Ball était partie inspecter sa maison de retraite. La veille, elle avait téléphoné pour annoncer qu'elle ne s'était jamais sentie aussi détendue, que le village du centre était magnifique, et qu'elle déménagerait le mois prochain, dès qu'ils se seraient équipés d'un service de réanimation cardio-vasculaire. Puis elle s'était endormie à l'autre bout de la ligne.

Tous les gens avaient des projets, semblait-il, sauf Jackie. Les autres savaient comment et avec qui ils allaient passer leur existence. Dans sa famille, tout le monde avait un but. Elle aussi finirait par en avoir un. Parce que, à la fin de la journée, elle était encore en vie. « Lundi », décida-t-elle. En attendant, un jour d'excès alimentaire et plusieurs verres de mauvais vin suffiraient à la requinquer. Y penser lui donna soif et, bien qu'il fût seulement quinze heures, elle décida d'ouvrir une bouteille.

La sonnette retentit. C'était probablement des gamins du quartier qui venaient essayer de lui extorquer de l'argent destiné à financer une marche au profit des enfants démunis. Michelle avait eu raison de leur réclamer une pièce d'identité. Même aux petits. Qu'ils aillent au diable.

Jackie entendit de nouveau sonner. Savaient-ils qu'elle soignait un cœur brisé ?

— Michelle ! On a de la visite ! Papa ?

Mais les jumelles devaient être en train de se chamailler car personne ne vint. Jackie se hissa sur ses pieds en maugréant, remonta son pantalon de survêtement, et saisit la bouteille de vin qui se trouvait sur son passage.

— Quoi ? cria-t-elle en ouvrant la porte.

Henry se dressait devant elle. Croyant être victime d'une hallucination provoquée par un excès de sucre, elle ferma les paupières brièvement. Lorsqu'elle les releva, il était encore là.

— Henry ?

— Jackie ?

Il semblait surpris. Il n'avait pas l'air de la reconnaître. Elle prit soudain conscience de son horrible coupe de cheveux, de ses yeux gonflés et du vin qu'elle tenait à la main.

— C'est bien moi, confirma-t-elle d'un ton défensif.

— Non, ce n'est pas ça. Je ne pensais pas te trouver ici. Je désirais simplement demander à ta mère où tu habitais.

— Je... Je suis venue lui rendre visite.

Lui aussi avait une allure déplorable, se réjouit-elle. Il était mal peigné, mal rasé et chaussé de sandales. Sa voix n'avait pas changé, néanmoins. Et la même intensité éclaircissait ses prunelles bleues.

— Alors ! fit-elle.

Il fouilla dans sa poche un long moment puis bredouilla en grimaçant :

— Désolé.

— Tu veux utiliser les toilettes ? s'enquit-elle froidement.

Son défaut avait toujours été de rêver que sa vie se déroule comme dans un conte de fées. Pour une fois, elle se montrait réaliste.

— Non, répondit-il.

Sa main finit par émerger de sa poche et il déclara :

— Tiens, ça t'appartient.

Jackie plissa les yeux.

— Qu'est-ce que c'est ?

— Une boucle d'oreille.

— Tu es là... pour me la rapporter ?

— Oui.

— Tu as parcouru tout ce chemin depuis Londres pour ça ?

Ce n'était même pas celle en or qui lui manquait mais un bijou fantaisie de mauvais goût.

— Non, en fait, c'est un prétexte, reconnut Henry. J'aurais pu trouver mieux, mais j'ai été pris de court.

— Tu veux entrer ? proposa-t-elle soulagée.

Il hésita.

— Tes parents sont là ?

— Ma mère est en Espagne.

— Dans ce cas...

Un hurlement l'interrompit. Sabrina. Aussitôt, Jill prit le relais. Elle s'égosillait comme si on la torturait.

— Ce ne sont pas les tiens ? questionna Henry.

— Ce sont les filles de Michelle.

— Ah. J'ignorais qu'elle s'était mariée.

— Elle est célibataire.

Il hocha la tête. Une angoisse la saisit. Peut-être n'était-il pas encore au courant à propos du divorce.

— Henry, j'ai signé l'assignation ce matin.

— Je sais.

— Tu le sais ?

— C'est pour ça que je suis ici.

— Pourrais-tu être un peu plus explicite ?

— Oui, pardon, bredouilla-t-il en détournant les yeux.

— Écoute, après tout ce que j'ai enduré afin que cette procédure aboutisse, j'estime avoir droit à une explication.

— Tu as raison.

La tension monta d'un cran. Les jumelles se turent. Le moteur de la tondeuse à gazon du voisin s'interrompit. Même les voitures, dans la rue, semblaient ralentir par anticipation.

— Voilà, reprit Henry. Je... Et puis merde : je t'aime, Jackie ! Désolé, j'aurais pu préparer une déclaration plus romantique, surtout depuis que je suis officiellement poète. Il faudra que je t'en parle ; c'est moins agréable que ce que j'imaginais, surtout sur le plan financier, et pour se faire éditer, c'est très difficile. Mais tu es en train de penser que je ne m'intéresse qu'à ma propre personne, alors j'arrête.

Il marqua une pause puis reprit doucement :

— Tu dois te demander pourquoi je te dis ça maintenant. En fait, quand j'ai appris que tu avais rompu avec Dan, j'ai décidé de tenter ma chance. Au pire, tout ce que je risque, c'est que tu me craches dessus.

Elle le dévisagea avec attention.

— Je tenais aussi à te confier que j'étais confus, poursuivit-il. À propos de notre mariage, du divorce. Et de ma barbe.

— Henry, murmura Jackie.

Il rit nerveusement.

— Bon, je me suis probablement ridiculisé, mais au moins j'ai vidé mon sac, déclara-t-il d'un ton modeste. Si tu pouvais m'avancer de quoi acheter un billet de bus afin que je puisse regagner l'aéroport, ça m'arrangerait.

— Non, rétorqua Jackie.

— Tu me hais autant que cela ?

— Je ne te hais pas.

— Alors quel est le problème ?

— Reste, conclut-t-elle. Au moins, un moment.

Et sans lâcher sa bouteille de vin, elle l'enlaça.

25

Ils avaient fini par la boire sur le lit à une place de Jackie, après des ébats passionnés.

— Bon sang ! s'exclama Henry. C'est vraiment de la piquette.

— Tu vois, nous sommes ensemble depuis cinq minutes et tu commences déjà à critiquer. Je croyais que tu avais changé de travail.

— Oui ! Je suis poète.

— Prouve-le.

— Quoi ?

— Compose-moi un poème. Maintenant.

— Je ne peux pas écrire sur commande, mentit Henry.

— Même quelque chose du genre : « *Tes yeux sont des piscines dans lesquelles je me noie* » ?

Jackie était très déçue.

— Je savais que tu ne serais pas emballée par ma nouvelle profession, geignit Henry.

— Tu te trompes : je trouve ça génial.

— Vraiment ?

Elle opina du chef. Il se gratta la barbe d'un air rêveur.

— La vie d'un poète n'est pas celle que tu imagines, poursuivit-il.

Elle l'obligerait à se raser, pensa-t-elle. Hormis le bas de sa figure, le reste de son corps était resté très appétissant.

— Ça veut dire quoi ? Que tu passes beaucoup de temps enfermé au grenier ?

Si c'était pour l'écouter grommeler à travers le plafond, elle avait déjà donné. En revanche, s'il s'agissait de siroter un verre de vin blanc dans un jardin ensoleillé pendant qu'il lui déclamait des rimes, elle était tout à fait partante.

— J'ai été obligé de renoncer à pas mal de choses, Jackie. À mon travail au journal, pour commencer. À mes amis superficiels. Ou plutôt, ce sont eux qui m'ont laissé tomber. Aux vernissages, aux places de spectacles gratuites, aux fêtes.

— Tant mieux : je n'aimais ni ce milieu ni ce train de vie.

— À la maison, à l'argent, au coupé.

— Tu n'as plus de voiture ?

— J'ai un vélo. Rouge. Avec une sonnette.

Elle l'observa. Il avait l'air calme et heureux.

— Tu es sérieux ?

— Oui. Désormais, je mène une existence modeste. Les javas et les vacances dans les complexes de villégiature ressemblant à des centres commerciaux, c'est terminé. Parfois, je vais boire un demi au pub, le dimanche après-midi. C'est tout. Je ne suis plus invité nulle part.

Elle finit par se vexer. Que croyait-il ? Qu'elle vivait pour faire les boutiques et la fête ? Elle voulut s'éloigner de lui, mais il restait peu d'espace sur le matelas étroit. Par ailleurs, elle ne tenait pas à ce qu'il découvre à quel point ses fesses avaient grossi et décida donc de ne pas bouger. Henry remarqua son expression.

— Eh oui, fit-il. Ce n'est pas très palpitant.

— Je préfère un mari présent qu'une semi-célébrité qui me sort de temps à autre ! confia Jackie.

— À l'époque, ç'avait l'air de te convenir. Tu ne te plaignais pas.

— C'est parce que tu ne t'efforçais pas de m'écouter, Henry. Tu étais bien trop occupé à te dissimuler derrière une façade.

Il s'appuya sur un coude.

— On venait de se marier. Comment voulais-tu que je t'explique que je n'étais pas celui que tu croyais ?

— Et comment pouvais-je savoir ce qui te rongeait

si tu refusais de m'en faire l'aveu ? Je pensais que c'était à cause de moi ! Que tu regrettais de m'avoir épousée.

— Je suis désolé.

— Plus question qu'il y ait de secrets entre nous.

— Je suis d'accord. Nous ne devons rien nous cacher. Jusqu'à un certain point, du moins. Inutile de me donner les détails de ce que tu fais quand tu es dans la salle de bains, par exemple.

Ils avaient suffisamment parlé de lui, songea Jackie. Avec empressement, elle lui annonça :

— Je viens d'ouvrir une deuxième succursale.

— Je suis au courant.

— Et dans le journal local, nous avons été décrites comme les spécialistes des couronnes mortuaires du nord de Dublin, renchérit Jackie avec fierté.

— Voyez-vous ça.

— Tais-toi !

— Allez, ne fais pas la tête.

— Ne te moque pas de moi, répondit-elle en le poussant de son index. J'ai travaillé dur et, si je n'étais pas allée vivre à Londres avec toi, j'aurais prospéré plus vite. Alors un peu de respect vis-à-vis des fleurs, s'il te plaît.

— D'accord.

— D'ailleurs, tu pourrais m'envoyer un bouquet de temps en temps. Car tes poèmes ne suffiront pas à faire mon bonheur, Henry.

— Tant que tu ne m'obliges pas à prendre des airs

mélancoliques qui me donnent la migraine, je ne vois aucun inconvénient à cela.

— On pourrait même se remarier ! Enfin, si tu le souhaites aussi.

Après une longue pause, il s'exclama :

— Excellente idée.

— Oh, Henry !

— Dis-moi, c'est bien ce matin que tu as signé les papiers du divorce ?

Jackie acquiesça.

— Quelle heure est-il ? s'enquit Henry.

— Je ne sais pas. Dix-huit heures, peut-être. Qu'est-ce que tu fais ?

Il s'était levé et enfilait sa veste.

— Donne-moi l'adresse du cabinet de Velma.

— Tu es devenu fou ? Et de toute façon, elle a probablement posté l'assignation en rentrant chez elle.

— Exactement.

— Henry, qu'est-ce que tu mijotes ?

— Fais-moi confiance. Je serai de retour dans une heure.

— J'espère qu'il n'est pas en train de te mener en bateau, s'inquiéta Mme Ball.

Elle revenait d'Espagne et son bronzage attestait dix-huit heures consécutives passées au bord de la piscine. Vêtue d'une robe d'été élégante, elle avait l'air remarquablement détendue. Le chauffeur de taxi qui l'avait déposée l'avait regardée un long moment et M. Ball, son tablier noué autour de la taille, s'était immiscé entre eux d'un air hostile.

— De quelle façon pourrait-il me mener en bateau ? répondit distraitement Jackie.

Depuis ses retrouvailles avec Henry, elle avait l'impression de planer dans l'air, portée par un immense bonheur.

Mme Ball fixa son mari avec insistance.

— Ta mère a raison, déclara-t-il. À part débarquer ici par surprise et casser le sommier de ton lit, qu'a-t-il à proposer ? Quels sont vos projets ?

« Retourner sous les draps dès son retour et y passer le week-end en murmurant des obscénités, songea Jackie. Ou prendre une chambre d'hôtel. » De cette façon, ils échapperaient à la surveillance de sa famille. Même les jumelles les guettaient.

— Je ne sais pas encore quels sont nos projets, annonça Jackie. Le fait que nous soyons de nouveau ensemble ne vous suffit pas ? Je pensais que vous en seriez tous ravis !

— Nous le sommes, assura Mme Ball. Mais, bien sûr, nous nous méfions aussi.

— Pourquoi ?

— Il y a un mois, tu voulais le faire rôtir.

— Tout a changé maintenant, informa Jackie. Il s'agissait d'un malentendu.

— À propos de quoi ? Il y en a eu tellement entre vous.

— Pour commencer, il ne fréquente plus son cercle de m'as-tu-vu snobs. Nous allons mener une vie normale.

— Où ? questionna M. Ball.

— Nous n'avons pas encore décidé, répondit Jackie. Mais ce qui est certain, c'est que nous avons tous deux changé. Dorénavant, je suis femme d'affaires. Et lui poète.

— Ça ne me dit rien qui vaille, commenta M. Ball. Qu'est-ce que ça signifie *être poète* ?

— «Écrire des poèmes», rétorqua Jackie avec impatience.

— Ça ne durera pas, décréta-t-il. Henry a un ego démesuré. Comment va-t-il supporter de rester dans l'ombre après avoir été presque célèbre ?

— Bonne remarque, Larry, approuva Mme Ball.

— Il le supporte depuis quatre mois, papa. Il n'a pas renoncé à sa carrière pour composer des vers, rouler sur un vélo rouge, et tirer le diable par la queue sur un simple coup de tête.

Un silence se fit.

— Il est dans la mouise ? demanda M. Ball.

— Il a un vélo rouge ? s'étonna Michelle.

Jackie essaya de ne pas laisser transparaître sa frustration.

— Ce qui compte, c'est qu'il a fait son choix. Et sa décision me réjouit. Peu importe qu'il soit fauché !

— Elle ne tiendra pas le coup, confia-t-il à Mme Ball. Le manque de fonds pour acheter des chaussures finira par devenir un tue-l'amour.

— J'aurai les moyens de m'en offrir ! rétorqua Jackie. Je ne comprends pas votre réaction. Il y a deux ans, vous le détestiez, et maintenant qu'il s'est métamorphosé, cela ne vous convient pas non plus !

— J'ai toujours eu un faible pour les barbus, déclara Michelle. Et même les sans-barbe, d'ailleurs.

— Merci, répondit sa sœur, estimant qu'il s'agissait d'un compliment.

— Tant que tu sais ce que tu fais, intervint Mme Ball.

— Ta confiance me stimule au plus haut point, maman.

— Où est-il allé ? interrogea M. Ball.

— Je l'ignore, reconnut Jackie.

— Tu l'ignores ?

— Oui. Il avait quelque chose d'urgent à faire.

— Mauvais départ, pronostiqua M. Ball. Vous n'êtes ensemble que depuis quelques heures, et déjà il n'arrive pas à se montrer franc avec toi.

Mme Ball opina vigoureusement du chef.

— Si ça se trouve, il ne va pas revenir, ajouta M. Ball. Maintenant qu'il a obtenu ce qu'il voulait.

— Comment oses-tu dire ça ? s'emporta Jackie.

Mme Ball vint à la rescousse de son mari. Finalement, ce n'était pas quarante ans de mariage qui les avaient unis, mais un sentiment d'inquiétude partagé.

— Téléphone ! cria-t-elle. Ça sonne quelque part.

Le son provenait de la chambre de Jackie. Sur son lit, elle saisit le portable qu'Henry avait oublié.

— Allô ?

— Henry ? demanda une inconnue.

— Non, répondit Jackie. (Comment pouvait-on confondre sa voix de souris avec celle d'Henry ?) Il n'est pas disponible.

— Ah. Dans ce cas, dites-lui que j'ai appelé. C'est Adrienne, son agent.

— Et moi, je suis Jackie. Sa femme.

— Sa femme ? Je pensais que vous aviez divorcé depuis longtemps.

— Et vous, vous êtes toujours son agent ? Je croyais qu'il ne faisait plus partie de vos auteurs ?

De toute évidence, Adrienne comprit qu'elle n'avait rien à gagner en l'agaçant.

— J'ai une excellente nouvelle à lui annoncer, déclara-t-elle d'un ton plus amical. Les gens de la télé sont finalement d'accord pour signer.

— De quoi parlez-vous ?

— Il n'a sans doute pas voulu vous avertir avant d'avoir le feu vert, expliqua Adrienne. Ça fait des semaines que j'essaye de lui décrocher ce contrat et ils ont enfin accepté ! Il s'agit d'une série de huit émissions d'une demi-heure intitulée *Le Vrai Repas d'Henry Hart*.

— Quoi ?

— Je sais. Pour ma part, j'aurais préféré *Henry montre les crocs*, mais je n'ose pas le proposer à Nigella – elle se fâche facilement. Quoi qu'il en soit, Henry est fait pour passer à la télé. Il est tellement photogénique. J'ai toujours estimé qu'il gâchait son potentiel quand il écrivait pour *Globe*. À présent, il va vilipender les restaurants sur nos petits écrans !

— Ça a l'air intéressant, commenta Jackie qui trouvait l'idée lamentable. Mais il ne veut plus être médiatisé, Adrienne.

— Ne me dites pas qu'il est encore dans sa phase « poésie » ? J'espérais qu'il s'en était lassé. Et il avait l'air de s'amuser comme un fou lors de la soirée de promotion de son guide. Il figure en deuxième place des meilleures ventes cette semaine ; c'est ce qui a fait plonger les gens de la télé.

Elle marqua une pause.

— Je ne vous ai pas vue à cette soirée.

— Je n'y étais pas, répondit Jackie.

— Pourriez-vous lui demander de me rappeler ? C'est très urgent. Il va devoir modifier son emploi du temps car le tournage commencera le mois prochain. L'équipe se rendra d'abord au nord de l'Angleterre, progressera vers le centre du pays et la dernière émission sera filmée à Londres. Henry ridiculisera les meilleurs restaurants britanniques. Vous devez être tellement fière !

— De vous ?

— Non. De lui. Honnêtement, ce changement de carrière n'était pas une bonne idée. Mais je crois qu'il commence à s'en apercevoir.

— Écoutez, je ne pense pas...

— Excusez-moi, il faut que je vous laisse. Vous l'accompagnerez, je suppose ? Alors à bientôt !

Et elle raccrocha.

Henry fredonnait *L'Amour est partout*, une chanson qu'il avait jadis classée parmi celles qui servaient uniquement à vendre du champagne et du chocolat. Il avait fallu qu'il se réconcilie avec Jackie pour comprendre la beauté et le sens du titre en question. Car l'amour était partout, songea-t-il. Il avait simplement été trop occupé par son nombril pour le remarquer.

Henry n'avait jamais cru aux histoires qui finissaient bien. Même enfant. Gamin, il traînait comme une âme en peine, les cheveux dans les yeux, persuadé que le monde voulait sa peau. Il avait toujours jugé que la vie n'était qu'un compromis décevant. Par exemple, soit on épousait une femme que l'on n'était pas certain d'aimer, soit on restait célibataire – ce qui signifiait

« partager le reste de son existence avec une personne qu'on était sûr de détester ». Le bonheur, résolument fugace, surgissait en brèves et petites explosions dont il fallait rapidement profiter.

Alors qu'aujourd'hui regardez-le ! Comblé à tous les niveaux : ses vers à l'eau de rose apparaissaient sur des milliers de cartes de vœux, et il venait de passer un après-midi à boire du mauvais vin avec la femme de ses rêves. L'existence était formidable, songea-t-il, avec émotion.

Dans la poche de son jean, il toucha l'enveloppe que Velma Murphy avait adressée au tribunal. Il avait été obligé de l'ouvrir afin de vérifier qu'elle contenait le bon document. Pour se le procurer, il avait adopté la stratégie habituelle, sauf que, cette fois, le postier l'avait coursé et rattrapé. Henry s'était échappé en se défaisant de sa veste qu'il lui avait laissée entre les mains. Il s'était ensuite élancé à travers la rue, face à un groupe de passants éberlués patientant devant un Abribus.

À présent, il se sentait frigorifié. Et il regrettait d'avoir perdu sa plus belle veste. Peut-être pourrait-il la réclamer au service des objets trouvés de la poste ? Enfin, au moins, lui et Jackie étaient encore officiellement mariés : c'était tout ce qui comptait. À son retour, ils effectueraient un rituel en brûlant l'assignation en divorce et rattraperaient le temps perdu au lit.

Il avait hâte de l'annoncer à Dave et à Dawn. Ils en seraient ravis quand ils lui auraient pardonné de les avoir abandonnés ce matin. Il se demanda comment le déménagement s'était terminé. Pas que ça le préoccupe vraiment, néanmoins. Puisqu'il n'allait pas emménager dans un petit appartement stérile. Lui et Jackie fonderaient un vrai foyer, et Shirley serait soulagée de vivre avec quelqu'un qu'elle apprécie.

Il se rapprochait de la maison des Ball et avait hâte de voir la tête de Jackie quand il lui montrerait l'enveloppe. Elle se tenait sur le perron, ébouriffée, et il s'enorgueillit à l'idée d'être responsable de l'aspect échevelé de sa femme. Il lui sourit et agita la main. Elle ne lui retourna pas son sourire. Puis il remarqua sa posture : bras croisés, agressive. Mme Ball apparut. N'était-elle pas censée être en Espagne ? Elle le toisait également d'un air hostile et avait rajeuni de dix ans. Puis il aperçut Michelle, au fond, des bébés dans les bras, qui lui jetait un regard d'avertissement. C'est quand M. Ball surgit sur le perron, une perceuse à la main, qu'Henry comprit que les ennuis commençaient.

— Baisse ton arme, papa, ordonna Jackie.

— Non, s'entêta M. Ball.

Henry s'arrêta.

— Qu'est-ce qu'il vous arrive ?

— Si ce n'est pas Gordon Ramsay en personne ! déclara M. Ball.

— Gordon Ramsay est chef, pas critique gastronomique, lui rappela Jackie.

— Dans son émission, il jure comme un charretier, poursuivit son père en toisant Henry d'un air accusateur. Comme vous, bientôt ! Et c'est ce qui fera grimper votre taux d'audimat ! Je me doutais bien que la poésie était une ruse pour faire croire à notre Jackie que vous aviez changé.

— Ça suffit, papa, s'il te plaît.

— Vous êtes toujours le même ! C'est passer à la télé qui vous intéresse !

Mme Ball passa son bras autour de la taille de son mari et ce dernier sembla croître de plusieurs centimètres.

Henry se sentait nettement à son désavantage. Il avait déjà subi les attaques de la famille Ball, mais en général il en connaissait les raisons.

— Adrienne a téléphoné, l'informa Jackie d'un ton cassant.

— Et alors ?

— Et alors ?! éructa Jackie.

— Réfléchissez bien à votre situation financière avant de prendre une décision imprudente, lança Michelle.

— Est-ce que quelqu'un peut m'expliquer ce qui se passe ? demanda Henry.

Pour finir, Jackie suggéra d'aller s'asseoir dans sa voiture. C'était le seul moyen d'obtenir un peu d'intimité.

Par précaution, elle ferma toutes les portières du véhicule, au cas où ses parents voudraient l'y rejoindre.

Henry faisait preuve d'un détachement remarquable. Alors qu'elle, bien sûr, avait les joues en feu et les nerfs en pelote. Rien n'avait changé !

Elle lui parla d'Adrienne et de l'émission dont il serait apparemment la star.

— Ah, fit-il.

Comme s'il était déjà au courant.

— Tu n'es pas étonné ?

— Non, confessa-t-il. Ça fait un moment qu'elle me tarabuste avec cette proposition. Mais je ne pensais pas qu'elle parviendrait à les convaincre.

Jackie se raidit sur son siège.

— Je ne te suivrai pas, Henry.

— Quoi ?

— Ma décision est prise, d'accord ? Et n'essaye pas de me faire changer d'avis parce que, si je retourne vivre en Angleterre avec toi, ça risque de finir en désastre. Je serais obligée de renoncer à davantage de choses qu'il y a deux ans. Sais-tu combien je dois à la banque ?

— Beaucoup ?

— Plus que ça. Mais entre nous, Henry, j'en suis très fière. Car chaque sou remboursé est un indicateur de ma réussite ! Et je ne vais pas renoncer à ma carrière pour t'accompagner de Manchester à Sheffield pour ensuite aller à... à...

— Birmingham ?

— Exact !

— Ils font pourtant des currys délicieux là-bas. Les meilleurs du monde.

C'était l'un des plats préférés de Jackie.

— Tu ne supposes pas que je suis prête à laisser tomber mes deux magasins pour un bon curry et des parties de jambes en l'air ?

— Si, avoua Henry.

— Pas cette fois. Je ne tournerai plus en orbite autour de toi. Cette époque est révolue. Et de toute façon, ça ne te plairait pas. Tu me reprocherais d'être trop en demande et on se séparerait de nouveau.

— Tu as raison, reconnut Henry.

— Quoi ?

— Tu as très bien exposé la situation.

Jackie s'était attendue à ce qu'il se montre moins conciliant. En fait, après la journée qu'ils avaient passée, les ébats passionnés, les promesses, il aurait pu se battre un peu plus pour tenter de la garder. Au lieu de rester immobile comme si c'était fini, une fois de plus, et qu'il s'en fichait !

Elle mit le contact.

— Qu'est-ce que tu fais ? s'inquiéta Henry.

— Je te ramène à l'aéroport, répondit-elle. Attache ta ceinture.

— Jackie, je ne veux pas y retourner.

— Tant pis.

— Attends ! J'ai quelque chose pour toi. Pour nous.

C'était une enveloppe chiffonnée. Il la dévisagea comme s'il guettait une réaction enthousiaste.

— L'assignation, murmura-t-il. Je l'ai récupérée. Ne me demande pas comment.

— Il ne te reste plus qu'à racheter une enveloppe et à la renvoyer.

— Jackie !

— Retourne à Adrienne et à ta carrière !

— Non, je ne la supporte pas ; je la vire et elle revient sans cesse ! Comme dans un cauchemar.

— Ce n'est pas le moment de plaisanter.

— Je suis sérieux. Je ne ferai pas cette série d'émissions. Tu crois que la perspective de millions de téléspectateurs peut me corrompre ?

— Michelle nous a exhortés d'accepter. Même au prix de notre couple.

— Oui, mais elle manque de profondeur. Pas nous.

— Tu en es sûr ?

— Oui. Et tu pourrais peut-être éteindre le moteur avant de nous empoisonner au monoxyde de carbone ?

Jackie coupa le contact.

— Alors tu ne veux pas renoncer à tout pour me suivre à Birmingham ? s'enquit Henry.

— Non.

— Tant mieux. Parce que j'hésitais justement à tout plaquer pour venir m'installer ici.

— Tu ne possèdes rien, sourit Jackie. Sauf Shirley. Comment va-t-elle ?

— Bien, bredouilla-t-il.

— Henry, qu'est-ce que tu en as fait ?

— Elle est au chenil.

— Elle a horreur de ça.

— Je te propose de changer de pays pour être auprès de toi et tu te préoccupes de la chienne.

— Il faut l'inclure dans nos projets.

— Pourquoi parles-tu d'elle comme s'il s'agissait d'une personne ?

Ils s'étaient retrouvés emmêlés au-dessus du levier de vitesses, bien qu'elle ne sache plus qui des deux avait fait le premier geste. Sans doute était-ce elle.

— Tu penses qu'on pourrait finir par vouloir quand même divorcer ? questionna Jackie.

Je ne sais pas, reconnut-il. Mais en principe, on devrait passer de bons moments à le vérifier.

Dans la collection
« Girls in the City »
chez Marabout :

Embrouilles à Manhattan, Meg Cabot

Mes Amants, mon Psy et Moi, Carrie L. Gerlach

Sexe, Romance et Best-Sellers, Nina Killham

Et plus si affinités, Amanda Trimble

Projection très privée à Tribeca, Rachel Pine

Mariage-Mania, Darcy Cosper

Mariage en douce à l'italienne, Meg Cabot

L'Ex de mes rêves, Carole Matthews

Photocomposition Nord Compo

IMPRIMÉ EN FRANCE PAR BRODARD ET TAUPIN
40872 - Usine de La Flèche (Sarthe), le 19-04-2007

pour le compte des Nouvelles Éditions Marabout
Dépôt légal : 85552 - Mai 2007
ISBN : 978-2-501-04880-4
40.9813.3
Édition 01